KB158008

선생님은 살아 있는 교육과정이다

선생님은 살아 있는 교육과정이다

초판1쇄 발행일 2014년 2월 17일
초판8쇄 발행일 2021년 4월 23일

지은이 김용근
펴낸이 류희남

펴낸곳 물병자리
출판등록 1997년 4월 14일(제2-2160호)
주 소 서울시 종로구 새문안로5가길 11, 801호(내수동, 옥빌딩)
전 화 02-735-8160
팩 스 02-735-8161
메 일 aquariuspub@naver.com
홈페이지 www.aquariuspub.com

ISBN 978-89-94803-23-4 03370

이 도서의 국립중앙도서관 출판시도서목록(CIP)은 서지정보유통지원시스템 홈페이지(http://seoji.nl.go.kr)와 국가자료공동목록시스템(http://www.nl.go.kr/kolisnet)에서 이용하실 수 있습니다.(CIP제어번호: CIP2014003486)

선생님은 살아있는 교육과정이다

김용근 지음

물병자리

차 례

제2부

기질을 알면 아이들이 보인다

제3부

모두가 꿈꾸는 학교

왜 교과서를 내려놓아야 할까?

현행 2009 개정 교육과정은 과거 국가 주도의 운영에서 교사가 중심이 되는 것으로 바뀌었기 때문에 그만큼 교사들의 역량 강화를 요구하고 있다. 이제는 단순히 교육과정을 운영하기 위한 예시 자료인 교과서에 의존해서는 안 된다. 교사 나름의 살아 있는 교육과정을 운영하는 것이 기본 목표다. 더욱이 교사는 그 자체가 살아 있는 교육과정이다. 구태의연하게 과거의 방식대로 교과서에 의존해 가르치고 배운다면, 그것은 변화된 교육과정의 기본 취지를 제대로 이해하지 못하는 것이다.

그렇다면 과연 교과서를 내려놓을 수 있을까? 대부분의 교사들은 버거워하거나 두려워할 것이다. 그동안 길들여진 교과서 의존 수업에 익숙해서인지 모른다. 하지만 시대가 변하고 아이들이 변하고, 학교 환경이 변하고 있다. 물론 변화가 다 좋은 것은 아니지만, 가르치는 방법에 대한 방식은 분명 변화해야 한다.

교과서와 창의성

국어사전은 창의성(創意性, creativity)을 "새로운 것을 생각해내는 특성"이라고 풀이한다. 그렇다면 교과서를 배우면서 새로운 것을 생각해낼 수 있을까? 교과서를 밑거름으로 해서 다른 것을 생각해낸다고 말할 수는 있을 것이다. 그런데 창의성을 키우기 위해서는 다양성을 인정하고 그에 맞게 가르치고 배워야 한다. 하지만 오늘의 학교 수업은 어떤가?

같은 날, 같은 시간에 속초, 서울, 광주, 제주도, 부산, 인천 등지에서 똑같은 과목, 똑같은 차시의 내용을 가르치고 배우고 있지 않는가. 하루 이틀 차이가 있을 뿐 교과서 진도는 거의 비슷하다. 이는 공장에서 똑같은 제품을 대량 생산하는 것과 다를 바가 없다. 획일적인 상품, 획일화된 사람을 길러내는 셈이다. 이런 환경에서 제대로 창의성을 키울 수 있을까? 창의성은 배움 그 자체에서 생겨나야 한다. 그런데 창의성을 별개로 여기면서 창의성 교육을 해야 한다는 이름으로 이리저리 뿌리 없이 수많은 교육정책을 추진하는 것이 우리 교육의 현재 모습이다.

교사의 역량에 따라 현재의 교과서 내용 속에서도 창의성을 키울 수 있는 가능성은 있지만 현실적으로 그리 쉽지 않다. 차라리 교과서를 내려놓고 교사가 창의적으로 수업을 진행하면, 그 과정에서 얼마든지 독특한 수업 내용들이 쏟아져 나온다. 그래서 교사 자체가 교육과정이라고 하는 것이다.

현재 교과서는 교육과정을 운영할 수 있도록 예시하는 교재일 뿐인데 마치 법전(?)처럼 여기는 분위기로 되어 가고 있다. 7차 개정 교육과정 이후 교과서가 겉모양이나 본문 내용 구성, 편집, 디자인, 색도, 종이 품질 따위는 많이 좋아졌다. 하지만 그보다 중요한 학년별 교육 내용은 거의 달라지지 않았다. 단순히 학년 배치 조정을 했을 뿐 근본적인 변화는 거의 없다. 달라졌다면, 교과서가 예전보다 더 두꺼워지고 내용이 많이 늘어났다는 것이다. 지식 기반 사회를 밑거름으로 미래를 대비하는 교육을 추구한다지만, 아이들 삶과는 많이 뒤떨어진 내용을 백화점식으로 방대하게 늘어놓았을 뿐 교과 연계나 계통 면에서는 많이 부족하다.

교과서 없는 수업이 가능할까?

대부분 선생님들에게 교과서를 내려놓고 수업하는 것이 쉽지는 않다. 경력 많은 교사나 새내기 교사 모두에게 버거운 일이다. 하지만 한순간에 다 내려놓기는 쉽지 않겠지만, 하나씩 내려놓는다면 그야말로 살아 있는 수업을 할 수 있다. 그렇다고 지금 교과서 중심의 수업이 모두 죽은 수업이라는 것은 아니다. 더욱 교사가 중심이 된 교육과정, 교사가 만들어가는 교육과정이 되어야 한다는 뜻이다. 이것이 2009 개정 교육과정의 기본 취지이기도 하다. 요즘은 인터넷이나 매체의 발달로 얼마든지 좋은 수업을 할 수 있는 자료와 교구를 구하기가 쉽기 때문에 열의와 노력만 있으면 얼마든지 가능하다.

물론 교사가 이를 위해 시간을 내는 것이 관건이다. 남이 다 만들어 놓은 수업 방법이나 내용을 그대로 가져다 쓰는 것은 다시 생각해 봐야 한다. 이미 그것은 교사 자신의 것이 아닌 다른 사람의 것이기 때문이다. 참고는 할 수는 있지만, 깊이 있는 수업을 하기 위해서는 그만큼 교사 스스로 노력해야 한다. 그러지 않으면 살아 있는 수업을 할 수 없다.

그저 컴퓨터 마우스 클릭에 의존하는 수업은 교사로서 존재 가치를 스스로 잊게 하는 것이다. 그러면 교사는 누구나 하는 것이라는 인식을 심어주게 된다. 오죽했으면 《2020 미래 교육 보고서》(박영숙, 2010)가 "교사 자격증이 무용지물이 된다"고 했을까?

교육의 기본 주체는 기계가 아니라 사람이다. 교사 스스로 그 중요성을 지켜 나가야만 한다. 언제부터인가 의자에 앉아 온종일 커다란 프로젝터 화면을 틀어놓고 마우스로 클릭하는 모습이 우리 학교 현장의 모습이 되어가고 있다. 물론 그렇지 않은 교실도 많지만 날이 갈수록 그런 교실이 늘고 있다. 교과서 진도를 모두 해내면 가르치는 임무를 다했다는 생각도 늘어가고 있다.

여기에는 학부모들의 짧은 생각도 한몫하고 있다. 자기 아이가 교과서 내용을 배우지 않으면 교사가 공부를 제대로 가르치지 않은 것으로 생각하고 있다. 학부모 자신들의 학창시절을 되돌아보면 어떤 것이 좋은 배움이라는 것을 잘 알 텐데 그때 그 생각들을 못하고 있다. 이 속 좁은 편견과 우리 사회에 만연한 '내 자식' 이기주의와 경쟁주의가 교사, 학생, 학부모 모두를 병들게 하고 있다.

《장자莊子》 천도편(天道篇)에 "제자는 7척 거리를 두고 스승을 따르며 그림자를 밟아서는 안 된다"(弟子去七尺師影不可踏)는 말이 있다. 스승에 대한 무한한 존경과 감사의 뜻이 담긴 구절이다.

"목사는 하느님 앞에 무릎을 꿇고, 스님은 부처님 앞에 머리를 숙인다. 교사는 그 누구에게도 무릎을 꿇지도 않고 그 어떤 곳에서도 머리를 숙이지 않는다. 이는 교사의 오만이 아니다. 교사를 존중하자는 사회적 합의

다."[1]

물론 그러기 위해서는 교사들의 혁신운동이 필요하다. 그래서 혁신 학교 운동을 하고, 수업 혁신을 부르짖는 것이다.

교사는 교실 수업을 개선하고자 노력해야 한다. 이를 멀리한다면 교직에 있을 이유가 없다. 날마다 틀에 박은 교과서와 시간표에 따라 '진도만 열심히 나간다'고 해서 가르치는 소임을 다한 것이 아니다. 우리 아이들이 무엇을 원하는지, 그에 따라 무엇을 어떻게 해야 할지를 알고 그에 맞는 처방을 내려주어야 한다. 그래야만 바닥에 떨어진 교사에 대한 믿음을 되찾을 수 있을 것이다.

제 1 부

아이들의 참 삶을 되살리는 교육

01

아이들 감각을 되살려야 한다

선생님들이 3월 초 새로운 아이들을 만나면 가장 먼저 관심을 갖는 것은 자기 반에 산만한 아이와 조용한 아이(소심하거나 우울한 아이)가 몇이나 있을까 하는 궁금증이다. 그런 아이들의 생활 지도에 조금이나마 도움을 줄까 해서 전년도 생활기록부를 자주 들추어보거나 아니면 전년도 담임을 했던 선생님들을 찾아가 묻곤 하지만, 정보 차원에서는 도움이 될 수는 있어도 그걸로 아이들을 깊이 있게 이해하기는 힘들다.

그렇다면 왜 이런 아이들 생활 지도가 이렇게 힘든 것일까? 게다가 점점 갈수록 더욱 힘들어지고 있다. 단순히 세대 차이일까? 하지만 아이들은 다 아이들이 아닌가. 도대체 우리 아이들이 이렇게 변한 원인은 어디에 있을까? 사회가 발달할수록 이런 문제는 점점 더 쉽게 풀리지 않고 있다. 게다가 아이들이 지닌 감성과 감각은 더 무디어지고 있다. 자기가 무엇을 잘못했는지 생각조차 하지 못하는 아이들, 남들보다는 자기만 아는 아이들, 무엇이든지 당연히 받아야 한다는 생각만 하는 아이들…….

선생님들이 점점 갈수록 가르치는 것이 힘들다고 하는 것도 아이들이 예전 같지 않고 많이 달라지고 있기 때문이다. 그렇다면 과연 우리 아이들에게 어떤 문제가 있는 것일까? 단순히 사회가 변했기 때문에 아이들도 변한 것일까? 물론 '인간은 사회적 동물'이라는 명제 때문에 아이들도 당연히 변해야 한다고 이야기하는 사람들도 있다.

그렇다면 이런 아이들을 좀 더 깊이 있게 치유할 수 있는 방법은 없는 것일까? 지금 이대로 손을 놓고 그냥 물 흐르는 대로 놔두어야 하는 것일까?

우리들은 교실에서 보통 산만하고 불안한 아이들이 있으면 이 아이는 입학 전부터 아니면 저학년 때부터 원래 그랬던 아이라고 하면서 치유에 대한 큰 관심보다는 이 아이가 더 이상 큰 말썽을 부리지 않았으면 하는 바람으로 생활하고 있는지 모른다. 물론 그렇지 않고 열의를 다해 생활 지도에 온 힘을 쏟으시는 선생님들이 계신다. 하지만 '적을 알면 백전백승'이라는 말처럼 원인이 어디에 있는지를 잘 알면 쉽게 해결할 수가 있다. 병을 근원부터 찾아내 치료하면 대부분 고칠 수 있는 것처럼 아이들의 영혼도 이와 같다.

교실에서 불안하고 산만한 아이

이런 아이들의 문제는 태어나서 처음 몇 개월부터 몇 년 사이에 시작된다. 즉 이 시기에 아이들이 긍정(밝은 성격)과 조용하게 깨어있는 상태를 충분하게 체험하지 못하는 신체 느낌(영양 상태, 옷, 따뜻한 온정, 기저귀 갈기, 목욕 따위들)을 갖게 되고, 점점 커나가면서 그런 것들이 꾸준히 몸과 영혼 속에 남아 있기 때문이다. 물론 이런 것은 반드시 부모에게 그 모든 책임이 있는 것이 아니다. 지금의 문명사회(스마트폰, 늦은 밤까지 텔레비전 보기, 전자 기계음, 영상 매체 따위)의 정신 장애라고 할 수 있다. 어른들이 모범된 모습을 보여주지 못한 데서 올 수도 있다.

이런 아이들은 꾸준히 한 자리에 있지 못하고 산만한 행동 특성을 보인다. 교실에서 이런 아이들이 바쁘게 움직이면 담임선생님들은 하루 종일 이런 아이들 때문에 화를 내거나 어떻게 하면 이 아이가 달라질 수 있을까 노심초사하는 모습을 우리는 자주 보게 된다. 그러면서 아이들의 행동 결과에만 매달리면서 감정만 가지고 대하는 경우가 많은데 이런 아이들이 장난을 치면 다른 아이들보다 더더욱 화를 내거나 야단을 많이 치는 경우가 많다. 이것은 아이들을 치유하는 데 아무런 도움을 주지 못한다. 오히려 이 아이들에게 깊은 상처를 입히거나 마음의 문을 닫게 한다.

교사 자신의 감정을 모두 버리고 진정으로 인내심을 가지고 아이에게 다가서야 한다. 끈기 있게 아이들이 정신을 집중할 수 있는 교육 프로그램을 제공하는 것이 필요하다. 예를 든다면 '형태그리기'[1] '기하학' 같은 공부가 좋다. 또한 아이에 대한 인내를 단순히 치유를 위한 의무라 생각지 말고 교사 자신이 한 걸음 더 나갈 수 있는 삶의 모범으로 삼아야 한다. 즉 이런 아이들을 만난 것을 운명으로 생각하고, 교사 자신이 마음을 다스려 나가야 한다. 아이 스스로가 변할 때까지 기다릴 줄 아는 교사 자신의 조급성과 이기심을 내려놓을 때 비로소 아이들이 보인다. 부모도 마찬가지다.

교실에서 소심한 아이

소심한 것은 영아기 시기의 촉감 장애에서 온다. 어릴 때 제대로 촉감 운동과 경험을 하지 못했기 때문이다. 그러다 보니 상대에 대한 생각이나 배려가 적고, 쉽게 자신을 내세울 수 없다. 더구나 바깥 세계에 대한 경험이 없기 때문에 주저하거나 무척 두려워한다. 그렇기 때문에 어릴 때 촉감 발달을 위해 많은 시간을 배려해야 한다.

이런 아이들을 치유하기 위해서는 무엇보다도 담임선생님이 사랑으로 가득 찬 눈빛으로 다가서고 도와주는 것이 필요하다. 단순히 교사(어른)의 처지에서 강압하는 것은 오히려 아이가 주변 세계와 담을 쌓게 할 수 있기 때문에 부드러움으로 다가서야 한다. 이럴 때 아이는 담임선생님을 자신을 보호하는 커다란 나무처럼 생각하고 의지한다. 그만큼 담임선생님은 아이들에게 참된 모범을 보여야 한다.

우울하고 한 곳에 쏠린 생각을 하는 아이

취학 전 주변 세계에 대한 모방이 지나치게 적었을 때 이런 모습이 나타난다. 교육이 잘못되었거나 실수라기보다는 '고유운동 감각'이 충분히 만들어지지 않았기 때문이다. 어릴 때 운동 감각이 주는 기본적 안정감이 모자라면 이런 현상이 생긴다. 또한 어릴 때 너무 혼자 있었거나 주눅 들게 하는 말투, 신체 폭력이 있었을 경우에도 그렇다. 밤늦게까지 텔레비전 보기나 컴퓨터 게임 따위로 잠을 충분히 자지 못한 경우도 이에 속한다. 사실 이런 아이들은 지능이 떨어져서 여러 교육 내용들을 이해하지 못하고, 그래서 그저 바라만 보고 있는 것이 아니라 고유운동 감각에 문제가 있기 때문이다.

이런 아이들에게는 팔과 다리로 하는 놀이(뜨개질, 목공예, 밀랍 왁스 만들기 따위), 균형 잡기 놀이, 시 낭송, 음악 활동을 할 수 있게 해주는 것이 좋다. 물론 플라스틱 장난감, 컴퓨터 게임, 비디오, 스마트폰을 멀리해야 한다. 아예 가까이 하지 않도록 하는 것이 좋다. 그러면서 담임선생님은 감정이 너무 들어가지 않게 조심스럽게 치유를 해야 한다. 그래서 아이의 주변 세계와 관계를 아이가 부담스러워하지 않게끔 연결시켜 주어야 한다.

가장 중요한 것은 담임선생님이 아이의 상태를 정확히 파악한 다음 아이 부모와 상담을 나누는 것이 중요하다. 그래서 아이가 어린 시절에 어떤 환경과 과정을 거쳐 왔는지를 안다면 문제는 쉽게 해결될 수 있다.

요즘 아이들이 집에서 부모나 어른들과 이야기를 나누는 시간이 얼마나 될까? 대부분이 맞벌이라서 아이들을 유치원(어린이집)에 맡긴다. 전업주부인 어머니, 단순히 보육 차원에서 여러 아이들을 다루는 교사들과 아이가 이야기를 나누는 시간은 얼마나 될까? 많아야 1시간 정도다. 한참 말을 배우고 주변 세계와 이야기를 나누는 시기에 이것이 충분치 못하다면 아이는 분명 장애를 앓을 수 있다.

더구나 텔레비전이나 컴퓨터 게임, 스마트폰은 더욱 더 아이를 벙어리(언어장애, 난독증)로 만들고 있다. 이야기를 나누고 싶어도 나눌 상대가 주위에 없으니 얼마나 가슴앓이를 할까? 그러다 보니 컴퓨터 게임이나 스마트폰에 빠져드는 것이 자연스러운 것인지도 모른다. 아이들에게 책임을 묻기 전에 어른들의 책임을 먼저 생각해야 한다.

어린아이에게는 부모가 수다쟁이가 되라는 말이 있는 것처럼 이 시기에 가정에서 부모의 책임이 상당히 크다. 그렇지만 현실은 우리 부모들은 경제적인 이유로 많은 아이들을 너무 어린 나이(1~5살)에 어린이집, 유치원으로 어쩔 수 없이 보내고 있지만 그렇지 않은 경우라면 좀 더 생각해 봐야 한다.

물론 어린이집과 유치원의 운영 프로그램이 문제가 있다는 것은 아니다. 아이가 어린 시절을 보내는 데 부모만큼 더 좋은 교육 환경은 없다는 뜻이다. 그렇다고 이 모든 것을 위해 사회적인 활동을 다 포기하라는 뜻은 아니다. (정부에서 맞벌이 가정 자녀를 위해 늦은 시간까지 초등학교 돌봄 교실이나 어린이집을 운영하기보다는 차라리 그 예산만큼 부모에게 돌봄 수당을 지급하는 복지정책을 마련하는 것이 대안일 수도 있다.) 적어도 아이가 부모를 필요로 하는 시기에는 아이 곁에 있어야 한다. 아이를 키우는 문제는 시행착오가 있을 수 없다. 요즘 청소년 문제도 거의가 어린 시절 어떤 환경에서 어떻게 생활해 왔는지 하는 데서 비롯되는 것이 대부분이다.

아이의 첫 번째 선생님은 부모다. 어린 시절 부모가 주는 영향은 엄청나게 크다. 앞에서 말한 것처럼 아무리 유능한 선생님이 아이들을 치유한다고 하더라도 뿌리는 온전하게 치유할 수 없다. 영혼의 상처는 한번 상처를 입으면 완전히 치유되지 않고 평생을 가지고 간다. 어린 나무 줄기에 작은 상처를 냈다고 치자. 그 나무가 아주 큰 나무가 되었어도 그 줄기에 상처가 난 흔적은 지워지지 않는 것처럼 어린 시절 가정환경과 교육이 중요한 것이다.

한번 상처받은 영혼은 쉽게 치유될 수가 없다. 깨지거나 부러진 것을 테이프나 아교, 접착제로 잇거나 붙여 비슷하게 만들어 놓지만 처음 그 모습으로는 결코 되돌릴 수가 없다. 선생님의 역할도 마찬가지다. 좀 더 여유와 인내심을 가지고 사랑으로 다가서야 한다. 힘들고 어렵게 이루어진 게 값진 것처럼 아이들 문제도 내 운명처럼 받아들여 이겨내려는 자세가 지금 우리에게는 가장 필요한 모습이 아닌가 한다.

이갈이를 제때 하지 못하는 아이들

사람은 태어나서 또 한 번 새로운 성장 과정을 체험하게 된다. 바로 7, 8살 사이에 겪는 이갈이다. 동물들의 털갈이나 곤충의 변태 과정과는 다르지만 새로운 세계로 나아가려는 사람만이 가진 독특한 특성이라고 할 수 있다. 다른 동물들은 거의 모든 것을 갖추고 세상에 나오기 때문에 태어나자마자 걷고 자신들만의 의사 표현을 할 수 있다. 하지만 사람은 그렇지 못하다. 아무것도 갖추지 못하고 세상에 나와 작은 것부터 하나씩 차근차근 배워서 자기 것으로 만들어나간다.

이갈이는 우리 삶 전체에서 상당히 중요한 부분을 차지하고 있다. 단순히 젖니에서 영구치아로 바뀌는 게 아니라 그야말로 새로운 삶을 시작하는 것이다. 이때부터 말과 행동, 생각 자체도 달라지고 좀 더 다른 모습과 인격으로 변해간다. 이는 인간 발달 주기에서 추상기에 접어든 때다. 인간 발달은 0~7살까지 모방 시기, 8~14살까지 상상(감성) 시기, 15~21살까지 사고 시기로 나누어지는데, 바로 모방 시기에서 상상 시기로 넘어가는 기준이 되는 시점이 이갈이인 셈이다. 그리고 상상 시기에서 사고 시기로 넘어가는 기준이 되는 시점은 사춘기다.

이렇게 볼 때 7, 8살 때 겪는 이갈이는 어린아이들에게 상당히 중요하다. 하지만 요즘 아이들을 자세히 관찰해 보면 제대로 이갈이를 하는 아이들이 드물다. 시기를 놓치거나 성장이 빨라져서가 아니라 음식물(분유, 단것 따위) 때문에 이가 빨리 썩어서 없기 때문이다. 태어나는 순간부터 엄마젖 대신에 동물 분유를 먹고, 여기에 온갖 단것들을 먹으니 이가 온전할 리가 없다. 7살을 전후해서 이갈이를 해야 하는데 그렇지 못하니 아이들 자신에게는 커다란 충격이다. 물론 몸에 겉으로 크게 나타나지는 않지만 아이들 내면의 영혼에는 커다란 상처를 줄 수 있다. 젖니는 7, 8살이 되면 대부분이 자연스럽게 다 빠진다. 물론 3학년(10살)에 가서 빠지는 아이들도 있다. 이는 지난 수천 년 동안 인류가 겪었던 것과 똑같은 과정이다. 그런데 왜 요즘 우리 아이들은 이 같은 과정을 스스로 체험하지 못하는 걸까? 어른들이 조금만 신경을 써서 아이들을 보살핀다면 이렇게 내면적인 충격은 겪지 않을 것이다.

귀여운 내 자식에게 맛나고 좋은 음식 사주고 해주는 데 누가 뭐라느냐 할 수도 있겠지만, 아이의 앞날을 생각할 때 신중해야 한다. 아이가 자라는 과정이 제대로 이루어지려면 주변 환경을 올바르게 만들어줄 필요가 있다. 지금 부모가 된 우리의 어린 시절에는 그래도 다행스러운 것이, 지금처럼 온갖 사탕, 아이스크림, 과자 따위가 풍족하지 못했다는 점이다. 기껏해야 강냉이나 쌀밥, 엿, 누룽지뿐이고, 계절 따라 나는 과일과 감자, 고구마, 밤 따위가 대부분이었다. 그래서 이가 썩거나 아픈 경우가 지금보다는 훨씬 드물었다. 가끔 이가 흔들려서 빼려고 하면 지금으로서는 아주 위험하고 무식한 방법이지만, 실로 이를 묶어 빼서 낮은 집 지붕 위에 던져 올려놓는 모습을 동네나 학교에서 흔히 볼 수가 있었다.

하지만 요즘은 그런 모습을 좀처럼 보기 힘들다. 대부분이 치과에서 해결한다. 또 한편으로는 7, 8살까지 온전히 젖니를 지니고 있는 아이들이 드물기 때문일지도 모른다. 곤충도 제때 변태 과정을 거치지 않으면 기형이 되거나 건강하지 못한 상태로 자라다가 일생을 마치는 것처럼 이갈이는 우리 아이들에게 상당히 중요하다. 아이들의 맑은 영혼이 병들지 않고 건강하게 생활할 수 있도록 하려면 어른들의 보살핌이 무엇보다도 중요하다. 진정으로 아이의 앞날을 생각하는 참된 부모의 자세가 소중한 만큼, 귀엽다고 해서 장난감이나 맛난 음식을 사주는 것으로 아이 사랑을 다 했다고 생각지 말고, 늦었다고 생각되어도 다시 시작하는 마음으로 아이들을 제대로 보살펴야 한다.

사춘기, 영혼의 재탄생

요즘 아이들에게 사춘기가 빨리 찾아왔다고 해서 좋아할지 모르지만 뒤집어 보면 영혼에 병이 일찍 찾아왔다는 신호다. 사춘기(14살 전후)는 정신과 몸이 새로운 탄생을 하는 시기인데 몸 안의 변화로 뼈가 더 딱딱해지고, 허파가 커지고, 핏속에 철분이 늘어나며 성대에 변화가 와서 목소리가 달라지고, 육체적 성(性)이 성숙하게 된다. 따라서 이러한 몸 상태의 바뀜은 바로 청소년기 영혼이 몸과 정신 안으로 들어오기 위해 준비하는 시기라고 할 수 있다. 또한 이 시기는 이마 부분에 변화가 오고 점차 논리적인 생각들을 하기 시작한다. 이 시기부터 생각하는 능력이 생기기 때문에 이때부터 공부다운 공부를 체계적으로 할 수 있다. 이러한 준비가 안 된 아이들을 밤늦게까지 사교육 시장으로 내모는 것은 오히려 '생각의 힘'이 제대로 꽃을 피워보지도 못하고 닫히게 만든다.

그렇지만 요즘에는 몸과 정신이 함께 오지 않고 육체적인(체형이 훌쩍 자란 상태) 사춘기가 먼저 오는 아이들을 많이 볼 수 있다. 요즘 들어 빠른 경우에는 초등학교 3학년에 사춘기가 시작되는 아이들이 늘어나고 있다. 이런 경우 영혼의 사춘기는 거꾸로 가기 때문에 아이의 내면에 커다란 혼란을 준다. 그래서 청소년기의 반항과 사회적인 문제들이 점점 심각해져 가는 원인 가운데 하나가 아이들이 사춘기를 제대로 겪지 못하기 때문이다.

더구나 육체적인 사춘기가 먼저 시작된 경우 정신은 아직 아이 수준에 머무르고 있기 때문에 몸과 정신이 따로 논다고 볼 수 있다. 몸과 정신이 동시에 이루어져야 하는데 그렇지 못할 경우 이에 대한 후유증이 어른이 되었을 때(42살이나 49살 전후) 병적인 증후군으로 나타난다. 물론 온전하게 사춘기를 겪은 아이들에게는 아무 문제가 없지만 몸과 정신이 따로 진행되는 경우, 즉 육체적 사춘기가 먼저 오는 아이들은 이에 대한 치유가 필요하다. 이러한 현상들이 150년 전까지는 성장 과정에서 쉽게 볼 수 없었지만 산업화가 급속도로 진행되면서 이러한 문제들이 심각하게 나타나게 되었고, 그 시기는 앞으로 점점 더 빨라지고 있다.

우리 아이들이 올바르게 사춘기를 겪을 때 이 세상에 대해서 진정으로 자유, 희망, 이상을 가질 수 있다. 따라서 가정에서 부모들은 자기 아이에 대한 발달단계를 잘 파악하고, 초중등학교에서도 이에 대한 치유적인 사춘기 프로그램들을 체계적으로 만들어 운영하는 것이 필요하다. 그렇게 되면 사회적으로 심각한 청소년 문제도 어느 정도는 해결할 수가 있다.

기계를 내려놓아야 한다

아이들이 왜 수업 시간에 집중을 제대로 못하는 것일까? 초등학교의 경우 선생님이 조금 전에 설명을 하고 질문에 대한 대답을 해주어도 이내 다른 아이가 같은 질문을 또 한다. 왜 남의 말을 주의 깊게 듣지 못하는 걸까? 그 원인은 바로 텔레비전, 비디오, 컴퓨터, 스마트폰의 영향 때문이다. 미디어 세대(스크린 에이지)에 나타나는 정신 산만이라는 '미디어 병'이다. 텔레비전 광고를 눈여겨보면 15~20초 사이에 12개 이상의 화면(프레임)이 빨리 바뀐다. 한 화면(프레임)이 오랫동안 멈춰 있는 광고는 쉽게 보기가 힘들다. 그런 광고를 하더라도 광고주는 위험한 모험을 해야 한다. 과연 단 몇 초라도 그 장면을 인내심을 가지고 볼 시청자가 얼마나 있을까? 더구나 리모컨의 매력은 이것을 더 무력하게 만들기 때문에 1초 사이에 시청자들의 눈과 마음을 바로 붙잡아야 한다. 그만큼 미디어의 힘이 엄청나다.

음악 비디오의 경우, 짧은 시간에 수많은 화면이 바뀌는데 보는 사람이 잠시도 생각할 여유를 주지 않는다. 어릴 때부터 이런 것에 익숙한 아이들 경우는 실제 행동에서 자신도 모르게 좋지 않은 행동 특성(버릇, 습관)이 나오는 것을 볼 수 있다. 걸을 때나 서 있을 때나 가만히 있지 못하고 어떻게 든 손가락을 꼼지락거리거나, 다리를 떨거나, 아니면 상대방 눈을 제대로 마주치지 못하는 버릇이 나온다. 잠시라도 기다릴 줄을 모르고, 기다림을 잊고 산다.

전교생이 모이는 행사(조회, 체육대회)나 체육 시간에 유심히 관찰하면 이런 모습을 쉽게 볼 수 있다. 물론 아이들이 생활하는 곳에서도 잘 살펴보면 얼마든지 쉽게 볼 수 있다. 어른들은 세대 차이, 인내심이 부족해서라고 하지만, 아이들은 이미 그 한계를 넘어섰다. 이러한 문제의 심각성은 단순히 걷는 행동 따위에 있는 게 아니라, 범죄와 같은 여러 가지 사회 문제로 확대되고 있다. 요즘 신문, 방송에서 그러한 일들을 심심찮게 볼 수 있다. 그런데도 우리는 겉으로 보이는 일부 모습에만 관심을 두고 해결하려고만 하고 있다.

'미래 교육은 정보화(ICT), 스마트 교육'이라는 이름으로 교실에서 온종일 컴퓨터 마우스 클릭으로 큰 프로젝터 화면을 보여주는 수업이 대세를 이루고 있는 현실에서 아이들의 맑은 영혼을 지키는 것이 쉽지 않다. 요즘 쓰기 능력 저하와 난독증을 겪는 아이들이 늘고 있다. 스마트 선도 학교(?)라면서 앞서가는 교육을 한다고 하는데 과연 무엇을 앞서서 한다는 것인지 모르겠다. 이외에도 시력 저하, 안구 건조증, 대인기피, 참지 못하는 조급증, 행동 과다증, 행동 불안증을 겪는 아이들이 늘어나는 것은 교실에서 기계를 이용하는 수업이 어느 정도는 원인을 제공하고 있는지도 모른다. 아이들을 잘 자라게 하는 교육이 아니라 오히려 아이들의 온전한 마음과 몸을 병들게 하고 있다.

오늘도 수많은 학교에서 아이들이 교실에서 자신들의 의사에 상관없이 온종일 커다란 텔레비전 화면을 쳐다봐야만 하는 현실에서 누가 이 아이들의 건강권을 지켜주어야 할까? 아이들이 학교에서 휴대전화를 쓰는 문제에 대해서는 좀 더 신중하게 접근해야한다. 물론 학교 규칙에 잘 명시해서 지켜 나가고 있다고 하지만, 학교 혼자만이 풀어야 할 문제가 아니다. 사회가 아이들의 건강한 삶을 위해서 시급하게 풀어야 할 과제다. 물론 기업의 윤리 의식도 문제다. 아이들을 진정으로 생각한다면 인권에 우선하는 것이 건강권이다. 게다가 현란한 컴퓨터 프로그램이나 동영상을 수업에 맘껏 활용했다고 자랑하는 일부 교사들이 있는데, 그렇게 하는 것이 교사 자신이 앞장서서 아이들의 영혼을 병들게 하는 원인을 제공하는 것임을 분명히 알아야 한다.

그렇다고 텔레비전과 컴퓨터, 비디오를 이용한 교육 매체가 꼭 나쁜 것은 아니다. 하지만 자라나는 아이들에게는 지금 가장 필요한 것은 이러한 기계 매체가 아니라, 감성과 상상력을 마음껏 길러줄 수 있는 교육 환경과 프로그램을 제공해주는 것이다.

예를 들어 속이 훤히 보이는 빈 병에 맑은 물을 넣고 색깔이 있는 물감을 떨어뜨려 보자. 금세 병속에 물 색깔이 변하는 것을 볼 수 있다. 물을 다시 맑게 하기 위해서는 시간이 조금 걸린다. 물감의 침전물이 병 바닥에 완전히 가라앉고 나서야 어느 정도 맑아진다. 하지만 이 물은 처음의 맑은 물과 같이 될 수 없다. 더구나 병속 바닥에는 물감이 가라앉아 있다. 아이들 영혼도 마찬가지다. 맑은 영혼을 되찾는다고 할지라도 처음처럼 완전히 맑아진 것은 아니다.

따라서 교사에게 수업의 진화는 끊임없는 자기 성찰과 같다. '교사는 수업으로 말한다'는 말처럼 수업이 생명이고 무기인데, 그러기 위해서는 그 생명과 무기를 기계(컴퓨터, 마우스, 프로젝션 TV)가 대신하고 있는 교실에서 교사의 존재 가치를 다시 생각해야 한다.

교과서에서 벗어나자!

창의성을 키우자고? 아이들의 생각을 꽉 막고 있으면서 어디서 창의성을 찾자는 것일까? 아이들의 무한한 창의성과 상상력을 키울 수 있는 방법은 단 한 가지, 바로 교과서를 내려놓는 것이다. 그러면 문제는 저절로 해결된다. 산골이나 섬이나 전국 어디에서나 같은 내용, 같은 책으로 배우고 답도 비슷하거나 똑같은데 이게 어디 창의성을 키우는 교육인가. 학교라는 거대한 공장이 쏟아내는 그야말로 획일화된 교육 내용들이 아닌가.

고장과 환경, 살아온 삶이 다른데 어떻게 똑같은 답을 강요받아야 할까? 아마 교과서를 없앤다고 하면 교육부와 관료들은 난리법석을 떨지도 모른다. 또한 많은 교사들이 아마 찬성보다는 반대를 할지도 모른다. 지금보다 더 많이 교재 연구를 해야 하는 번거로움이 있기 때문일지 모른다.

하지만 시작이 어려워서 그렇지, 교과서를 내려놓는다면(없다면) 얼마나 행복할까를 생각해 보자. 교사는 물론이고 아이들이 가장 먼저 좋아할 것이다. 속셈학원과 과외에 시달리는 아이들의 모습도 자연스레 줄어들고, 동네 어귀에서 아이들이 노는 모습을 점점 보게 될 수도 있으니 얼마나 좋은가. 그렇게 되면 시험(평가)도 줄어들게 되고 자연히 사교육도 적어지게 될 것이다.

교과서를 내려놓는다고(없다고) 교육을 못하는 것은 아니다. 국가 교육과정은 있되, 교과서는 내려놓는 대신 교사와 아이들이 함께 교과서를 만들어 가면 된다. 지금까지나 현재, 앞으로 교과서가 틀에 박은 교육을 올바르게 이끌어주지 못했다. 오히려 아이들의 생각을 틀에 가두고 있을 뿐 전혀 도움이 되지 않는다. 교과 관련 대학교수들의 밥그릇 싸움으로 현실과 멀리 떨어진 내용들이 실려 있을 뿐만 아니라, 지난 수십 년 동안 같은 내용이 되풀이해서 실려 있는 교과서. 차라리 교과서 없이 배우는 것이 더 나을지도 모른다.

예전에 내 경우 방학 동안에 미리 교과서를 분석해서 내용을 다시 간추려 꼭 필요한 내용만 가르치고 나머지는 과감하게 내려놓았다. 그렇다고 시간이 많이 남는 것은 아니었다. 오히려 교과서를 재구성하고, 자료를 만들고 더 깊이 가르치다 보면 준비하는 시간이 모자랐다. 그러면서 아이들의 발달단계에 맞게 형태그리기, 수공예(바느질, 뜨개질), 목공예, 습식수채화, 자연학, 원예학을 가르쳤다.

교육이란 사람을 제대로 키우는 데 목적이 있는 것인데, 도덕 교과서 경우는 그러한 교육의 참 목적과 많이 떨어져 있다. 우리나라와 일본만 빼고 전 세계 어느 나라를 가보아도 철학을 배우는 나라는 있지만 특정 과목으로 도덕 교과서라는 것을 배우지 않는다. 도덕 교과서는 일본 군국주의의 찌꺼기다. 도덕 교과서에서 도덕적인 여러 덕목(정의, 예절, 청렴, 환경 따위들)들을 배웠으면 전 세계에서 가장 질서 의식이 높은 나라가 되었어야 하고, 법과 환경에서도 선진국이 되었어야 한다. 하지만 현실은 어떤가? 머리와 몸이 따로 있지 않는가? 이럴 바에는 차라리 도덕 교과서를 가르치지 않는 것이 더 나은지 모른다.

교과서를 만든 대학교수들은 교사들이 제대로 가르치지 않아서 그렇다고 말하겠지만 우리나라 교육학자들의 면모를 보면 그 해답이 쉽게 나온다. 교육학자라면 적어도 15년 이상 초 · 중 · 고 교직 경험이 있어야 하지 않을까? 그래야만 조금이나마 교육학이 우리 교육 현실에서 어떻다고 말할 수 있는 나름대로의 교육 철학을 가질 수 있는 것이 아닐까? 하지만 대부분의 경우 학교 현장에서 아이들을 직접 가르쳐본 경험이 없어도 대학교에서 박사 학위 따고 더 나아가 외국 유학을 다녀오면 대부분 교육학자로 불린다. 그러면서 교육이 어떻고 어떻게 해야 한다고 아주 그럴 듯하게 말들을 잘한다. 교실에서 아이들을 직접 가르쳐 보지도 않았으면서 교육을 이야기하는 능력들이 다들 대단하다. 사람 교육이 어디 책을 본다고 다 되는가? 직접 가르쳐 보고 함께 생활해야 가능한 것이 아닐까? 물론 그렇지 않은 훌륭한 교수님들도 많이 있지만, 더구나 교육부 일반 공무원들 경우는 지금까지 많은 사람들이 지적한 것처럼 문제가 많다. 비전문가들이 모여서 교육정책을 좌지우지하고 있으니, 어쩌면 우리 교육이 늘 이 모양인 것이 당연한 결과인지도 모른다.

그렇다면 정말 교과서는 꼭 있어야 하는가? 없으면 안 되는 걸까? 이제는 고정관념을 버려야 한다. 왜 이 땅의 많은 아이들을 어리석은 사람으로 길러내는 교과서를 믿고 따르게 해야 할까? 지금부터라도 조금씩 교과서를 내려놓아야 한다.

지금 당장 갑자기 교과서 없이 어떻게 가르치느냐고 하겠지만, 아이들의 삶을 생각한다면 해결점은 얼마든지 있다. 교사 스스로 연구하고 노력하는 데 익숙하지 않다거나 귀찮아서 교과서를 없앤다는 데 반대할지도 모른다. 또 그냥 있는 그대로 가르치면 된다고 생각할지도 모른다. 하지만 적어도 아이들 한 명 한 명이 고귀한 인격체이기 때문에 이 아이들의 참된 삶을 일깨워 주어야 하는 선생님이라면 그렇게 하지 않을 것이라 본다. 물론 지금 말한 것이 조금은 귀에 거슬리고 불편한 것이다. 하지만 더 멀리 더 넓게 아이들의 미래를 생각한다면 교사 스스로 개혁에서부터 시작되어야 지금에는 조금 멀리 느껴지는 우리의 비정상적인 교육정책(제도)들을 제자리로 돌릴 수 있다.

지금 순간에도 이 땅의 수많은 아이들이 마치 법전처럼 여기면서 배우고 있는 교과서를 이제는 그만 덮어야 한다. 그래야만 상처받은 아이들의 맑은 영혼을 조금이나마 치유할 수 있을 뿐 아니라 더 나아가 아이들이 행복한 교육과 학교를 만들 수 있다. 처음 시작이 어렵지 시작하면 이내 교과서에 의존해 가르치는 것이 더 답답하게 느껴질 것이다. 아이들의 상상력이나 창의력은 고정된 생각이나 똑같은 틀에서 나오지 않는다. 사람은 자유롭고 생기가 넘쳐날 때 가장 좋은 생각을 할 수 있다. 이제부터라도 조금씩 자신만의 철학과 방법으로 아이들과 함께 생활해 나가야 한다. 그것은 교사가 살아 있는 교육과정이기 때문에 가능한 것이다.

02

교과서 없는 수업

하고자 하는 의지만 있으면 교과서 없는 수업은 얼마든지 가능하다. 강원도 고성 공현진초등학교(강원도 고성군 죽왕면에 있는 전교생 60명 이하의 전형적인 농어촌 학교다)에서 2013년 11월 4주 동안 진행된 '벽돌 집짓기 프로젝트' 수업이 그 좋은 예다. 수업 진행 과정은 날마다 학교 홈페이지와 페이스북에 소개되어 많은 사람들에게 감동을 주기도 했다.

교과서에서는 아이들에게 집짓기 수업을 해보라고 소개하지 않는다. 그렇다면 이 학교에서는 교과서에도 권유(?)하지 않는 집짓기 수업을 왜 했을까? 단순히 흥밋거리로 했을까? 물론 현행 교육과정에서는 학교나 학급 여건에 맞게 내용들을 재구성하라고 되어 있다. 그런 면에서 보면 교육부의 교육과정 기본 취지에 대한 지침(?)을 이 학교가 제대로 준수하고 있는 것이다. 교과서 안에서만 가르치는 소임을 다한다면 이런 수업을 한다는 것은 상상을 할 수가 없다.

집짓기 프로젝트 수업

선생님이 벽돌이 수평이 되게 하려면 벽돌을 어떻게 해야 하는지에 대해서 자세히 설명하고 있는 모습

처음에 아이들은 실제 벽돌을 쌓는 연습에서 수평, 각도, 기울기, 무게 따위를 배운다. 교실에서 단지 머리로만 배우는 것이 아니라 직접 체험해 봄으로써 온몸으로 배우는 것이다. 시멘트와 모래, 물 배합에서 비율을 배우고, 서로 힘을 모아 함께 만들어가기 때문에 도덕 교과서에서 요구하는 성실, 책임, 용기, 협동, 민주적 대화, 배려, 생명 존중, 사랑 따위들을 몸으로 배운다.

살아 있는 토론 수업

'왜 창문은 사각형, 원만 있을까?'

집짓기 프로젝트 수업을 직접 진행하면서 이런 주제로 토론을 하면 더

없이 좋다. 토론은 아이들 스스로 직접 경험한 내용을 중심으로 이야기를 나누어야 그 가치가 있다. 물론 생각만으로 얼마든지 이야기를 나눌 수 있지만 자칫 말장난에 그치게 되는 경우가 대부분이다. 또한 결론이 이미 나 있는 주제를 선정하는 것은 올바른 토론 방법이 아니다.

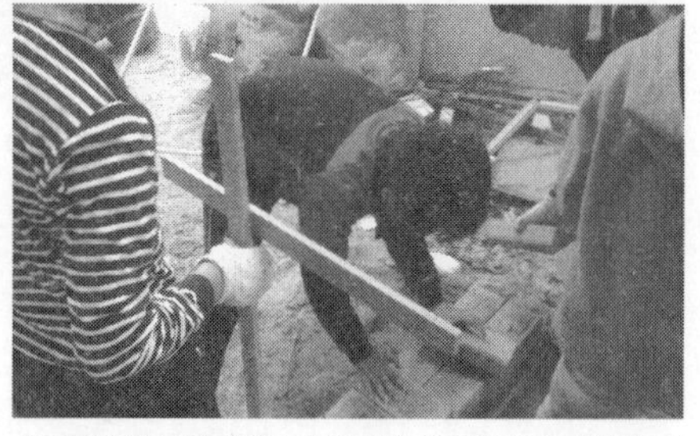
아이들이 큰 나무 자를 가지고 벽돌 쌓기를 하면서 '각'을 맞추고 있다.

"기존 사각형 창문보다 좋은 점, 좋지 않은 점, 만들 때 여러 가지 어려운 점은 무엇일까? 하지만 창문이 꼭 원이나 사각형일 필요가 있을까? 자신만의 창문을 만들면 어떨까? 내가 살 집이고 나를 위한 창문이라면 창의성 있게 만드는 것이 좋다" 따위를 화제로 삼아 이야기할 수 있다(세계 여러 나라에 있는 집 소개 · 터키 동굴 집, 이탈리아 돌 집, 동남아시아 나무 집 따위).

집짓기 과정을 통해 실제로 아이들은 창문을 만드는 것과 관련한 많은

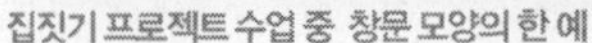
집짓기 프로젝트 수업 중 창문 모양의 한 예

독일 발도르프학교의 교실 창문

이야기를 나눈다. 꼭 찬성과 반대로 나누어 토론하는 것이 아닌, 또 어떤 모양의 창문을 만들자는 단순한 말에 그치지 않는 진지한 고민을 하게 될 것이다. 이는 아이들이 직접 체험해 나가는 과정이기 때문에 어떻게 자신들에게 맞는 아름다운 창문을 만들지를 고민하고 이것을 실제 모양으로 이끌어낼 수 있다.

이처럼 생각의 힘을 이끌어내는 것이 제대로 된 토론 수업이라 할 수 있다. 물론 여기에 소개하는 이러한 활동은 그 하나의 예다. 삶이 있는 토론이 아이들의 생각을 제대로 가꿀 수 있다.

발달단계에 맞는 교과서

아이들은 어느 날 갑자기 쑥 크는 것이 아니다. 그러므로 천천히 변화되어 가는 아이들의 발달 과정에 맞춰 교과서가 기획되고 만들어져야 한다. 하지

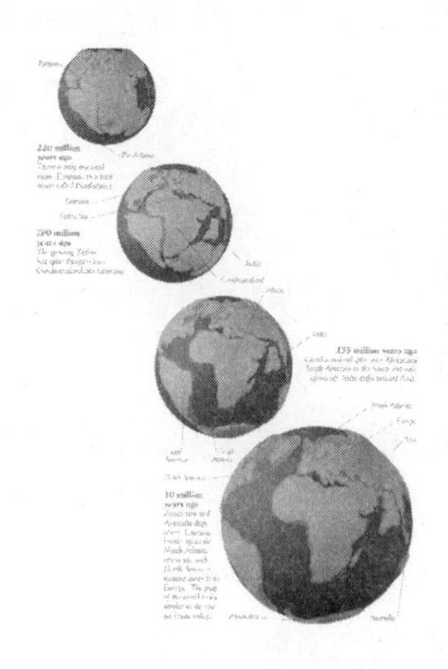

대륙이동설[1] 현 지구의 7대륙 모습은 약 2억 년 전 한덩어리로 이루어져 있었던 거대한 대륙에서 점차 갈라져 나와 현 지구의 7대륙 모습이 만들어졌다는 이론.

우리가 살고 있는 지구[2]

만 과거에도 그랬고, 지금의 교과서는 처음 기획 단계에서부터 가장 중요한 교육철학을 놓치고 있다. 바로 아이들 발달단계에 맞는 교육 내용이다.

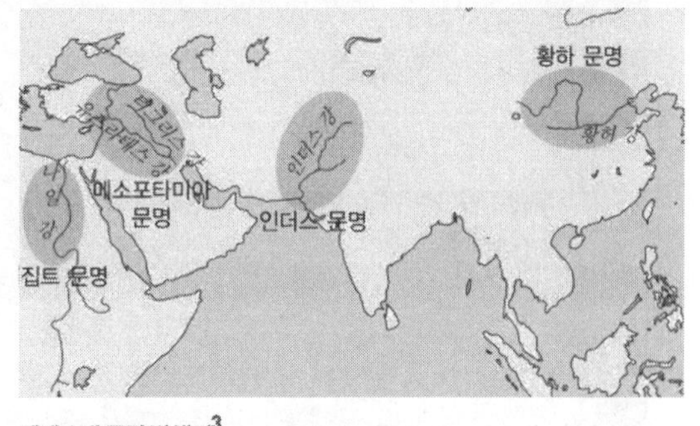

세계 4 대 문명 발생지[3]

무엇을 어떻게 왜 가르쳐야 하는지에 대한 분명한 설명이 있어야 한다. 그래야만 학교 현장에서 이에 맞게 충실한 교육과정을 운영할 수 있다. 교육과정 해설을 보면 발달단계를 생각했다고 밝히고 있지만, 두리뭉실하게 표현되어 있을 뿐 구체적인 제시가 없다.

더구나 현행 교육과정의 기본 맥락이 전체에서 부분으로 짜여 있다. 가장 대표되는 것은 수학 교과서다. 올바른 교육과정은 부분에서 전체로가 아닌, 전체에서 부분으로가 되어야 한다(이 부분에 대해서는 수학 교과서 내용을 다룰 때 자세히 소개함).

왜 부분에서 전체로 아니고 전체에서 부분으로가 되어야 하는가? 우리 인류는 태초에 원에서 출발했다. 하나의 원이 점점 발달하면서 세분화되었다. 우주에서 태양계가 탄생하고, 그리고 지구의 초기 모습은 뜨거운 불덩어리 그 자체였다. 그러다 오랜 세월 진화를 거듭한 뒤 생명체가 생기고 자라나고, 여기에 대륙 이동으로 지금과 같이 여러 대륙으로 나누어지게 되고, 그곳에서 세계 4대 문명(메소포타미아, 인더스, 황하, 이집트)을 꽃피우며 각기 발달해 왔다. 그후 여러 민족이 생기고 시간이 흘러 현재까지 오고 있다.

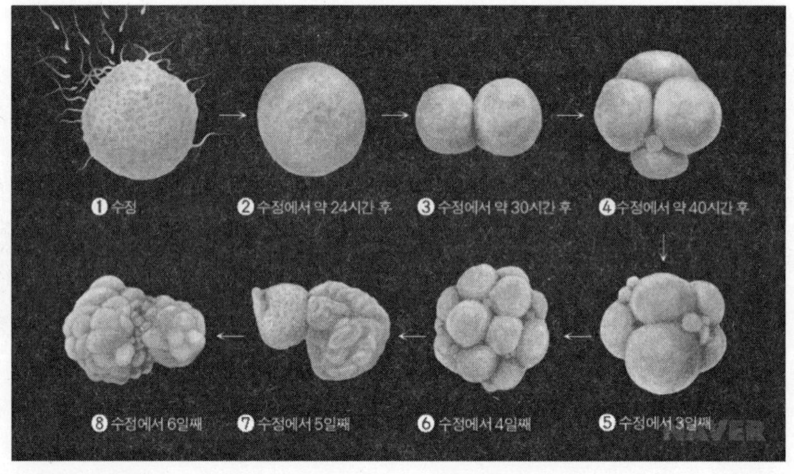

수정란의 세포분열[4]

그렇다면 사람의 발달단계는 어떨까? 사람의 경우도 태어나기 전에 정자와 난자가 만나 하나의 작은 공(구)을 이루고, 시간이 지나 세포분열을 하면서 머리, 몸통, 팔, 다리가 생겨난다. 그리고 눈, 입, 코, 귀가 생기고 자라면서 어느 시기(어머니 뱃속에 열 달)가 되면 세상에 나온다.

초등학교(8~13살) 시절은 아직은 세계관이 형성되지 않은 시기다. 7살부터 차츰 감성(감정)이 활발하게 발달하는데, 감성은 몸에서 리듬 체계와 중요한 관련이 있다. 호흡과 순환을 담당하는 기관으로 가슴 부위가 감성을 다스리고 있다. 따라서 이 시기의 교육은 머리가 아닌 가슴과 관련된 감성이 중심이 되어야 한다.

감성과 관련된 발달단계는 바로 아이들이 느끼고 생각하고 표현을 제대로 할 수 있는 시기다. 이 시기에 1학년 아이들의 경우, 사실에 가장 근접한 그림을 보여주어야 한다. 즉 자연 속에서 눈으로 확인할 수 있는 그림을 보여주는 것이 좋다. 따라서 1학년 아이들에게 전자 매체로 된 그림을 보여주는 것은 아이들의 감성을 불러일으키는 데 도움을 주지 못하고 오히려 좋지 않는 영향을 끼친다. 유치원(어린이집) 아이들에게도 마찬가지다.

초등학교 아이들이 읽고, 쓰고, 셈하기를 배우는 과정에 그림 그리기나 형태그리기(발도르프학교에서는 이를 '포르멘'이라 부른다) 따위가 필요한 것은 이 시기의 아이들이 상상력으로 바깥세상을 바라보고 느끼기 때문이다.

그런데 단순히 지식 중심의 개념으로 수업을 진행한다면 아이들을 풍부한 상상력과 창의성을 가진 사람으로 길러내는 것이 어렵다. 그렇기 때문에 아무 내용이나 가르쳐서는 안 되고, 아이들 발달단계에 맞는 내용을 가르치고 배워야 한다.

우리가 흔히 쓰는 말로 '적재적소'(適材適所)라는 말이 있다. 알맞은 재료를 알맞은 곳에 쓴다는 것인데, 그래야 훌륭하고 멋진 집을 짓거나 맛난 음식을 만들 수 있기 때문이다. 또 창의성과 상상력을 가진 지혜로운 사람을 길러낼 수 있다.

현행 교육과정에서는 1학년 아이들이 학교에 처음 들어갈 때 모든 것을 읽을 줄 알아야 한다고 명시하고 있다. 하지만 읽는 것은 쓰는 것과는 달리 몸을 쓰지 않고 머리만 쓰는 활동이기 때문에 아이들은 피곤해한다. 요즘 세상은 모든 것을 쪼개고 나누고 분석하는 것이 대부분이라 배우는 것도 비슷하게 적용하려고 하고 있다. 그렇지만 이 시기의 아이들은 부분이 아닌 전체로 세상을 보기 때문에 교사들 역시 전체적인 관점에서 교육과정에 접근하고 가르쳐야 한다.

예를 들어 숫자를 배우기 시작하는 아이는 이 세상에서 가장 큰 숫자를 궁금해한다. 그럼 가장 큰 숫자는 무엇일까?(이에 대해서는 수학 교과서와 관련된 뒤의 내용에서 좀 더 자세히 다루도록 하겠다.) '1'이 가장 큰 숫자다, 세상에 하나뿐인 태양, 지구, 수많은 나뭇잎이 붙어 있는 큰 나무, 이렇게 전체로서 하나의 크기의 뜻에 대해서 느끼게 해주어야 한다.

우리나라가 부족사회에서 고대국가 과정을 거쳐서 삼국시대, 고려시대, 조선시대, 현대로 이어져오는 것처럼 아이들이 태어나서 자라는 모습이 비슷한 과정을 겪는다. 고조선 이전과 이후, 삼국시대는 생각이나 표현, 행동 면에서 영유아 시기와 비슷하다고 할 수 있다. 세계사의 경우 중세는 초등학교, 르네상스(우리나라의 경우 조선 초기)는 초등학교 6학년 후반부터 중학교 1, 2학년 시기에 해당한다고 하겠다. 역사학자에 따라 이견이 있을 수 있겠지만 르네상스(14~16세기) 이전, 우리나라 역사로 본다면 조선 전기 세종대왕 이전까지는 전체성, 즉 통합적인 사고가 대부분을 이뤘다고 할 수 있다.

하늘의 별자리는 물론이고 철학(사상), 문자, 기술, 과학, 농업, 예술에서 전체적 관점에서 사물을 바라보고, 느끼고, 생각하고 행동했다고 할 수 있는 것이다. 동서양 인류사가 대부분이 이와 비슷한 과정을 거쳐 왔다. 이때까지 세계관은 하나하나 쪼개고 분석하고 설명하고 검증하려는 의식(사고)은 아직 발달하지 않았다. 르네상스 이전과 이후의 철학이나, 의학, 교육, 과학, 예술들의 업적들을 자세히 견주어 보면 확연히 다른 것을 알 수 있다.

구텐베르크의 인쇄술은 단순히 기술 발명의 관점보다는, 알파벳 26자(자음 21, 모음 5)의 조합으로 이전까지 생각하지 못한 수많은 단어를 만들어냈다는 관점에서 큰 가치가 있다고 보겠다. 세종대왕이 창제한 한글 역시 24자(자음 14개, 모음 10)로 수많은 단어를 만들어냈고, 지금도 새로운 말들을 만들어내고 있다. 이것은 인류가 전체에서 부분으로 접근하고자 하는 노력의 대표적인 사례다. 물론 다른 분야에도 좋은 사례들이 많다.

17~18세기에 세계 각국에서는 왕정에 도전하는 혁명이 일어났다. 이를 사춘기 아이들의 발달단계와 견주어 보면, 부모님의 말에 온순하게 잘 따라주었던 아이들이 사춘기가 되면서 말대꾸를 시작하며 '거국적으로' 반항하기 시작한다. 이때 많은 부모들이 적지 않은 충격을 받는다. 그런데 이것은 인류사의 발달단계와 비슷한 과정이기 때문에 자연스럽게 받아들일 수 있어야 한다. 그렇지 못할 경우, 불화가 생겨 본의 아니게 많은 아이들이 집을 나가는(가출) 극단적인 행동을 선택하게 되는 경우도 생기게 된다.

사춘기의 큰 특징은 감정이 아닌 정신에 있으며, 이때는 추상적인 사고의 발달이 활발하게 이루어진다. 바로 이 시기부터 개념을 중심으로 수업 내용을 깊이 다루고 가르치게 된다.

하지만 우리 교육과정에서는 이러한 발달단계를 제대로 생각하지 않고, 유치원(어린이집)이나 초등 1, 2학년 때부터 개념(지식) 중심 교육을 하고 있다. 그러다 보니 아이들이 제대로 이해하는 것이 쉽지 않고, 학년이 올라갈수록 뒤처지는 아이들이 생겨나는 것은 어찌 보면 자연스러운 결과라 할 수 있다.

뒤처짐이 없는 교육이 되기 위해서는 예방 교육이 우선이 되어야 하는데 그렇게 하려면 교육과정의 기본 틀을 다시 짜야 할 것이다. 결국 배움이라는 첫 단추를 제대로 끼울 수 있게 해야 한다. 그렇게 되면 교과서도 역시 발달단계에 맞게 제대로 다시 만들어야 한다.

교육과정, 처음부터 다시

현행 교육과정을 가지고 내용을 재구성하거나 주제 통합을 해본다고 하지만 큰 효과를 기대하기 힘들다. 기본 틀 자체가 잘못되어 있기 때문에 화려하게 꾸민다고 그 본질에는 변화가 적다. 문틀이 비틀어졌는데 화려하게 색을 칠한다고 한들, 아니면 그 부분을 깎아냈다고 해도 마음에 썩 들지 않는 경우가 대부분이고 어딘가 어색하다. 그럴 바에는 아예 새롭게 꼭 맞는 틀을 만들어 끼워 놓는 것이 더 나을 수 있다.

더구나 미래를 대비(준비)하는 교과서를 만든다고 할 때, 처음부터 제대로 된 교육과정을 만들어야 한다. 오랜 연구와 노력 없이 서너 달 만에 만들어내는 교과서는 깊이가 깊지가 않다. 지금까지 교과서가 얼마나 졸속으로 만들어졌는가. 그러다 보니 만들고 나서도 얼마가지 않아 다시 개정을 해 나가다 보니 교사들과 아이들이 이에 적응하기가 바쁘다.

뿌리 없는 나무는 오래 가지 못한다. 늘 시행착오를 하고 있으니 우리 교육이 제대로 뿌리를 내리지 못하는 것은 어쩌면 당연한지도 모른다. 또한 정치 민주화가 우선되지 않는 상황에서 교육 민주화, 즉 교육과정이나 교과서도 자유로울 수 없다. 교육은 백년지대계(百年之大計)라고 하지 않는가.

교육과정을 바로 세우고 교과서를 만드는 데 충분한 노력을 들여야 한다. 단순히 지식을 전해주는 교과서가 아니라 문제 해결 능력과 창의성을 길러주는 교과서를 만들어야 한다. 가장 바람직한 것은 국가에서 요구하는 교육과정은 있지만, 교과서는 어디까지나 교실에서 교사와 아이들이 만들어 가는 방향으로 바뀌어야 한다. 물론 교과서를 그대로 이용하지 않아야 한다.

이렇게 되면 교사의 업무 부담이 많이 늘어나겠지만, 가르침이 교사의 본분이라는 점을 생각하면 그리 어려운 일은 아니다. 경력이 없는 교사들의 경우는 이미 교육대학에서 이에 준하는 과정을 이수하고 학교 현장에 임하기 때문에 교육과정을 제대로 이해하면서 교과서를 예시 자료로 활용하면 된다.

통합성을 밑거름으로 한 교육과정

교육부는 바른 생활, 슬기로운 생활, 즐거운 생활 등 세 교과 간의 중복 문제에 대처하면서 연계를 강화하기 위해 대주제를 통일했다고 한다. 통합 교육과정이 교육과정 그 자체에 있어서는 적정화가 이뤄졌다고 할 수 있을지 모르지만 그것이 교과 내용으로, 수업으로 전개되는 과정에서 그 명료성의 초점이 갈수록 흐려져 교사들이 체감하는 교육과정에서는 중복된 모습으로 나타날 수 있다.

따라서 통합 교육과정의 개발 단계에서는 궁극적으로 수업 상황에서 전개되는 내용도 동시에 고려되면서 교육과정 내용의 배타성을 확보하는 노력이 필요하다. 단순히 학습 내용이나 수준에만 국한하지 말고 질적인 측면을 고려해야 한다는 것이다.[5]

위 내용은 '새교육개혁 포럼'(2013년 11월, 한국교총 주최)에서 초등학교 교사들이 현행 교육과정과 교과서의 문제점을 발표한 내용이다. 포럼에서 여러 교사들이 말한 것처럼 우리 교육과정의 문제점 가운데 하나가 각 교과 간 연계성이 적거나 없다는 것이다. 4학년 국어 시간에 주제(단원)를 가르치거나 배우면, 수학, 사회, 과학, 미술, 음악, 체육 시간 역시 그 주제에 맞게 수학과 과학을 가르치고, 노래를 부르고, 그림을 그리고, 체육 활동을 해야 한다. 그래야만 초등학교 교육 목표인 지덕체(智德體)를 고루 갖춘 전인적인 인간을 길러낼 수 있다.

그런데 각 교과가 전혀 관련성이 없다 보니, 가르치거나 배우는 데 있어서도 개별성만 강조되지 협력은 부족하다. 물론 요즘 주제 통합에 관심을 갖고 많은 교사들이 여기에 시간과 노력을 쏟아 붓고 있다. 하지만, 처음부터 이런 관점에서 각 교과들을 관련성 있게 구성했다면 이런 수고는 덜지 않을까? 그렇기 때문에 아이들 발달단계를 생각하는 교육과정이 기본 바탕이 되어야 한다. 그래야 학년별로 가르치고 배워야 할 내용들을 제대로 관련성 있게 짚어나갈 수 있다.

기획 단계부터 관련자들이 모여 이 부분을 세밀히 짚어 나가고, 교과서 집필진 역시 이 부분에 주안점을 두고 구성하면 큰 어려움이 없다. 그러면

하나의 주제를 놓고 각 교과 나름대로 전개해 나갈 때, 각 교과마다 고유성을 지키면서 다양성을 이끌어 낼 수 있다.

또한 교과서 연구나 집필을 위해 학생들이 무엇을 어려워하고, 어떤 것에 흥미 있어 하고, 어떤 내용이 도움이 되는지, 무엇을 제대로 배우고자 하는지를 잘 아는 학교 현장 선생님들을 많이 참여시켜야 한다. 그래야만 어느 정도 제대로 된 교육과정과 교과서가 만들어진다. 물론 이것도 초기에는 시행착오를 겪을 수 있지만 이전 교육과정과 교과서보다는 덜하고 시대 변화에 따른 내용을 덧붙여 나가면 어느 정도 시점에 가서는 완벽한 교육과정이 만들어지지 않을까?

교과서는 그 나라 교육의 얼굴이다. 어차피 만드는 것이라면 제대로 잘 만들어야 하는 것이 우리 모두의 소망이다. 시간에 쫓겨 급조해서 만들기보다는 백 년을 내다보는 마음으로 제대로 된 교육과정을 세우고 교과서를 만드는 것이 미래로부터 선택해서 이 땅에 온 아이들에 대한 우리 어른들의 의무이자 책임이다.

1학년의 경우, 국어 시간에 옛이야기(우리 전래 동화, 그림형제의 동화)를 들려주고 수학 시간에는 수 배우기 시간에 7=5+2, 10=4+6, 1+1+2+3+3 …… 따위를 배우고, 즐거운 생활 시간에 5음계 펜타토닉으로 노래를 들려주거나 따라 배우기, 그리기 시간에는 '빨강'을 원으로 그려보고 이에 대한 느낌을 서로 이야기 하고, 움직임(체육) 활동에서는 아이들과 평균대 위 걷기, 훌라후프, 줄넘기 따위의 균형 잡기 놀이를 주로 배우게 한다.

1학년에서 다루고 배워야 할 내용을 각 교과 특성에 맞게 구성해서 가르치는 것이다. 그렇게 되면 아이들 역시 지덕체를 골고루 체험하고 익히기 때문에 온전하게 성장할 수 있다.

1학년 교육과정 예시

국어: 옛 이야기 수업(전래 동화)

수학: 수 배우기(전체에서 부분으로)

음악: 5음계 펜타토닉을 중심으로 노래 배우기

미술: 3원색(원 중심의 그림 그리기-느낌 주고받기)

체육: 균형감각 활동(줄넘기, 줄넘기, 평균대, 짐볼-온전한 몸 만들기 따위)

6학년 교육과정 예시

국어: 이야기 수업(역사, 신화, 위인 이야기)

과학: 광물학(지층과 화석, 화산, 지진), 천체학(별자리, 행성)

사회: 지리학, 지질학(세계 여러 나라)

실과: 목공예(그릇 만들기), 수공예(동물 인형 만들기)

미술: 목탄, 먹, 펜 작업(흑백 색깔 위주로 수업)

가르침 속에 리듬이 있는 교육과정

좋은 수업을 위해 교사들이 노력할 것은 학생들의 사고, 말, 행동이 균형을 이루는 조화로운 교육을 제공하는 것이다. 이런 개념(이상)을 교실에서 어떻게 행동으로 표현할 수 있게 교육할까?

우선 수업 흐름에 관심을 갖고 리듬 있는 방법으로 가르쳐야 한다. 우리는 삶에서 꾸준히 리듬(봄, 여름, 가을, 겨울이라는 계절이 태양의 주기에 따라 달라지고, 낮과 밤, 추위와 더위, 새벽과 황혼, 음과 양) 속의 균형을 찾아야 한다. 이 모든 리듬(순환)들이 교육에 미치는 것이 상당히 중요하기 때문에 살아 있는 수업을 할 때 아이들이 제대로 성장할 수 있다.

그렇기 때문에 교육은 아이들 내면에 있는 것을 함부로 끄집어내도록 강요해서는 안 된다. 아이들은 공부를 하러 학교에 오는 것이지 공부를 '당하러' 오는 것은 아니다. 각자 자신들이 앞으로 살아갈 세상에 대한 과제를 가지고 오는데, 교사는 아이들이 가지고 온 과제를 제대로 잘할 수 있도록 도움을 주는 존재이므로 가치 있는 교육을 하는 데 온 힘을 다해야 한다.

03

국어 교실에 이야기를 흐르게 하라

국어 교과서의 불편한 점

2009년 개정 교육과정 1, 2학년 교과서는 2013년에 새로 바뀌어, 2년을 4학기로 나눈 교과서(학년군제 교과서)로 개발되었다. 그러다 보니 예전과 달리 쉽게 학년별로 교과서 내용을 찾기가 쉽지 않다. 더구나 학년군제 교과서라면 연임제(2년 연속 담임)를 해야 하는데, 그 몫을 각 학교에서 교사들의 협의로 풀어 가고 있다. 교육과정과 밀접한 운영으로 연임제에 대한 필요성이나 좋은 점을 제대로 소개하는 내용 없이 학교 현장에서 알아서 운영하라면서 교육부가 친절하게 배려하지 않은 것을 보니 어쩌면 처음부터 제대로 실행할 계획이 없는 것처럼 보이기도 한다. 그러면서 문제가 생기면 학교 현장에서 제대로 이해를 하지 않고 운영했기 때문이라고 책임을 돌리고 있다.

더구나 학년군별 체제를 강조하면서 붙인 번호 때문에 학교에서는 많이 혼란스럽다. 같은 학년에서 '가나다라'로 나누면 될 것을, 학기별로 구별하는 번호 체제를 쓰기 때문이다. 예를 들면, 1학년 2학기 국어 교과서를 국어 2-가, 국어 2-나 식으로 붙여서 2학년 교과서로 착각하게 만들었다. 그래서인지 이번에 초등 교과서의 경우 학년군과 학년 · 학기의 병행 표기가 약간 바뀌었다. 교육부(2014. 2. 6)에서 '초등 교과서 표지의 제목을 학년군과 학기별 운영 등의 전반적인 상황을 반영하면서 교육 수요자의 입장을 고려하여 보급'한다고 목적을 밝혔지만, 헷갈리는 것은 마찬가지다. 교과서 표지도 이렇게 자주 바뀌는데 내용은 과연 충실하게 기획되었을까?

국어 교과서의 큰 변화는 듣기, 말하기, 쓰기, 읽기 교과서로 나누어져 있던 것이 모두 '국어'라는 이름으로 바뀌었다. 거기에 '국어 활동'이라는 워크북까지 생겼다. 그래서 교과서가 조금 무겁다. 교사들이 들고 다니는 것도 쉽지 않은 무게다. 그래서 어떤 학교에서는 학교에 놔두고 수업 시간에만 활용한다고 한다.

다행히 내용이 많지 않아 시간적 여유가 있어, 이야기 들려주기를 꾸준히 할 수도 있다. 짧고 재미있는 그림책들이 많이 소개되어 한글 해독 능력이 덜된 아이들도 말과 글을 배울 수 있는 기회가 많이 주어졌다는 점은 좋으나 교사의 역량에 따라 수업의 질이 달라진다는 것이 또 다른 문제다.

2009년 개정 교육과정이 교사 중심으로 바꾸었다고 하나 사전에 철저한 준비가 없으면 베껴 쓰기나 바른 글씨 쓰기, 미디어의 투입들이 염려될 뿐만 아니라 현실로 나타나고 있다. 더구나 교사들을 대상으로 교육과정

연수를 했기 때문에 그 책임은 교사들에게 있다고 하지만 뭔가 충분한 이해가 부족하기에 과거 방식 그대로 가르치는 교실이 많은 것은 어떻게 설명해야 할까?

또한 국어 교과서는 부록이 엄청 많다. 낱말 카드, 붙임 딱지, 연극 대본이나 그림 그리는 도화지가 지나치게 많다. 필요 없어 보이는 자료도 부록에 수록되어 있고, 자음 모음 카드는 아이들이 제대로 정리를 못해 실용적이지 않다.

정작 있어야 할 것은 옛이야기나 우화 관련 내용들인데, 그것이 빠져 있으니 이 부분에 대한 수정 보완 작업이 필요하다. 개정 교육과정이니 얼마든지 수정보완이 가능하다. 국어 시간에서 중요한 것은 이야기 글이다. 무엇보다 학년별 발달단계에 맞는 이야기를 어떻게 들려줄 것인가에 대한 자세한 제시가 부족하다.

2009 개정 교육과정 국어과 해설 내용 체계(학년군별 세부내용-문학작품을 중심으로)

1-2학년군

-창의적 발상이나 재미있는 표현이 담긴 동시나 노래

-환상적인 세계를 배경으로 하는 (옛)이야기나 동화

-의인화된 사물 혹은 동 · 식물이나 영웅이 나오는 이야기

-학생의 일상을 배경으로 하는 동시나 동화

-상상력이 돋보이는 만화나 애니메이션

3-4학년군

-운율과 이미지가 돋보이는 동시나 노래

-영웅이나 위인이 등장하는 (옛)이야기나 극

-환상의 세계를 배경으로 한 (옛)이야기

-일상의 고민이나 문제를 다룬 동시나 동화

-감성이 돋보이거나 재미가 있는 만화 혹은 애니메이션

5-6학년군

-다양한 형식과 표현이 드러나는 시나 노래

-성장 과정의 고민과 갈등을 소재로 한 작품

-한국 문학의 전통이 잘 드러난 작품

-다양한 가치와 문화에 대한 성찰을 담고 있는 작품

-상상력이 돋보이는 다양한 매체 자료

-또래 집단의 형성과 구성원 사이의 관계를 다룬 작품

이러한 내용을 가르치거나 들려주어야 하는데 구체적이지 못하고 너무 막연하다. 옛이야기면 다 들려주어도 되는 건지, 최소한 이러이러한 내용이 담긴 내용을 중심으로 선정해 교사가 재구성해서 가르치거나 들려주어야 하는지에 대해 분명한 제시가 있어야 한다.

교사들이 다 알아서 하라는 것은 너무 많은 부담을 준다. 최소한 1학년 아이들의 발달단계에 꼭 필요한 요소라고 생각하는 것, 이 시기 아이들에게 꼭 들려주어야 할 옛이야기를 정해 준다면, 물론 그것이 또 다른 획일화가 될 수 있지만 '재구성'이기 때문에 오히려 건강한 자양분을 제공해줄 수 있다.

1학년 아이들에게는 이 시기에 맞는 동화를 들려주어야 한다. 물론 4~7살 아이들도 이와 마찬가지다. 나이에 관계없이 아무 동화나 들려주거나 읽게 하는 것은 아이의 정신 건강에 아무런 도움을 주지 못한다.

그리스 · 로마 신화가 좋다 해도 1학년이나 2학년 아이들에게는 무리다. 위인 이야기 역시 마찬가지다. 위인 이야기 경우, 사춘기가 시작되는 13살 전후에 들려주거나 읽도록 해준다. 신화(한국 신화, 외국 신화)는 12살(5학년) 전후부터 들려주는 것이 좋다. 물론 이전 나이에 이러한 것들을 들려주거나 읽어줄 수는 있지만 아이들의 정신과 영혼에 남는 것이 아무것도 없다. 차라리 그 시간에 바깥에 나가서 자연을 벗 삼아 마음껏 뛰어노는 것이 더 낫다.

따라서 동화도 나이에 맞게 골라 아이들에게 들려주거나 읽게 하는 것이 필요하다. 물론 추천 도서라고 있지만 아이의 발달단계를 생각하지 않은 것이 대부분이다. 그렇기 때문에 교사나 부모들이 좋은 동화를 많이 알고 있거나 관련된 책들을 구했다고 해도, 이것이 도대체 몇 살에 맞는 내용인지 판단하기가 힘들다.

물론 시중에 나와 있는 책들의 경우 'ㅇㅇ살 아이들이 읽는 동화' 'ㅇ학년 아이들이 읽는 동화'라고 되어 있지만 내용을 자세히 살펴보면 제대로 된 것이 드물다. 그렇다면 정말 아이들 나이에 맞는 동화는 없는 걸까? 동화들을 자세히 찾아보면 얼마든지 있다. 그렇기 때문에 아이들 발달단계에 맞는 동화(우리나라 전래 동화, 외국 동화)를 고르는 일에 이제 교사들이 관심을 가져야 한다. 아무런 검증 과정 없이 정체불명(?)의 기존 책이나 자료들을 그대로 이용하는 위험한(?) 일은 이제 그만두어야 한다.

동화를 들려줄 때 주의사항

옛이야기는 주로 1학년에서 다루어야 한다. 하지만 1학년 국어 교과서에는 작품 수가 50편도 되지 않는다. 그렇다고 작품 수가 중요하다고 말하는 것이 아니다. 만일 교과서 분량 때문에 작품 전문을 싣는 것이 어렵다면 교사용 자료집에 수록하면 교사들이 잘 활용할 수 있다.

문제는 어떤 내용을 골라낼 것인가 하는 점이다. 옛이야기(전래 동화)라고 다 좋은 내용만 있는 것이 아니다. 아이들 내면세계를 살찌울 수 있는 내용으로 이루어진 것들을 고르는 것이 좋다. 또한 동화를 들려주기 전에는 다음의 사항을 주의해야 한다.

첫째, 내용이 충실한 원작 동화를 들려주어야 한다.

요즘 동화들을 보면 출판사나 편집자 마음대로 내용을 줄이거나 바꾸는 경우가 있다. 심지어 제목까지 바꿔 읽히는 동화들이 아주 많다.

예를 들어《잠자는 숲속의 공주》의 원래 제목은 '장미공주'다. 또한《백설공주》의 원작에는 마녀가 숲속의 난쟁이 집에 살고 있는 백설공주를 찾아가는 모습이 세 번 나오는데, 서점에 나와 있는 책들은 대부분 한 번으로 그려져 있다. 여기에 사과 한 개로 백설공주를 없애려고 하는 내용이 나온다. 그래서 어른이나 교사가 원작을 들려주면 오히려 원작 내용이 틀리다고 이야기하는 경우가 있다.

그러다 보니 나중에 내용이 제대로 된 원작을 읽으면서 아이들은 혼란스러워한다. 그동안 자신들이 알고 있었던 많은 내용들이 정확하지 못하다는 것에 대해 좋지 않는 느낌을 가지게 된다. 그래서 어릴 때 아이가 처음

책을 대하거나 아니면 글자를 익혀서 혼자서 책을 읽게 되면(이런 경우보다는 부모나 어린이집 교사들이 책 내용을 들려주어야 하고, 너무 빠른 나이에 혼자 책을 읽게 하는 것을 멀리하도록 해야 한다), 내용이 제대로 된 원작 동화들을 구해서 들려주거나 읽게 하는 것이 좋다. 따라서 가능하면 원본에 가까운 동화 작품집을 고르는 것이 좋다.

둘째, 선과 악의 구별이 분명해야 한다.

동화 속에서 선이 승리하고 악이 벌을 받으면 아이는 분명 만족스러워한다. 《백설공주》에서 마녀가 불타는 구두를 신고 춤추다가 죽어 가고, 《늑대와 일곱 마리 어린 양》에서 배에 돌멩이가 가득 차 늑대가 우물에 빠져 죽는 잔인함, 《홀레 할머니》에서 큰언니가 더러운 오물을 뒤집어쓰고 평생을 살아가야 하는 모습, 《황금새》에서 두 형이 나중에 벌을 받게 되는 모습, 《헨젤과 그레텔》에서 마녀 할머니가 끓는 물에 빠져 죽는 모습 들은 아이들을 당황하게 만들지 않는다.

동화에서 나쁜 행동을 한 자는 자기가 한 일 때문에 나중에 자연스럽게 큰 벌을 받게 된다는 사실에 분명한 정의가 존재하기 때문이다. 아이들은 동화 속 주인공들이 겪는 모험과 승리로 악(정의롭지 못한 행동)은 그 죗값을 반드시 받는다는 것을 통해 안심하고 편안함을 느낀다(라히마 볼드윈 댄시, 2004, 404쪽).

하지만 요즘 동화책을 보면 원작을 출판사 편집자 마음대로 각색을 하다 보니 악에 대한 부분이 분명하게 드러나지 않고 있다. 예를 들어 죄를 많이 짓고도 나중에 용서를 구하는 장면이나 함께 잘 살았다고 하는 것 등은 아이들에게 좋은 교훈을 주지 못한다. 오히려 가치관의 혼란을 가져다줄 뿐이다. 이런 동화를 많은 읽다 보니 아이들 가운데는 '죄를 많이 짓거나 아니면 거짓말을 해도 나중에 용서를 빌면 되겠지'라는 잘못된 생각을 하는 경우가 생겨난다. 예를 들어《흥부와 놀부》가 이에 해당한다.

처음부터 선과 악에 대한 구분, 권선징악에 대한 내용이 철저하면 아이들은 결코 그릇된 생각이나 행동을 하지 않는다. 오히려 선에 대한 생각과 마음가짐으로 이 세상을 바라보고 살아갈 것이다. 아이들 가운데 거짓말을 많이 하는 아이가 있는 경우, 이 아이의 주변 환경을 자세히 살펴볼 필요가 있다.

아이 혼자서 지금 이 상태까지 온 것이 아니다. 분명 아이 주변에서 옳지 못한 환경과 가치관을 심어주었기 때문에 아이는 그대로 보고 배운 것이다. 그렇기 때문에 1919년 독일에서 발도르프학교를 만든 루돌프 슈타이너 박사는 동화가 표현하는 세계와 어린 아이의 세계가 본질적으로 같다고 했다. 그 두 세계는 도덕적인 절대성, 자유롭게 움직일 수 있는 상상력, 무한히 변화할 수 있는 가능성을 똑같이 갖고 있는 세계라고 했다(라히마 볼드윈 댄시, 2004, 404쪽).

셋째, 읽어주기보다는 '들려주어야' 하며, 조금씩 나누어 들려준다.

아이 스스로 책을 보게 하거나, 책을 그대로 읽어주는 것보다 정답게 리듬이 있는 목소리로 직접 들려주는 것이 좋다. 그렇게 되면 동화가 가진 도덕적이고 모범적인 요소를 아이는 마음껏 체험할 수 있다.

날마다 아이가 잠자기 전에 책이 아닌 부모의 부드러운 목소리로 직접 좋은 동화들을 들려준다면, 아이는 이러한 동화들을 가지고 깊은 잠에 빠지게 될 것이며, 그렇게 해서 아이의 상상력과 감성이 무럭무럭 자라나게 된다. 물론 이렇게 하기 위해서는 부모나 어른이 동화를 완전히 소화해야 한다.

내용을 전부 외우라는 것은 아니다. 어른 자신들도 동화 내용을 제대로 읽으면 외우는 것만큼 머릿속에 그대로 남아 있기 때문에 억지로 외우지 않아도 자연스럽게 내용을 익힌다. 또한 잠자리에 드는 시간에 처음부터 끝까지 다 읽어줄 수 있는 간단한 내용보다는 5, 6일 정도 걸리는 것을 들려주는 것이 좋다.

날마다 조금씩 들려주는 이야기는 아이로 하여금 다음 내용에 대한 기대감이 생기고, 이러한 기대감을 가지고 아이는 깊은 잠에 빠지게 된다. 어른 역시 내용이 길고 준비할 시간이 없다면, 그날 들려줄 내용만 사전에 읽어보는 정도로 여유 있게 한다. 또한 오늘 이야기를 들려줄 때 새로운 장면을 들려주기보다는, 어제 즉 지금까지 들려주었던 내용들 가운데 중심이 되는 내용을 잠시 되풀이한 후 새 이야기를 들려주는 것도 좋다. 아이들은 그것에 대해 싫증을 내지 않는다,

1학년 이하 아이들은 되풀이되는 내용을 좋아한다. 되풀이 과정은 아이로 하여금 그 내용 속에서 살 수 있는 여유를 주고, 또한 그 익숙함 속에 충분히 빠져들어 이야기를 즐길 수 있게 만들기 때문이다.

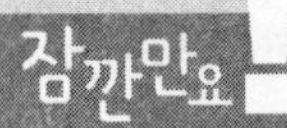

역사를 배우기 전에 동화를 먼저 배워야 한다[1]

역사도 이야기를 나눌 수 있는 역사 관찰법이 필요하지요. 그러한 역사 접근법으로 가장 좋은 방법이 바로 동화입니다. 역사를 배우는 동화로 좋은 예는 《당나귀 왕자》(그림형제 동화)입니다. 동화는 15분 정도 이야기할 수 있게 짧지요. 그러나 이 동화는 전체 인류사를 대변할 수 있습니다. 모든 종교는 공통으로 기본 틀을 가지고 있지요. 대개 처음에는 모든 게 좋았지만 뭔가 부족한 게 있어 발전할 수 없습니다.

이 동화에서는 행복한 왕궁에 아이가 없습니다. 발전하려면 처음 이상향에서 다음 단계인 인간 단계(땅)로 내려옵니다. 처음 지상에 내려온 인간은 '당나귀'로 보입니다. 그러나 마지막까지 당나귀로 보이는 것은 아닙니다. 당나귀는 자기가 살던 세상에서 다른 세상으로 가기 위해 스스로 결정을 했습니다. 만약 당나귀가 자기가 살던 세상에 그대로 머물렀다면 예쁜 공주도 만날 수 없었을 것입니다.

이 동화의 구조는 원초의 세상을 떠나 인간 세상으로 내려와 현실세계를 돌아다니는 행위를 한 다음에야 새로운 세상, 새로운 왕국을 만들 수 있다는 것입니다. 새로운 왕국을 얻기까지 세 가지 조건이 있는데 당나귀는 보통 사람의 모습이 아니라 그의 내면은 명랑하고 예의 바르고 음악을 아주 잘했습니다.

이런 그의 내면은 바로 당나귀 왕자의 지식 측면입니다. 외모는 당나귀지만 내면은 아주 훌륭한 모습을 지니고 세상을 돌아다니면서, 여러 가지 줄거리를 만드는 행위를 하고 바로 그것으로 새로운 세계를 얻게 되는 것입니다. 이런 발달 과정에는 전환점이 있는데 바로 당나귀가 호수에서 자기 모습을 볼 때입니다. 당나귀의 이런 행위는 일반적인 모습이 아닙니다. 왜냐하면 이제까지 그런 모습으로 살아왔는데 자기 모습을 확인했다고 꼭 그런 일상을 뒤엎고 떠나야만 하는가 하는 것입니다.

여기에 동화의 논리가 있는데, 다시 말하면 자아를 발견하는 순간 철학이 시작되고 철학을 갖게 되면 처음의 자기로 돌아가지 못합니다. 이미 수사학의 사고에 접어들면 다시 원래 세상으로 돌아가지 못합니다.

여기에 또 다른 섬세한 표현이 있는데 당나귀의 낮과 밤 모습이 다르다는 것입니다. 낮에는 뭔가를 뒤집어쓰고 있고 밤에는 벗어 버리고 순수성을 찾으려는 그러한 모습은 바로 차라투스트라 또는 불교에서 얘기하는 자신을 찾으려는 갈망, 열망의 표현이라고 볼 수 있습니다. 즉 인간이 본질을 찾고자 하는 모습을 담고 있는 것입니다. 만일 인간이 자기 자신을 인식하는 시기가 오면 어떠한지를 유럽 철학의 초기에 해당하는 데카르트의 표현을 빌어 말해 보면 "나는 생각한다. 고로 존재한다"입니다.

우리는 밤에 잘 때 생각하지 않습니다. 그럼 밤에는 인간이 아닌가요? 그러나 동화는 밤에는 당나귀가 아닌 인간이라고 말하고 있습니다. 보통 낮의 인간은 당나귀와 같습니다. 그러나 깊은 잠에 잠기면 모두 사랑스런 인간, 훌륭한 왕자입니다. 바로 이 점이 인간관계의 깊은 지혜를 말해 주고 있습니다. 심리학에서는 깊이 자는 동안 낮의 것, 자신의 순수성이 되살아난다고 봅니다.

동화에서 현실의 문제가 다뤄지기도 합니다. 예를 들어 이슬람교도들에게 원칙주의가 있는데 원래 이슬람의 원초는 순수한 도덕성입니다. 사막을 돌아다닐 때 이슬람교가 생겼는데 오늘날 아랍주의자가 주장하기를 "처음의 사막으로, 원초로 돌아가자"는 주장을 합니다. 이 동화는 반대로 얘기하고 있는데 당나귀 왕자는 다시 살던 성으로 돌아갈 수 없습니다. 역사는 앞으로 나아가는 것이지 뒤로 갈 수는 없는 것입니다. 이 동화는 미래를 얻을 수 있을 때 순수한 과거도 얻을 수 있음을 보여주고 있습니다.

바로 이러한 동화를 1학년에게 들려주는 것은 아주 중요합니다. 따라서 교사가 이러한 동화의 의미를 깊이 이해해야 합니다. 그러나 그 의미를 아이들에게 설명해 줄 필요는 없습니다. 아이들은 복잡한 설명을 알 필요도 없고 또한 설명이 없어도 너무나 잘 이해합니다. 왜냐하면 아이들은 모든 것을 의인화하여 생각하기 때문에 그런 구조에서 줄거리를 이해합니다.

마녀는 무엇일까요? 만일 어른이 아이에게 "내일 동화를 말해줄 텐데 오늘은 누구 아줌마를 만나러 가자"고 하면 아이들은 설명이 없어도 마녀를 이해하게 됩니다(아이들이 보통 어떤 아줌마는 마녀와 동일시함). 아이들은 마녀를 마술을 부리는 사람으로 이해합니다.

왕자는 어떤 사람일까요? 아이들은 왕자를 어느 나라 왕의 아들이라는 의미가 아니라, 용감하고 남을 도와주고 싸움을 하면 끝에는 반드시 이기는 그런 존재로 이해합니다. 내가 아이들이 이렇게 생각하고 이해한다는 것을 배우기까지 오랜 시간이 걸렸습니다. 비슷한 예로 내가 인도의 브라만 계급 사람을 만난 적이 있는데 그때 집에서 어떤 옷을 입느냐고 물어 봤습니다. 그랬더니 그는 어떤 때는 이런 옷, 어떤 때는 저런 옷을 입는다고 대답했습니다. 내가 또 그에게 브라만 계급에 맞는 옷을 입지 않고 다른 옷을 입었을 때 다른 사람들이 어떻게 그가 브라만인 것을 아느냐고 물어봤더니 그는 "사람들이 자기가 어떤 옷을 입든 브라만인 것을 다 알지 않느냐?"고 대답했습니다. 그가 어떤 옷을 입든 다른 사람들이 그가 브라만인 것을 다 아는 것처럼, 아이들도 특별한 설명을 하지 않아도 누가 왕자인 줄 다 아는 것입니다.

이와 마찬가지로 아이들에게 역사가 무엇인지를 자세하게 설명해 줄 필요 없이 동화를 들려주면 아이들은 역사를 이해합니다. 발도르프학교에서 동화를 고르는 기준은 바로 교사 자신에게 있습니다. 그러나 누구나 쉽게 창작할 수 있는 것은 아니기 때문에 어려운 일입니다.

교사는 동화를 들려줄 때 동화가 언어와 관련 있기 때문에 조용하면서도 말의 리듬을 살리고, 이야기의 리듬에 따라 들려주어야 합니다. 아이들이 이야기를 들으면서 마치 그림을 그릴 수 있을 정도의 높낮이와 속도로 하면 되는 것이지요. 동화를 들려줄 때 너무 강한 표현은 삼가는 것이 좋습니다. 중요한 것은 부드러운 리듬감입니다.

왜 1학년에게는 옛이야기를 들려주어야 할까?

아이들은 '나'를 중심으로 아이들은 세상을 바라본다. 주관적인 힘이 크게 생기는 시기다. 하지만 아직 세상을 보는 힘은 커지지 않았다. 8살 이전까지 아이들은 보이는 대로 세상을 보고, 그림을 그린다고 해도 보는 그대로 그린다. 그렇다고 사실대로 그리는 것이 아니고 아이들 자신들 수준에서 느끼고 본 것을 쓰거나 그릴 뿐이다. 따라서 이 시기 아이들에게 다른 이야기보다는 시간과 공간을 뛰어넘는 옛이야기기가 중심이 되어야 한다. 그렇다고 창작 동화를 권하는 것은 아니다.

옛이야기와 창작 동화는 이야기가 가지고 있는 정신적 가치에서 많은 차이가 있다. 옛이야기는 우리 현대인이 알지 못하고 정신적인 그 이상의 것이 담겨져 있기 때문에 1학년 이하 아이들에게 알맞다.

전체를 생각하고 보고 느끼는, 그래서 수학 수업에서 부분에서 전체가 아닌 전체에서 부분으로 접근하는 계산 방식을 가르치는 것이 좋고, 그림 그리기 시간에도 세분화된 것보다는 원을 중심으로 한 전체를 그리는 것이 좋다. 그래야만 각 교과 간에 연관성이 살아 있다. 하지만 현행 우리 교육과정과 교과서는 1학년 과정에서도 이러한 연관성을 찾아보기가 힘들다.

교과끼리 연관성 있는 수업을 하기 위해서는 지금 무엇보다도 담임교사의 무한한 노력과 발달단계에 대한 정확한 이해가 있어야 가능하다. 하지만 처음부터 교육과정이나 교과서 집필 단계에서 작업을 해서 구성해 놓는다면 이러한 수고를 많이 덜 수 있다.

또한 옛이야기를 고르더라도 시대(연대)가 명확히 드러난 것은 피한다. 예를 들어 "호랑이 담배 피우던 시절……" 같은 옛이야기는 담배가 조선 후기에 우리나라에 들어왔으니 시대가 얼마 되지 않았다. 옛이야기가 지닌 요소 가운데 시간과 공간을 뛰어넘는 '몇 백 년 전에, 지금으로부터 300년 전에, 아니면 1680년에'보다는 "옛날, 옛날, 먼 옛날에……"로 시작하는 내용을 찾는 것이 좋다. 우리나라 전래 동화집이나 그림형제 동화집을 자세히 살펴보면 좋은 내용이 담긴 동화들이 얼마든지 있다.

동화를 가지고 가르치는 글자 지도

아이들은 말을 먼저 익히고 글을 배우게 된다. 수업을 하다 보면 소리를 듣는 데 능숙하지 못한 아이들은 글을 배우는 데도 마찬가지로 어려움을 가지게 된다. 바르게 소리를 듣지 못하면 또박또박 말하기 어렵고 분명하게 말하지 못하면 글을 쓸 때도 자신이 듣고 말하는 대로 쓰기 때문에 틀릴 때가 많다. 고학년 중에서도 글을 바르게 잘 쓰지 못하는 아이들도 일기를 쓰거나 글쓰기 하는 시간에 지켜보면 알 수 있다. 물론 시각과 인지 감각 능력이 원래부터 약한 아이들도 있기 때문에 듣기 능력이 바르게 쓰지 못하는 원인이라고 딱 잘라 말할 수는 없다. 하지만 우리말을 배울 때 우리 말소리를 충분히 느끼고 연습할 수 있는 시간은 무엇보다 중요하다.

아이들이 재미나게 말소리를 만끽하면서 거기에 맞는 형태를 몸으로 찾아가고 큰 몸에서 점차 작은 몸으로 형태가 스며들어 마침내 쓰게 되는 그런 멋진 과정이 필요하지 않을까? 몇 가지 자료를 소개하면 다음과 같다.

'ㄹ'과 'ㄷ'을 배우기 위한 짧은 동화

랄랄라 즐거운 가을이 왔어요.
나뭇잎은 울긋불긋 물이 들고요.
주렁주렁 열매들이 열렸지요.
조롱조롱 조롱박들, 올망졸망 대추열매들
떼구르르 알밤들
또르르르 도토리
다람쥐는 신이 나서
이리저리 다니지요.
부지런히 모아요.
겨울이 오기 전에 빨리빨리 모아요.

도토리야, 도토리야!

데굴데굴 굴러와.

대문 앞에 들어오면

문 닫아 줄게.

(〈다람쥐의 열매 모으기〉)

'ㅍ'이 많이 들어간 옛이야기

옛날 옛날 깊은 산 속에 꼬부랑 할머니가 살았어요.

어느 여름날, 할머니는 팥밭을 맸어요.

팥밭 한 고랑을 매고는 "애고, 힘들어."

팥밭 두 고랑을 매고는 "애고 애고, 힘들어."

팥밭 세 고랑을 매고는 "애고 애고 애고, 힘들어."

그때 갑자기 커다란 호랑이가 나타났어요.

"어흥!"

"아이쿠! 사람 살려!"

호랑이가 입을 떠억 벌리며 말했어요.

"어흥! 배가 고프니 할멈을 잡아먹어야겠다!"

"호랑아, 제발 살려다오. 흑흑흑"

"할멈, 살고 싶으면 나랑 밭매기 내기하자. 할멈이 이기면 내가 이 밭을 다 매주고,

내가 이기면 할멈을 잡아먹고, 흐흐흐."

할머니는 할 수 없이 호랑이와 밭매기 내기를 했어요.

할머니가 풀 한 포기를 뽑는 동안, 호랑이는 팥밭 한 고랑을 뚝딱 다 맸

어요.

할머니가 풀 두 포기를 뽑는 동안, 호랑이는 팥밭 두 고랑을 뚝딱 다 맸어요.

할머니가 풀 세 포기를 뽑는 동안, 호랑이는 팥밭 세 고랑을 뚝딱 다 맸어요.

호랑이는 내기에 이기자 할머니에게 와락 달려들었어요.

"어흥! 이제 잡아먹어야겠다!"

할머니가 벌벌 떨며 말했어요.

"호랑아 호랑아, 이렇게 팥을 많이 심었는데 내가 없으면 누가 이 팥을 가꾸겠냐?

이 팥을 잘 가꾸어서 가을 되면 맛있는 팥죽을 쑤어 주마. 그때 가서 날 잡아먹으렴."

"맛있는 팥죽을 해준다고? 좋아, 그럼 그때 가서 잡아먹지."

호랑이는 산 속으로 사라졌어요. (이하 줄임)

'ㅎ'이 많이 들어간 옛이야기

옛날 옛적 갓날 갓적, 호랑이가 담배 피우고 까막까치 말할 적에, 어느 산골 외딴 집에 한 총각이 홀어머니를 모시고 살았어. 두메산골 외딴 데서 사니까 뭐 마땅히 할 일이나 있나? 나무 베다가 숯을 굽고 살았지. 숯을 구워 장에 내다 팔아 가지고 먹을 것 입을 것을 사다가 어머니를 모셨단 말이야. 이 총각이 참 효자여서 홀어머니 봉양이 지극했지. 늙으신 어머니가 행여 추울세라 시장할세라 온갖 정성 다해서 참 극진히 모시는 거지.

하루는 총각이 숯을 구워 가지고 지게에 짊어지고 장에 갔어. 장에 가서 숯을 팔아 가지고 어머니 잡수실 고기도 사고, 어머니 입으실 옷도 사서 이제 집으로 돌아올 판인데, 아 그 날따라 장보기가 더디어서 그만 날이 저물었네.

'이크, 벌써 날이 저물었군, 지금쯤 어머니가 얼마나 기다리실까? 어서 가서 어머니께 고깃국도 끓여 드리고 새 옷도 입혀 드려야지.'

(〈효자와 호랑이〉, 서정오, 1999)

'ㅋ' 소리의 경우, 연습할 수 있는 옛 노래는 다른 소리들에 비해 많지 않다. 창작과 비평사에서 펴낸《옛 아이들 노래집》을 참고하면 아래의 노래가 나온다.

신랑 방에 불 켜라 각시방에 불 켜라
빨간 불 켜라 파란 불 켜라
도둑놈 들었다 빨리 빨리 불 켜라

위 노래는 개미와 도라지꽃을 함께 가지고 놀면서 부르는 노래다. 개미를 흰색 도라지 꽃봉오리 안에 넣고 꽃잎을 오므린 다음 흔들면서 이 노래를 부르면, 얼마 지나지 않아 도라지꽃 색깔이 마술이라도 부린 것처럼 발갛게 변한다. 아이들 눈엔 이 모양이 신랑 각시가 함께 첫날밤을 보내는 신방에 켜진 등불로 보였다. 호박꽃에 벌을 집어넣고 놀아도 색깔이 변한다. 'ㅋ' 소리가 이끄는 우리 말 동사는 그리 많지 않다. 국어사전에서 찾아보니 '켜다, 캐다, 캐묻다, 키우다, 키질을 하다' 정도다. ㅋ 소리는 ㄱ 소리에 보다 힘이 많이 들어간 소리다. 그래서인지 힘이 많이 들어가는 소리를

ㅋ이 이끈다.

콩 받아라 콩 받아라

콩 받아라 콩 받아라

콩 받아라 콩 받아라

점아 점아 콩점아 누구에게 숨겼니?

너 치마 들치면 우리편이 이긴다.

꼭꼭 숨어라

위 노래는 아이들이 '콩 숨기기' 놀이를 하면서 불렀던 노래다. ㅋ 소리 하면 가장 먼저 떠오르는 명사가 콩이다. 콩은 우리가 흔히 볼 수 있는 밭에서 나는 작물이라 아이들이 콩을 놀이의 소재로 삼는 것은 당연한 일이 것이다.

그러면 콩쥐팥쥐 전래 동화도 빠트릴 수 없다. 우리나라 구비문학을 집대성해 놓은《한국구비문학대계》라는 곳에는 '콩쥐팥쥐'와 관련된 설화가 여러 편이 있는데 그 가운데 가장 원형에 가까운 이야기를 소개하면 서사구조상의 단락으로 견준 논문에서 뽑아낸 것이라 부드럽게 전개되진 않는다. 그리고 여기서는 이름이 뒤바뀌어 있다. 이름은 인물의 성격을 대변하는 고정적인 것으로서 옛이야기에 나오는 이름의 보편성 때문이 아닐까? 구비문학의 특성상 오랜 세월 구전되면서 이름이 뒤바뀌었을 수도 있다. 그렇다면 옛날에는 콩쥐팥쥐라는 이름이 실제로 있었을까? 어찌 보면 참 귀여운 이름이다.

콩조지 팥조지

팥조지의 생모가 죽은 뒤, 계모와 콩조지가 들어왔다.

계모가 팥조지에게 나무 호미를 주며 밭을 매라 하였다.

꼬부랑 소가 좋은 호미 있는 곳을 일러 주어 밭을 맬 수 있었다.

계모가 잔치에 가면서, 팥조지에게 삼 한 테 삼아 놓고, 밑 빠진 독에 물 채워 놓고, 밑 없는 솥에 밥 지어 놓고, 벼 한 섬 찧어 놓고 오라고 하였다.

새들이 벼를 찧어 주고, 꼬부랑 소가 삼을 삼아 주고, 두꺼비 두 마리가 솥과 독을 막아 주었다.

꼬부랑 할머니가 비단옷과 신을 주고, 하늘에서 말을 내려주었다.

팥조지가 말을 타고 잔치에 가다 신 한 짝을 잃어 버렸다.

어떤 총각이 자기와 같이 살면 신을 주겠다고 해서, 신을 얻어 신었다.

돌아오는 길에, 총각이 같이 살면 신을 주겠다고 해서 그와 같이 살았다.

콩조지가 팥죽을 끓여왔다고 팥조지를 속여 문을 열게 하였다. (이하생략)

그리고 우리가 익히 잘 알고 있는 영국 민담 〈잭과 콩나무〉도 있다.

코코코코 귀 코코코코 눈

코코코코 입 코코코코 머리

이것은 아주 어린 아이들과 하는 놀이 가운데 하나로 많이 해봤을 것이다. 아주 단순하지만, 부모나 교사가 귀라고 하면서 입이나 눈으로 엉뚱하게 가리키면 아이들이 순간 당황하면서 따라 하게 되는데 까르르 웃음이 터지게 되는 즐거운 놀이인데 동요도 있다.

코끼리 아저씨는 코가 손이래
과자를 주면은 코로 받지요
코끼리 아저씨는 소방수래요
불나면 빨리 와 모셔가지요

ㅋ 소리로 만든 짧은 문장을 교사가 직접 만들어도 좋을 것이다.

캄캄한 밤 시커먼 밤 조심하세요.
우르르 쾅쾅 우르르 쾅쾅
천둥이 몰아치면
큰 산도 큰 나무도
가슴이 콩닥콩닥
떨고 있어요.

내면화 작업 : 옛이야기 속에 있는 형태그리기

1, 2학년 국어 수업에서 이야기를 들려주는 것으로 끝내는 것이 아니라 그것을 내면화하는 작업이 중요하다. 다음 쪽에 있는 그림 경우처럼 아이들에게 물결 모양(1학년 과정) 형태그리기를 할 때 단순히 지식만 가르치기보다는 이것을 좀 더 흥미가 있게 교사가 재구성할 필요가 있다.

예를 들어 옛이야기 〈들쥐 신랑에 나오는 바람〉에 나오는 다음 내용을 보자. "잔잔한 호숫가에 바람님이 찾아와서 놀다가 힘자랑을 하는데 어찌

나 세게 불었던지 물들이 이리저리 춤을 추며 움직이면서 놀고 있네요."

물론 이 내용은 나름대로 재구성한 것이라 선생님마다 각자 다르게 내용을 생각하면 된다. 이렇듯 저학년 아이들에게 형태그리기를 가르칠 때는 흥미가 덧붙인 것으로 다가서면 그만큼 아이들은 쉽게 받아들이고 효과가 좋다.

책 속에 나와 있는 형태들은 단지 개념만 전달할 뿐 교사가 위의 그림처럼 좀 더 살아 있는 형태('바람이 살아 움직이네', '물결이 넘실넘실 춤추네', '낙엽이 살랑살랑 떨어지네')들을 찾기 위해서는 고민과 연구하는 노력이 필요하다.

우화의 중요성

1학년에서 옛이야기들은 주로 '나'라는 주인공이 개인적으로 고통과 슬픔을 겪는 내용들로, 이런 이야기들은 어린 시절(유아기, 0~7살)로부터 점차 벗어나는 아이들의 느낌을 표현하는 것들이다. 이 시기 아이들은 스스로가 이 세상은 늘 좋은 것만 있다는 것이 아니라는 것을 느끼면서 그래도 나쁜 것보다는 좋은 것과 좋은 사람들이 더 많다는 것을 깨닫는다. 또한 동화는 우리에게 길을 가르쳐 준다. 생애가 아니고 삶의 단면을 보여준다.

2학년에서는 한 발자국 더 나아가 '너'를 익히는 단계다. 전체에서 부분, 즉 하나에서 둘로 나누어지는 시기다. 이야기 수업으로는 '우화'를 들려주거나 배워야 한다. 하지만 우리 교육과정에서는 이에 대해 전혀 소개하고 있지 않다. 무엇을 어떻게 왜 가르쳐야 하는지에 대한 이해가 부족한 내용이다. 교과서 관련 여러 문제(교육과정, 동화, 국어 교육 따위)를 지적한 기존 책들에서도 이 부분에 대해서는 언급하지 못하고 있다.

1학년 아이들에게 그림형제 동화나 우리나라 옛이야기를 충분히 들려주었거나 그런 이야기들을 경험하도록 했다면, 이제 2학년에서 들려주는 우화와 성인(聖人) 이야기는 아이들에게 또 다른 세상을 보게 하고 내면의 세계를 살찌우게 한다.

우화 하면 이솝 우화가 가장 먼저 생각날 것이다. 하지만 이것이 2학년 수업 시간에 적합할까? 영유아기 아이들에게 우화를 들려주면 효과가 있지 않을까, 하고 생각하겠지만 그렇지 않다. 이 시기 아이들에게는 아직 내면화되지 않았기 때문이다. 이 아이들의 현재 발달단계는 아직까지 미분화된 시기다. 그렇기 때문에 세상을 자기중심적, 즉 보는 대로 생각하기 때문에 상대에 대한 배려나 깨달음을 느끼는 것은 힘들다. 만약 그런 아이들이 있다면 어른스러운 아이(?)일 것이다.

만약 2학년 아이들 가운데 1학년 때 '옛이야기'를 제대로 배우지 않았다면, 이런 아이들을 위해서 담임교사는 3, 4월에 1학년에게 꼭 들려주어야 했던 동화를 몇 편 골라 들려주고 나서 우화를 들려주는 것이 좋다.

2학년에서 변화는 1학년 때 주로 들려주었던 옛이야기가 우화나 성인 이야기, 전설 이야기로 바뀌는데 이런 이야기들은 아이들의 정신 발달단계에서 아주 중요한 의미를 갖는다. 더구나 동물이 대신해서 나오는 '우화'는 사람의 내면에 존재하는 영혼의 특성을 그대로 보여주는 것이다.

시간(나이)이 지나서 아이가 성격 가운데 '자아'가 좀 더 위대하게 발달한 성인의 삶에 대한 이야기를 만나고 들었을 때, 이와 비슷한 영혼의 특성은 무의식적으로 사람의 내면세계에 더 높은 위치로 올라서게 되는 것으로 비쳐진다.

그래서 우화를 2학년 나이가 아닌 이보다 어린 나이에 들려주는 것은 그다지 좋은 결과를 가져올 수 없기 때문에 신중하게 그 나이에 맞는 이야기를 들려주어야 한다.

예를 들어 사과나무에 사과가 다 익었다고 해도 나무에 매달려 있는 것을 따서 먹는 것보다 사과 스스로가 땅에 떨어졌을 때 이것을 주워서 먹으면 아주 좋은 사과 맛을 느낄 수 있다. 따라서 우리 아이들(2학년)의 맑은 영혼을 제대로 가꾸려고 한다면 그 나이에 맞는 이야기를 들려주는 지혜가 필요하다.

더구나 앞에서 말한 효과를 더 누릴 수 있는 것은 1학년(7, 8살) 때 이 시기 아이들이 꼭 들어야 할 옛이야기(우리나라 전래 동화, 그림형제 동화)들을 충분히 경험한 아이들에게 해당될 수 있는 이야기다. 만약 이러한 것들을 하지 못했다면 지금이라도 1학년 과정의 동화들을 충분히 체험할 수 있도록 해주어야 한다.

아쉽게도 우리 교육과정과 교과서에는 이러한 내용들이 거의 없다. 그러다 보니 아이들이 발달단계에 맞지 않는 이야기들을 배우게 되고, 배우더라도 내면화보다는 공허함을 느끼게 하고 있는 것이 현행 교육과정이다.

우리나라 고유의 이야기부터 시작하자

아이들이 우화를 듣기 이전에 생생하고 상상력을 불러일으키는 방법으로 우화 이야기에 나오는 동물의 독특한 특성을 소개해야 한다. 단순히 책에 나온 지식 그대로를 이야기한다면 훌륭한 상상력을 불러올 수 없고, 그 효과 역시 아무런 영향을 끼치지 못한다.

이러한 훌륭한 동화 수업을 하기 위해서는 교사(부모)가 사전에 많은 노력과 준비가 필요하다. 그렇지 않고 일상적인 모습으로 다가선다면 다른 동화 수업과 다를 바가 없다. 교사 자신이 얼마나 준비하느냐에 따라서 아이들이 감성을 풍부하게 경험한다. 그렇지 않고서는 만족할 만한 수업을 기대할 수 없다. 더구나 이러한 훌륭한 수업은 나중에 자연스럽게 건전한 토론으로 이어지게 할 수 있다. 그래서 아이들이 개인적 경험을 함께 나누고 그 세상을 함께 탐험할 수 있게 해주어야 한다. 이러한 수업들이 꾸준히 진행되어질 때 아이들 내면세계에는 상상력과 감성이 싹트기 시작한다.

우화의 경우도 아이들의 고유한 국가, 즉 우리나라의 경우 창세 이야기와 예로부터 내려오는 옛이야기에서 찾으면 좋다. 다른 나라 이야기(우화)보다는 자기 민족 고유의 이야기들 속에서 들려준다면 아이들은 더 친숙하게 받아들인다. 여기서 '이솝 우화'를 제시한 것은 단지 방향성에 초점을 맞춘 것이다. 그렇기 때문에 나머지는 우리나라 고유한 옛이야기 속에 나오는 동물 이야기(토끼와 호랑이, 꾀 많은 토끼, 은혜를 갚은 호랑이 따위들)들은 좀 더 연구 작업을 해서 더 좋은 자료집을 엮어 낼 필요가 있다. 우리에게도 얼마든지 좋은 우화 자료들이 있기 때문에 멀지 않은 날에 제대로 된 좋은 자료집이 나오리라고 기대해 본다.

우화는 쓰기 활동이 중요하다

2009 개정 교육과정 국어과 해설 내용 체계(1-2학년 쓰기 성취 기준)

(1) 글자를 익혀 글씨를 바르게 쓴다.

연필을 바르게 잡고 바른 자세로 낱자와 글자를 쓰는 것은 쓰기의 기초가 된다. 학생들이 여러 형태의 글자를 익히고 글자의 모양과 크기, 쓰는 순서를 고려하여 글자를 정확하고 바르게 쓰도록 지도한다. 1학년 1학기에는 글의 내용을 구성하는 측면보다는 글자를 익혀 정확하게 쓰는 기초 능력을 향상시키는 데 중점을 둔다. 한글 낱자의 복잡성 정도를 고려하여 처음에는 받침이 없는 간단한 글자부터 시작하여 차차 받침이 있는 복잡한 글자를 쓸 수 있도록 한다. 글자를 어느 정도 익히고 난 후에는 친숙하고 쉬운 낱말부터 시작하여 차차 문장을 써 보게 하는데, 국어 교과서에 나오는 낱말이나 간단한 문장을 선택하여 받아쓰게 한다.

(2) 자신의 생각을 문장으로 정확하게 표현한다.

문장은 글을 구성하는 기본이다. 글을 잘 쓰려면 먼저 자신의 생각을 정확하게 문장으로 표현할 수 있어야 한다. 말을 할 때와 달리 글을 쓸 때에는 여러 가지 제약이 있으므로, 생각을 문장으로 표현하여 다른 사람에게 전달하기 위해서 문자 언어의 관습과 규범을 따라야 한다. 온점, 물음표, 느낌표 등의 문장부호를 사용하여 자신의 생각을 문장으로 정확하게 구성하는 기본 능력을 기르도록 지도한다.

(3) 대상의 특징이 드러나게 짧은 글을 쓴다.

주변의 대상에서 특징을 발견해 내고 그것을 드러나게 표현하는 것은 설명하는 글을 쓰기 위한 출발점이 될 수 있다. 또한 주위에서 쉽게 접할 수 있는 인물이나 사물을 표현하는 경험을 통해, 학생들은 쓰기에 흥미를 갖게 되고 쓰기의 필요성을 인식할 수 있다. 소개할 대상은 사람이나 사물 등을 두루 다루되 주변의친숙한 대상에서 선택하도록 하여, 학생들이 글쓰기를 위한 내용 생성에 부담을 느끼지 않고 글쓰기에 쉽게 접근할 수 있도록 한다.(이하 줄임)

사실 출처가 어떤 것이든(자기 나라든 다른 나라든) 우화는 아이들의 쓰기 능력 신장에 감탄할 정도로 도움을 준다. 듣기의 '내면 활동'에서부터 이야기에 이르기까지 이 수업은 다음날 그 이야기를 다시 들려줄 때에도 아이들이 대부분 그 내용을 기억해낸다.

물론 여기에는 교과서 수업이 아닌 교실에서 주기 집중 수업을 진행한 후 아이들이 칠판 그림을 공책에 그리거나 이야기 내용을 집에 가서 다시 정리할 때 가능하다. 다른 학원이나 학습지 활동을 하지 않는 상태에서 해야 교육적인 효과가 있다.

다음날 이러한 활동은 다시 말하기(되새김질)에 몇 가지 상상력을 이끌어낼 수 있다. 또한 1학년 때는 며칠에 걸쳐서 긴 이야기를 들려주기 때문에 동화 속에서 일어나는 여러 가지 사건들을 기억해 내는 데 많은 어려움이 있다. 하지만 여기서는 짧은 이야기들을 들려주기 때문에 대부분 아이들이 그 내용을 쉽게 기억해 내며 아주 흥미로워한다.

또한 우화를 듣고 나서 쓰기 활동은 이야기의 자유로운 다시 표현(말하기)하기에 초점을 두어야 한다. 처음에는 학급의 일부분에서 서로의 노력(교사의 질문으로 여러 아이들이 대답하고 교사는 대답하는 내용들을 칠판에 적는다)으로 이루어지고, 그렇게 해서 적절한 문장이 서로 모아져 만들어지면 그 다음에 아이들은 자신들의 공책에 칠판에 쓰인 내용들을 그대로 쓴다.

쓰기 과정은 1학년에서 말하였던 과제를 정리하는 데 목적이 있다. 어려운 글자들과 쉬운 글자들을 적절하게 꾸준히 쓰는 것이 필요하다. 1학년 때부터 꾸준히 연습으로 이어져 왔기 때문에 중요하다. 여기에 노란색은 형용사, 파란색은 명사, 자주색은 대명사, 빨간색은 동사, 오렌지색은 부사, 갈색은 관사, 초록색은 전치사와 같이 색의 다양한 부분에 말을 붙여서 수업을 하면 아이들은 더 쉽게 이해한다.

이미 1학년 때 이러한 과정에 익숙했다면 여기에 특별한 설명이 필요가 없으나 처음 시작하는 아이가 있다면 간단한 설명을 해줄 필요가 있다. 아이들이 글자(한글)에 친숙하고 어떤 경우에는 낱말에 자신감이 있었지만, 어떤 글자 특히 초성, 중성, 종성 글자들을 다시 소개할 때 위에 있는 색깔별 방법을 쓰면 아이들은 쉽게 글자를 이해하고 받아들인다.

쓰기가 날마다 주요 수업의 좋은 부분을 채택하며, 시간은 규칙적인 그리기(색칠하기) 연습을 위해 나누어져야 한다(127쪽 블록수업제 시간 계획 참조). 각 우화에 대해 아이들은 각자의 공책에 관련 그림 그리기를 하게 하면 좋은데 아이들은 이러한 활동들을 무척 기대하고 좋아한다.

습관적으로 행해지는 칠판 내용만을 되풀이하는 쓰기와 그리기는 주의를 기울여야 할 것이다. 그렇지 않는다면 무미건조한 활동이 될 수 있기 때문이다. 이 활동을 뜻 깊고 생동감 있게 만들어 가는 것이 중요하다.

우화 수업에서는 연극이 중요하다

2009 개정 교육과정 국어과 해설 내용 체계(1-2학년 듣기, 말하기 성취 기준)

(1) 다른 사람의 말이나 이야기를 귀 기울여 들으며 내용을 확인한다.

초등학교 저학년 학생들은 다른 사람의 말을 귀 기울여 듣지 않는 경우가 많다. 사적, 공적 상황에서 자연스럽게 대화에 참여하여 귀 기울여 듣는 자세를 강조할 필요가 있다. 주의를 기울여 듣는 자세와 습관의 중요성을 강조하고, 여러 상황에서 귀 기울여 듣는 훈련 기회를 갖는 것이 중요하다. 듣기와 말하기는 연계하여 지도하고, 다른 사람의 말을 들을 때에는 내용을 정확하게 파악하며, 말하는 이를 존중하는 태도로 귀 기울여 듣고, 친구들 앞에서 분명한 목소리로 자신감 있게 말하도록 지도한다.

(2) 듣는 이를 고려하며 자신의 기분이나 느낌을 말로 표현한다.

상대방의 처지나 기분을 고려하지 않고, 자신의 기분과 느낌에 따라 말을 함으로써 대화 분위기를 망치는 경우가 종종 있다. 어릴 때부터 상대방의 기분과 느낌을 고려하면서 표현하는 습관을 갖는 것은 매우 중요하다. 일상생활에서 자신이 느끼는 감정을 솔직하게 표현하되, 대인 관계를 고려하면서 적절하게 조절하고 절제하는 방법을 익히도록 한다. 여러 가지 감정 상태를 표현하는 낱말을 알고 이를 상황에 따라 사용하며 느낌을 나누는 등 다양한 활동을 해 보도록 한다. 다른 사람이 쓰는 감정을 나타내는 낱말을 잘 알아듣고, 다른 사람의 감정을 배려하면서 말하는 자세를 갖추도록 지도한다.

(3) 듣는 이를 바라보며 자신 있게 말한다.

학생들은 말을 하면서 상대방을 바라보지도 않고, 고개를 숙이고 말하거나 써 온 것을 읽어 내려가는 경우가 많다. 대화를 하거나 발표를 할 때 듣는 이를 바라보며 또렷하게 말하는 것은 상대를 존중하고 효과적으로 소통하는 말하기의 기본이다. 여러 사람 앞에 나서서 발표를 하거나 설명할 때, 자신 있는 시선과 표정, 목소리, 어조 등을 유지하는 연습을 하도록 한다. 듣는 이가 잘 들을 수 있을 정도로 목소리 크기를 조절하고, 자연스러운 어조와 분명한 발음으로 말하고, 자신 있는 목소리로 말을 하는 능력을 갖추도록 한다. 아울러 다른 사람이 발표할 때는 시선을 맞추고 바른 자세로 듣도록 지도한다.(이하 줄임)

우화 수업에서 연극은 아주 중요하고 필요하다. 그래서 연극은 수업에 적당한 역할을 한다. 아이들은 어떤 하나의 우화에 친숙해진 후, 작은 모둠 단위로 그 이야기를 연극으로 재현해보는 활동이 필요하고 좋은 효과를 가져올 수 있다. 이러한 연극 재현 활동은 1~3학년 아이들에게 상상력을 풍부하게 해주기 때문에 수업을 할 때 잘 생각해서 계획을 세워야 한다.

연극은 또한 날마다 노래하듯 말하기를 할 때 아주 좋은 기초를 제공해 준다. 아침마다 이루어지는 말하기(합창하듯) 활동은 연극 말하기 활동으로 자연스럽게 이어지기 때문에 따로 훈련을 할 필요가 없다. 평상시에 활동한 것을 그대로 보여주는 것이다. 그래서 아이들은 분명한 발음과 목소리를 이용하여 말하기에 대한 필요성을 깨달을 수 있다.

연극은 왜 아동이 이런 대사를 되풀이하고 그런 역할을 하도록 요구받는지에 관하여 명백하게 밝히지 않고 개별적 아동에게 내면적인 작업을 하는 데 좋다. 연극 장소는 어느 곳에서도 가능하지만, 학급 연극에서 역할을

2학년 아이들 연극 모습

발도르프교육 직무연수 때 2학년 과정 우화 연극하는 선생님들(2014. 01. 07, 공현진초)

나누는 것은 아이들에게 교육적 치유의 가치를 부여하는 목적으로 이루어져야 한다. 그렇지만 배역을 정할 때 아이들 가운데 하고 싶은 배역을 꼭 해보고 싶은 아이가 있다면 그 이유를 충분히 듣고 알맞은 배역을 정해 주는 것이 좋다. 단순히 흥미 위주가 아닌 치료적인 가치가 있도록 해야 한다. 물론 이것에 대해서는 아이들이 잘 알 수 없으나 이러한 활동을 하면서 아이들 스스로가 치유가 된다는 것을 느끼게 된다.

이러한 말하기 활동은 날마다 중요한 활동이 되는데, 직접적인 이야기는 다시 말하기에서부터 한 명 또는 여러 아이들이(모둠) 이야기를 함께 하는 연극에 이르기까지 여러 가지 이야깃거리가 아이들에게 제공된다. 이 접근 방식은 단지 하루 이틀 해보는 것에 그치기보다는 여러 날 동안 이야기 다시 말하기를 하는 것이 좋다.

이러한 활동을 꾸준히 하다 보면, 말하기 장애(말하는 것이 서툰 아동)로 힘들어하는 아이들에게 많은 도움이 된다. 이러한 과정을 꾸준히 해본 결과 아이들은 다른 아이들 앞에 섰을 때 주저 없이 말을 하는데, 이때 얼굴 표정을 보면 대부분이 자신감에 차 있다. 물론 5, 6학년에 가서는 사춘기로 인해 상황이 많이 달라진다.

이러한 수업 활동의 신뢰도는 형식적이고 학문적인 능력 신장의 관점에서 보면 쓰기와 읽기 영역에서 각 이야기가 다시 말하기가 되거나 연극으로 표현된 뒤에 아이들은 우화의 본질을 요약하는 짧은 문장을 함께 만들기 때문에 학생들의 능력을 높일 수가 있다.

우화가 일반적으로 짧을지라도 완전한 이야기에 대해서 다시 말하기는 너무 양이 많아서 이 단계 학생들에게 전체적으로 기대할 수 없다. 그렇지만 과밀 학교에서 아이들에게 적절한 문장을 만들어 내는 데는 많은 시간과 인내가 필요하기 때문에 그렇지 않는 학급이라면 얼마든지 아이들 각자가 직접 짧은 요약 문장을 공책에 쓰게 하는 기회를 많이 마련해 주는 것이 좋다.

이때 교사는 아이들 각자가 그냥 찾거나 생각해서 쓰게 하는 것보다는 색깔 분필로 칠판에 써 주는 것이 좋다. 색깔에 따라서 명사, 동사, 형용사 따위들을 익히고, 또한 맞춤법도 익힐 수 있기 때문에 아이들에게 많은 도움이 된다.

자기주도학습 활동을 하는 데 활용하라는 국어 공부 안내는 일종의 답안지다. 스스로 공부하라면서 이렇게 친절하게 안내할 필요는 없다. 교사 역량에 맞게 학급에서 알아서 하는 것이 정해진 틀 속에 가두어 두려고 하는 것보다 낫다.

그렇기 때문에 교과서를 내려놓는다면 얼마든지 살아 있는 수업을 할 수가 있다. 교육과정은 있되 교과서는 교사들과 아이들이 스스로 만들어가도록 해주는 것이 진정한 자기주도학습이다.

좋은 국어과 교과서의 방향은 국어과 교육의 목표에 도달하기 위해 효과적으로 도움을 줄 수 있는 교과서다. 국어 교육을 통해 학습자가 갖춰야 할 능력은 무엇인가? 읽기 능력이 향상되어 학년별, 연령별 수준에 맞는 책을 읽을 수 있고, 그 내용을 정확하게 바로 알며, 그 내용을 창의적으로 활용할 수 있도록 내면화할 수 있게 해야 한다.

필요와 상황에 따라 청중을 고려하며 잘 말할 수 있어야 하고, 목적과 필요에 따른 글쓰기를 자유자재로 할 줄 알며, 상대의 말과 생각과 감정과 태도까지 정확히 파악하고 이를 상황에 맞게 잘 대응할 수 있는 학생이 되는 것이다. 학생의 언어 사용에 있어서 ①정확성 ②유창성 ③창의성이 발달단계에 맞게 형성되어야 한다. 이 목적에 맞게 잘 구성된 교과서가 좋은 국어 교과서이다(김형철, 2011).

하지만 우리 교과서에는 무엇을 어떻게 왜 가르쳐야 하는지에 대한 정확한 자료가 부족하다. 학년별, 나이별 수준에 맞는 책이 제대로 선정되어 있지 않다. 권장 도서가 있지만 발달단계를 제대로 반영하지는 못하고 있다. 좋은 교과서는 아이들 발달단계에 맞는 내용을 제대로 소개한 것이다. 그래야만 아이들이 좋은 자양분으로 참 삶을 가꿀 수 있다.

학년 발달에 맞는 이야기

1학년: 전래 동화(우리나라 옛이야기, 그림형제 동화)

2학년: 우화, 성인 이야기. 전설이야기

3학년: 전설, 창조신화, 민담

4학년: 신화(우리 건국신화, 여러 나라 신화–중국, 인도, 북유럽, 바빌로니아, 이집트 등)

5학년: 우리 역사(고조선 · 삼국시대 신화), 그리스 · 로마 신화

6학년: 위인 이야기

04

수학

셈부터 다르게 하라

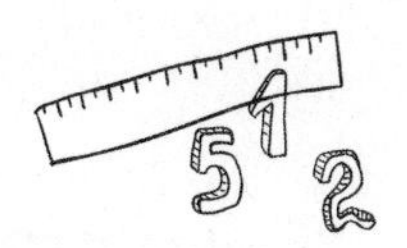

수학은 과연 재미없는 과목일까?

2013년 1, 2학년 교과서용 도서 활용 자료를 보면 교과서의 활용 방안에 대해 다음과 같이 서술되어 있다.

> 방안 1. 핵심 발문 및 활동을 통한 학습자의 깊이 있는 사고 유도의 중점(수학적 과정 중시)
>
> 방안 2. 스토리텔링을 활용한 맥락 속에서 수학적 개념, 원리, 법칙의 학습 유도(수학적 과정 중시)
>
> 방안 3. 창의마당을 활용한 수학의 융합적 접근, 창의 · 인성 함양 및 시수 20% 증감에 대비

30년 전 학문주의 교육 사조에서 수학 수업은 지루하고 따분하고 힘들고 더 심하게 표현하면 지옥 같다고 했다. 그 당시 교사들은 아이들에게 수학적 지식을 집어넣으려고 많은 노력과 애를 썼다. 수학 교육자들 역시 어떻게 하면 이 지루하고 어려운 수학 수업을 재미있게 가르쳐 줄까에 대해 연구들을 많이 했을 것이다. 지금도 이러한 고민들은 계속 되풀이되고 있다. 하지만 여전히 수학이라는 학문은 아이들이 쉽게 접근하지 못하는 성역처럼 되어 있다.

그렇다면 정말 수학이라는 학문이 아이들에게 재미없는 과목일까? 우리 수학 교과서는 무엇이 문제이기에 해마다 수많은 아이들이 학습에 뒤처져 '학습 부진아'라는 불명예를 안고 정규 수업 후 교실에 남아 담임선생님과 힘겨운 씨름을 해야 하나? 또는 사교육시장으로 달려가야 하는가?

수학 교과서가 아이들에게 쉽게 다가가지 못하는 것은 실생활과 많이 떨어져 있기 때문이다. 1~5학년까지 수학 교육과정 목표는 아이들의 생활 기능과 밀접한 관계가 있는 행동 영역에서 계산 능력을 끌어올리고, 내부에서 점차 외부로 넓혀 나가도록 해야 한다.

이 시기 아이들은 모든 것을 살아 있는 것으로 생각하고 느끼기 때문에 살아 있지 않는 것(기계적인 것, 개념 등)에 대한 인식들은 아이들이 살아 있는 것에 대한 개념을 완전히 확립한 뒤에야 발달시켜야 한다. 그런데 수학 교육과정에서는 이 부분을 명확하게 제시하지 못하고 있다.

무엇을 어떻게 왜 가르쳐야 하는지에 대한 명확한 제시가 녹아들어야 하는데 그렇지 못한 것이 허술함으로 다가오는 것이다. 수업 시간에 아이들이 푸는 문제도 가능하면 실생활과 관련 있는 문장제 중심으로 진행해야 한다. 문제 풀이식 학습지(수학 익힘 책)는 결코 아이들이 수학을 좋아하는 것으로 생각하게 하지 않는다.

이것을 왜 풀어야 하는지, 꼭 풀어야만 하는 부담감을 느끼게 하기 때문에 결국 죽은 지식을 배우는 것과 같다. 30년 전 누구나 느꼈던 '지옥 같은 수학 시간'과 거의 다를 바가 없다.

아이들이 수학을 좋아하게 하기 위해서는 아이들이 뭘 하고 있는지에 대한 정확한 이해가 필요하다. 그렇기 때문에 실제 생활과 밀접한, 즉 아이들 자신의 주변 세상과 가까운 곳에 관심을 가질 수 있도록 하는 것이 필요하다. 그것을 중심으로 수업을 진행해야 한다.

예를 들어 교실에 앉아서 덧셈이나 뺄셈을 배우기보다는 시간을 내 시장에 가서 아이들 각자가 사전에 준비해 간 돈(5,000원 정도)으로 몇 가지 물건을 살 수 있는지, 사고 남은 금액은 얼마인지를 실제 경험할 수 있는 수업이 필요하다.

1~5학년 아이들에게 실제 생활과 관련된 내용을 가르쳐야 하는 것은 수학 교과에만 해당되는 것이 아니다. 이 시기의 아이들은 추상적인 개념을 이해하기가 힘들다. 구체적인 조작(자연물을 이용한 셈하기를 할 때 도토리, 바둑돌, 밤, 콩 따위들) 활동을 통해 공부해야 순조롭게 이해할 수 있으며 수학적 사고력도 기를 수 있다고 하나(초등교육과정연구모임, 2013, 148쪽), 면밀히 살펴보면 형식에 그치는 경우가 대부분이다.

'그럴 것이다'라는 단정은 할 수 있겠으나 아이들 각자가 내면까지는 쉽게 받아들이지 못한다. 왜냐하면 이 시기 아이들은 아직 이에 대한 준비가 되지 않았기 때문이다. 그러므로 아무리 훌륭한 구체적 조작물이나 활동을 한다 해도 곁에 머물 수 있기 때문이다.

1학년 수학 수업

초등학교 1학년 교육은 아이들 내면에 들어있는 것을 끄집어내도록 강요해서는 안 된다. 1학년 아이들은 학교에 올 당시 각자 모두 다른 식물과 같다. 그리고 아이들 저마다 수수께끼를 '과제'로 가지고 나온다. 선생님들은 아이들의 과제에 도움을 주는 존재다. 그래서 선생님이 아이를 대하는 마음가짐은 아주 중요하다. 단순히 지식을 전달해주는 것이 아니라 삶을 제대로 가꿀 수 있도록 도와주는 조력자이기 때문이다.

아이들에게 학교는 의식적으로 배우는 곳이자 의식적으로 시작하는 단계다. 날마다 정해진 시간에 정해진 내용을 배우는데, 아이들은 무엇을 배울지는 모른다. 물론 교과서가 있어서 어떤 내용을 배울 것인지에 대해서 미리 아는 아이들도 있지만 대부분 아이들은 많은 호기심을 가지고 담임선생님의 모든 것을 지켜본다. 그렇기 때문에 단순히 교과서 내용대로 가르치고 배우게 해서는 안 된다. 이들에게 배움의 감정이 들도록 해야 한다.

초등학교 시기에는 선생님의 권위로 교육을 하며, 아이들은 그 권위를 따른다. 물론 여기서 말하는 '권위'는 부정적인 뜻의 권위가 아닌 절대적인 믿음과 신뢰를 지닌 '권위'를 뜻한다. 조용하고 안정적인 학급 분위기를 지켜 나가는 교실의 교사는 자신의 발전과 내면의 성찰을 위해 아주 많은 노력을 하는 교사다. 아침에 출근해서 아이들 하나하나를 관찰하기보다는 컴퓨터 부팅을 먼저 하는 교사들과는 차원이 다르다. 만약 내 학급이 아주 문제가 있는 학급이라면 그 교실에서 교사 자신이 가지고 있는 습관을 먼저 바꾸어야 한다. 교사 자신의 습관적인 잘못들을 관찰하고 바꾸어야 한다. 즉 교사 자신의 이기심을 과감하게 내려놓아야 한다. 그래야만 아이들이 보인다.

또한 훌륭한 교사는 손에 든 교과서를 그대로 가르치지 않는다. 교과서를 가지고 가르치면 아이들은 '선생님이 이 내용을 잘 모르는가 보다' 하는 생각을 한다. 아이들의 이러한 생각은 대체로 옳다. 교사도 잘 모르는 것을 아이들에게 가르칠 수는 없는 것이다.

선생님이 아침에 교실에 들어서면 모든 주의를 학생들에게 기울여야 한다. 스마트폰이나 컴퓨터는 잊어야 한다. 선생님은 수업이라는 '예술 작품'을 만들어야 한다. 또한 담임선생님은 아이들의 발달단계를 너무나 훤히 잘 알고 있어야 한다. 단계마다 수업 내용들을 만들어 나갈 수 있어야 한다. 왜 이 시기에 무엇을 어떻게 배워야 하는지, 또 방법상 어떻게 달라야 하는지에 대해서 교사 자신의 무한한 아이디어와 상상력을 발휘해야 한다.

초등학교 1학년 아이들은 활동(움직임), 시, 그림 그리고 글쓰기를 포함하는 여러 가지의 충분한 연습을 통해서 이러한 것들을 인식하고 기억하는 것을 배운다. 또한 날마다 이루어지는 경외할 만한 배움을 통해 자연에 대한 존경, 환경에 대한 관심, 다른 사람에 대한 존경, 세상에 대한 관심, 그리고 아이들 자신의 담임선생님에 대한 믿음의 감정을 길러주는 것이다. 이러한 것들은 다음 학년으로 올라갈 때 좋은 밑거름이 되는 것이다. 그렇다면 좋은 밑거름을 어떻게 만들어갈 것인가는 결국 선생님이 살아 있는 교육과정을 어떻게 운영해 나가느냐에 달려 있다.

더구나 초등학교 1학년은 형식적인 방법으로 수학을 배우는 게 아니라 감성과 온전한 몸(신체) 발달을 밑거름으로 해서 온몸으로 배우게 해야 한다. 하지만 현행 교육과정과 교과서는 머리로만 사고하게 하는 개념 중심으로 가르치기 때문에 아직 이에 대해서 준비되지 않은 아이들이 수학을 어려워하고 힘들어하는 것이다. 따라서 선생님들은 아이들이 수학을 잘 배울 수 있도록 하기 위해서는 발달단계를 기초로 삼아 수업을 설계해야 한다. 단순히 1학년이니까 이렇게 가르쳐야 한다는 식이 아니라 출생부터 7살까지 이 아이들이 거쳐온 과정을 명확히 파악하여 가르쳐야 한다. 곧은 설계가 튼튼하고 아름다운 집을 지을 수 있는 것처럼 수업도 마찬가지인 것이다.

1학년 담임교사는 형식적인 학습 이전에 아이들이 자유로운 신체 활동과 동작에 아무런 방해를 받지 않고 잘 자라왔는지를 먼저 살펴야 한다. 아이들의 모든 동작은 뇌와 직접 연결되어 있고, 뇌는 많은 동작(눈 근육, 소리 근육, 크고 섬세한 운동의 상호 조정, 눈과 손, 눈과 발의 상호 조정, 직립, 기기, 걷기, 뛰기, 균형 잡기, 한가운데 가로지르기)을 배우면서 연결시켜 발달해 가기 때문이다. 이러한 연결들은 이후에 생각(사고)의 기초가 된다.

이 연결이 만들어지지 않고서는 여러 다른 방법으로 학습(컴퓨터 게임, 텔레비전, 스마트폰, 책)을 하더라도 풍부하게 하는 것은 힘들다. 따라서 형식적 학습이 시작되기 전에 뇌의 발달 원인이 되는 다양한 동작을 익히고 배우는 활동을 통해 아이들 자신의 몸(신체)이 어떻게 준비되어야 하는지를 알 수 있다. 아이가 쓰고 읽고, 학문적인 수학 공부를 시작하기 위해서는 8살이 될 때까지 기다려야 한다는 점을 알아야 한다.

아이들은 초등학교에 입학하면서 자신이 행복한 사람이 될 것이라고 생각한다. 이러한 생각은 태어나서 7살까지 자신감, 골고루 균형 잡힌 정서적인 삶과 활기 넘치는 활동들을 충분히 했다면 아이들 누구나 가질 수 있다. 만약 이러한 것들을 충분히 체험(경험)하지 못했다면 아이의 학습 능력을 가로막게 되므로, 1학년 담임선생님은 그런 아이들이 입학했을 때 주의 깊게 그 정서적 성숙도를 관찰해야 한다.

교사에게는 무엇을 어떻게, 왜 가르쳐야 하는지에 대한 정확한 이해가 필요하다. 우리는 아이들 발달단계에 맞는 교육과정을 왜 만들어내지 못하는 것일까? 나름대로 발달단계를 생각했다고 하나 그 내용을 들여다보면 흉내만 냈을 뿐 실제로는 전혀 그렇지 못하다. 더구나 교과끼리의 관련성도 거의 없다. 최소한 학년 단위에서 무엇을 어떻게 가르칠 것인가에 대한 협의가 이루어져야 할지 않을까? 각 교과마다 만든 사람들이 다르고 그것을 한 사람(교사)이 가르쳐야 하기 때문에 제대로 전달이 되지 않는 것은 당연한 것인지도 모른다.

초등학교 1학년 시기는 몸(신체)이나 생각(사고)이 아직 분화되지 않았고 학교 교육을 통해서 조금씩 분화해 나가는 시기이므로 교육과정도 이에 맞게 편성해야 한다는 것이다. 따라서 현행 교육과정의 기본 맥락이 전체에서 부분으로 구성되어야 한다. 국어 교과에서 옛이야기를 중심으로 수업이 이루어진다면, 수학에서는 전체성을 강조하는 계산 방식을 가르쳐야 하고, 옛이야기에서 스토리텔링도 가져와서 들려주어야 하며, 즐거운 생활 시간의 움직임 활동도 세상을 바로 보고 설 수 있는 고유운동 감각, 생명 감각, 균형 감각을 강화시킬 수 있는 내용으로 이루어져야 하는데, 현행 교육과정과 교과서는 이러한 배려를 제대로 하지 않고 있다. 오로지 단위 시간 내에 주입하고자 하는 인지 학습 위주로 되어 있다.

따라서 제대로 된 교육과정은 무엇보다도 아이들의 발달단계를 먼저 안 다음 이에 맞게 구성되어야 한다.

'수'에 대한 이해가 너무 부족하다

> 단원 배경 지식
>
> 1. 수의 역사 발생
>
> 가. 무서운 1, 맛있는 1
>
> 인류가 언제부터 수에 대해 생각했는지 정확히 모른다. 선사시대의 생활에 대해서는 단지 여러 유물을 통해 미루어 짐작할 뿐이다. '호랑이 한 마리', '사과 한 개', '새해 첫날'에서 공통적인 것은 바로 '1'(하나)이다. 인류가 처음 알게 된 수이지만 이 수를 알기까진 오랜 시간이 걸렸다. 오래 전 사람들은 호랑이 한 마리를 나타내는 수 1은 호랑이의 성질이 그대로 반영된 '무서운 1', 달콤한 사과 한 개를 가리키는 수은 '맛있는 1'이라고 생각했다. 수를 각 개체의 성질과 분리하지 못했다. 영국의 수학자 버트런드 러셀(1872-1970)은 "인류가 '닭 두 마리'의 2와 '이틀'의 2를 같은 것으로 이해하기까지 수천 년의 시간이 필요했다"라고 말할 정도로 오랜 시간이 걸렸다.
>
> – 교육과학기술부(2013), 수학(1-2학년군 교사용 지도서, 96~97쪽)

옛날 사람들이 호랑이를 호랑이라고 생각하지 '무서운 1'이라고 생각할까? '무서운 1'과 호랑이는 전혀 관련성이 없다. 억지스러운 것이 아닌 보편적인 진리를 가르쳐야 한다. 또한 '호랑이 한 마리', '사과 한 개', '새해 첫날'는 서로 같은 뜻을 지니지 않고 있다. 호랑이가 무서울 수도 있겠지만 어디까지만 주관적이다. 호랑이를 신성하게 믿었던 부족도 있을 것이고, 사과를 싫어하지 않는 아이도 있을 것이다. 하지만 태양, 달, 별, 하늘, 땅은 다르다. 그렇다고 '무서운 태양 1', '예쁜 달 1'로 가르칠 수는 없다. '숫자 1(하나)' 그 자체로서 받아들이도록 해야 한다.

더구나 호랑이와 사과는 개수를 나타내는 것이고 '새해 첫날'은 시간에 무게를 두고 있는데 차례를 뜻한다. 헌데 이것을 어떻게 같은 '1'(하나)로 볼 수 있을까? 수가 본디 지니고 있는 속성을 제대로 이해하고 있으면 위에서 제시한 것처럼 '수'를 이야기하지 않을 것이다. 억지스러운 것은 아이들이 느끼고 상상하는 데 결코 도움이 되지 못한다. 이 세상에 숫자가 생겨난 것은 우연이 아니다. 숫자 하나하나마다 깊은 뜻이 담겨 있다.

이러한 내용들을 하나하나 옛이야기로 들려주어야 하는데, 단순히 개념(지식)만 가르쳐주는 것은 올바른 가르침이 아니다. 더구나 이제 막 초등학교에 들어온 아이들은 배움이라는 것이 아주 고귀하고 신성하다고 느끼고 있는데, 단순히 사실만 강요하면 아이들은 본디 이 시기에 지니고 있는 상상력을 제대로 발휘도 못하고 점점 더 공부라는 것이 즐겁고 행복한 것이라기보다는 힘들고 하기 싫은 것이라고 생각하기 시작한다.

그렇다면 먼 옛날 위대한 철학자나 사상가들은 숫자 1을 어떻게 생각했을까?

플라톤은 "1을 생각하지 않고서 다른 숫자를 생각할 수 없다. 1의 연구는 마음을 이끌어 현실에 대한 시각으로 바꾸어주는 것 가운데 하나"라고 했다. 또한 플로티누스는 "하나의 원리가 우주 전체를 하나의 복잡한 생명체로, 즉 모든 것으로부터 하나로 만들고 있다"(마이클 슈나이더, 2002)고 했다.

억지스러움이 아닌 우주와 자연 그 자체에서 느끼고 깨닫고자 한 것이다. 더구나 숫자 1이 지닌 본질을 찾기 위해서 수많은 연구를 했을 것이다. 막연히 호랑이 한 마리니 '무서운 1'이라고 하지는 않았을 것이다. 또한 1은 세상에 하나밖에 없다면 그것은 이 하나에 모든 것이 다 들어 있는 아주 큰 숫자이기도 하다. 즉 하나에 모든 것이 다 포함된 아주 큰 수다. 그렇기 때문에 뭔가 우주의 원천적이고 본질을 찾고자 했을 것이다. 그 본질은 아마 숫자 1이 지닌 단일성(oneness)과 일체성, 통일성이 아닐까? 아이들에게 숫자 1을 가르치는 것은 단순히 개념(지식)을 가르치는 것이 아니라 아이들이 정신세계로 갈 수 있도록 안내해 주는 것이다.

> 오래전 사람들은 호랑이 한 마리를 나타내는 수 1은 호랑이의 성질이 그대로 반영된 '무서운 1', 달콤한 사과 한 개를 가리키는 수는 '맛있는 1'이라고 생각했다.

옛날 사람들은 인위적인 상황 설정이 아닌 오래 옛날부터 전해 내려오는 일상적인 속담이나 옛이야기, 신화, 종교 의식들에서 이미 수와 모양의 상징이 깊은 관계가 있다는 것을 깨닫고 이것을 신성시하고 실생활에 이용해 왔다. 또한 우주와 자연의 조화로운 원리를 연구하고 찾았다. 따라서 초등 1학년 아이들이 3월에 '수'를 배우는 것은 우주의 신성함을 배우는 것이다. 단순 개념적인 지식만을 가르치는 것은 오히려 아이들의 상상력을 가로막을 수 있기 때문에 교사용 지도서에서 밝히는 '수의 역사 발생'에 대해 좀 더 신중해서 접근해야 한다.

정확한 이해가 필요하다

> 나. 1과 2 그리고 '많다'
>
> 수와 사물의 성질을 따로 떼어 생각할 수 있게 된 인류가 처음 이해한 수는 당연히 1과 2였다. 1은 가장 기본적이면서 인간과 연관이 깊은 수로, 유일한 존재인 한 사람 또는 서 있는 인간(혹은 남자)을 상징했다. 2는 처음에는 나와 다른 인간, 즉 나 이외의 다른 누군가를 의미했다. 좀 더 넓게는 2를 1과 대비되는 것으로 여겼다. 그래서 1과 2를 남자와 여자, 선과 악, 삶과 죽음으로 생각하기도 했다. 그리고 1과 2보다 많은 수는 모두 그저 '많다'라고만 하였다.
>
> – 교육과학기술부(2013), 수학(1–2학년군 교사용 지도서, 96~97쪽)

'2'(둘)는 '1'(하나)로부터 첫 시작되는 수다. '나'로부터 '너'로, 그리고 세상으로 나가는 첫걸음이기도 하다. 하나였던 모든 것이 둘로 나뉘고, 나뉘었던 것들이 하나로 모아지는 단계다. 그렇지만 예를 들어 '두 마리 소'를 가지고 한 마리를 만들 수는 없다. '2'(둘)는 단지 숫자 그 자체의 최고의 속성을 담고 있다. 또한 '2'(둘)는 형용사가 아니다. 특별한 종류의 단어인 수사, 즉 수 단어이다(카를 메닝거, 2005).

그런데도 초기 인류는 수를 형용사라고 생각했다. 왜 그렇게 생각했을까? 그것은 아직 인류의 사고가 분화되지 않는 전체로 세상을 바라보기 때문에 '하나'이던 것이 '하나'와 '둘'로 나뉘게 되었다. 또한 '둘'은 '하나'보다 단순히 많다는 뜻만 있는 것이 아니다. 하늘과 땅, 밤과 낮, 오른쪽과 왼쪽, 남자와 여자 따위들은 우주라는 커다란 하나 속에 있는 것이다. 즉 우주 속에 하늘과 땅이 있고, 낮과 밤이 있는데, 하늘과 땅을 합치면 결국 우주가 되는 것이다. 1과 2보다 많은 수는 모두 그저 '많다'라고만 하였다고 단정 짓는 것은 무리다. 옛날 사람들은 우리가 생각하지 못한 것 이상으로 수에 대해서 자세히 알았다.

배려가 없다

> 2. 수학 인성교육
>
> 수학 교육에서 생각해 볼 수 있는 안정적인 요소는 다음과 같다.
>
> ① 상대방의 수학적 생각에 대한 존중심 : 상대방의 수학적 아이디어나 생각을 존중하며 경청하여 이해하려는 마음가짐
>
> – 교육과학기술부(2013), 수학(1–2학년군) 교사용 지도서, 40쪽

아주 그럴 듯하게 명시해 놓았다. 이 글귀를 보면 수학 교과서가 마치 인성교육의 대안인 것처럼 서술했다. 그렇다면 과연 그럴까? 아이들이 수학적 생각에 대한 존중심을 가질 수 있게 각 단원을 편성했을까? 그렇지 않다. 아이들의 상태를 전혀 생각하지 않고 교사 중심으로 수업을 이끌어 나가도록 편성되었다. 교과서 내용 구성을 보면 수학이 지닌 진실성과 신성함은 없고, 단지 아이들이 어떻게 하면 계산을 잘할 수 있는지에 세속적인 수학에 치우쳐 있다. 세속화된 수학에서는 교사용 지도서에서 내세우는 것처럼 인성교육이 잘 될 거라고 하는 것은 착각이다.

개념 주입식 교육은 기능 중심이기 때문에 느끼고 깨닫고 행동하는 것이 쉽지 않다. 또한 깨닫고 행동하려고 해도 배워야 할 내용이 너무 많아 미

처 다 소화하지 못하고 다음 단계로 넘어가기 때문에 머리로만 받아들이고 머리로만 생각하게 만들고 있는 현실 속에서 인성교육을 강조하는 것은 무리다.

아래 그림에 있는 두 계산 방식의 차이는 뭘까?

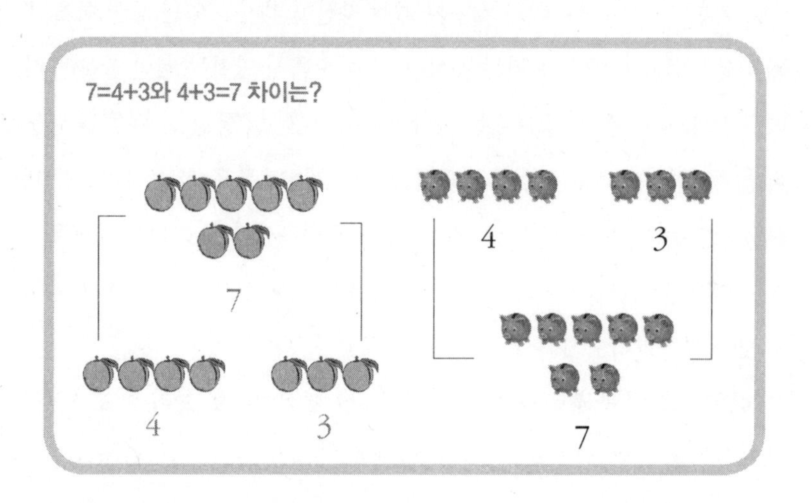

단지 계산하는 방식을 달리 한 것일까? 계산하는 차례를 바꾸어 놓은 것이라 생각하겠지만, '7=4+3'의 계산 방법은 '나누어 주는 것', 즉 아이들이 자기 자신의 일부를 내어주게 되고 무의식적으로 이타적인 태도를 가지게 만든다. 남을 배려하는 마음을 지니게 된다는 것이다.

'인성교육'을 따로 부르짖을 것이 아니라, 수학 교과서 자체의 배움에서 얼마든지 인성교육이 알게 모르게 몸에 배도록 할 수 있다. 그렇게 되면 굳이 도덕 교과서가 필요 없다. 따지고 보면 교육 자체가 도덕이기 때문이다. 굳이 도덕적인 삶을 위해서 도덕 교과서를 배워야 할 필요가 있을까. 이러한 부분에 대해서는 교사용 지도서에도 명확하게 제시하지 못하고 있다.

그렇다면 '4+3=7'에는 어떤 뜻이 담겨 있을까? '보태는 것 또는 키우는 것'을 연습하는 것이다. 이것은 무의식적으로 아이들에게 이기심을 키우거나 자극시킨다. 무엇에 무엇을 보태면 무엇이 된다는 식은 물질에 대한 소유욕을 마음속 한편에 자리 잡게 한다. 옛이야기 중에서도 양을 아흔아홉 마리 가진 사람은 백 마리를 채우기 위해 자신이 가지고 있는 양을 쉽게 내놓지 않는다는 이야기가 있는 것처럼, 우리가 흔히 말하는 계산 잘하는 사람은 한 달 내내 돈을 잘 모으는 사람이 아니라, 한 달 동안 번 돈을 잘 나누어 쓸 수 있는 사람을 뜻한다. 그렇기 때문에 가계부를 잘 쓰는 사람들은 계산을 잘하는 사람들이다. 요즘에 돈 버는 데만 관심이 있고 남에게 베푸는 데는 인색한 사람들이 점점 더 많아지는 것도 어찌 보면 이런 수학 교육에서 오는 영향인지도 모른다.

아무렇지 않게 생각하고 넘어가는 계산 방식이라도 놀라운 교육적인 가치가 숨어 있다. 이것을 대수롭지 않게 여길 수 있을지 모르나, 이러한 것들이 결국 우리 아이들의 온전하고 건강한 정신을 발달시키는 데 큰 영향을 미치는 것이다.

셈하기를 잘하는 것은 내가 가지고 있는 것을 어떻게 잘 나누어 쓸 것인가, 즉 삶을 어떻게 살까에 해당된다. 그러므로 계산 방식도 4+3=7보다는 7=3+4로 가르쳐야 한다.

우리가 지금까지 배워온 수학 계산 방식에 대한 오류를 생각해볼 수 있다. 부분에서 전체로 가는(5+2=7) 계산 방식의 경우, 현재 우리들의 삶을 보면 가진 것과 관계없이 필요한 것이 점점 더 많아지고 있다.

법정 스님은《무소유》에서 "무소유란 아무것도 갖지 않는 것이 아니라, 불필요한 것을 갖지 않는다는 뜻"이라고 했다. 너무나도 풍족한 세상에 살고 있는 우리에게, 새로운 것에 익숙한 우리에게 꼭 필요한 삶의 지혜다.

텔레비전, 라디오, 신문, 잡지, 인터넷 광고를 보면 필요 이상의 소유를 강요한다. 끊임없이 계속 필요한 것이 늘어가고 결국 가정, 지역, 국가 빚이 늘어나고 결국에는 파산하는 결과를 가져오고 있다. 우리나라도 국제통화기금(IMF)의 원조를 받은 경험이 있지 않은가. 이제 어릴 때부터 무절제한 소유욕을 가르치는 셈 방식을 바꿔야 한다.

수학은 도덕 교육의 기초다. 따라서 뺄셈에서 '빼어가기' 또는 '빌려오기'라는 표현은 '나누기'라는 말로 바꿔야 한다. 빌려오기는 무언가 되돌려 갚아야 하는 뜻을 지녔다. 이는 뺄셈에서 결코 일어나지 않는다. 그러므로 10자리 숫자를 계산할 때, 10단위 숫자를 필요로 할 때 쓰여야 한다.

그리고 나누기 과정은 '함께 나누기'로, 더하기는 '다른 요정(도깨비) 친구들 뒤에서 청소하기'와 같이 모든 것을 모으는 땅 요정(도깨비)으로, 곱하기는 숫자가 점점 늘어나게 하기 위해 식물을 돌보는 땅 도깨비로 이야기로 풀어서 들려주면(식물 싹이 나고 점점 차라면 이파리가 처음에는 두 개에서 점차 늘어나는 것처럼 상상력을 자극하는 이야기로 이야기를 해주는 수업 방법) 아이들이 쉽게 이해한다.

지식 개념은 아이들에게는 좋은 효과를 보지 못한다. 더구나 지금의 교과서에서 제시하고 있는 계산 방식으로 인성교육의 효과를 기대하는 것은 힘들다.

수학적 생각을 유연하게 하려면

2. 수학 인성교육

수학교육에서 생각해 볼 수 있는 안정적인 요소는 다음과 같다.

④ 수학적 사고를 유연하게 실행하려고 하는 개방심 : 어떤 대상에 대한 수학적 이해의 과정이나 수학적 해결의 과정에 경직되지 않고 모든 가능성을 열어 놓고 대처하려는 마음가짐

– 교육과학기술부(2013), 수학(1–2학년군) 교사용 지도서, 40쪽

더하기의 경우, 늘 하는 방식으로 하면 2+5는 7이다. 그러나 7은 이것일 수도 있고 저것일 수도 있고 더 많은 방법이 있을 수 있다. 다시 말해 한 문제를 여러 가지 방법으로 풀 수 있다.

하지만 5+2=?이라고 하면 한 가지 방법밖에 없다. 5+2이라는 방법만 하게 되면 1차원의 세계에 머무르게 된다. 그렇지만 7=2+5의 식으로 한다면 여러 차원으로 문제를 해결할 수 있다. 뿐만 아니라 덧셈을 이런 방법으로 한다면 아이들은 더 풍부한 상상력, 긍정적인 사고를 맘껏 경험할 수 있다(Rudolf Steiner, 1992).

물론 아이들에게 앞에 있는 두 가지 계산법 가운데 한 가지만 가르치라는 것이 아니다. 두 가지 모두 가르치고 규칙 있는 연습이 되도록 해야 한다. 1~5학년 아이들은 계산 문제를 분석적인 사고보다는 통합적인 사고로 이해하고, 세상이나 사물을 받아들이기 때문에 수업에서도 이게 맞게 가르치고 배워야 한다.

여기에 충분히 익숙해져 자연스럽게 분석에서 통합으로 넘어가는 것이

바람직한 교육이다. '12 = ? + ? + ?'의 식으로 계산하면 아이들은 자신이 원하는 대로 가수를 셀 수 있다. 이것은 큰 숫자에서도 마찬가지다.

6= 5+1　　1= 6–5
　4+2　　2 = 6–4
　3+3　　3 = 6–3
　2+4　　4 = 6–2
　1+5　　5 = 6 –1

10=1+9 와　1=10–9
10=2+8　1=9–8
10=3+7　1=8–7
10=4+6　1=7–6
10=5+5　1=6–5
10=6+4　1=5–4
10=7+3　1=4–3
10=8+2　1=3–2
10=9+1　1=2–1 와 비슷한 문제들

그뿐만 아니라 덧셈을 이런 방법으로 한다면 아이들은 더 풍부한 상상력, 긍정적인 사고를 맘껏 경험할 수 있다(Rudolf Steiner, 1992). 하지만 우리 교과서는 후자보다는 전자의 계산 방식으로 교육과정이 편성되어 있다. 물론 이 계산 방식이 문제가 있다는 것이 아니다. 후자의 계산 방식을 충분히 익힌 다음에 전자의 계산 방식을 익혀나가는 것이 절차라는 말이다. 중요한 것은 이 시기 아이들은 '수'에 대해서 전체로 이해하기 때문에 전체성을 기본으로 한 계산 방식을 익히는 것이 좋다. 하지만 아직 부분에 대한 이해가 없고 만들어지지 않은 아이들에게 '2+5=7'의 계산 방식을 배우게 하는 것은 무리가 있다. 고대 상형문자나 알파벳이 만들어진 시기를 생각해 보라. 글자 전체를 익히는것은 상형문자에서 시작했다. 그렇지만 한글의 경우는 15세기에 만들어졌고, 글자가 초성, 중성, 종성으로 이루어져 자음과 모음을 조합해야 말을 만들어 낼 수 있다.

ㅎ + ㅏ = 하

ㅁ + ㅜ + ㄹ = 물

그래서 아이들이 한글을 처음 배우는 데 어려움을 느끼고 있지만, 배우고 나면 다른 나라 글자보다 더 쉽다는 것을 안다. 이것처럼 수학 계산 방식도 같은 원리다.

3 = 1 + 1 + 1

4 = 1 + 2 + 1

5 = 2 + 1 + 1 + 1

6 = 3 + 1 + 2

(…)

12 = 4 + 2 + 3 + 1 + 2

1학년 과정에서 충분히 익힌 다음에 3+4=?, 4+6+11=?, 5-2=?, 18-7-3=? 따위의 계산 방식을 배워 나가면 아이들이 수학을 좋아할 것이다.

이것은 곱하기에도 똑같이 적용된다. 이해해야 할 주요 개념은 '몇 번'이다. 전체는 한 사람이 모두 몇 개를 갖고 있는가이다. 예를 들어 빵집 앞에 손님들에게 팔기 위한 빵이 30개가 있다. 빵집주인은 한번에 5개 빵만 나를 수 있다. 주인은 그 빵을 몇 번 나를 수 있을까?

$$30 = ? \times 5$$

30은 5개 덩어리 빵의 6개 모둠으로 구성되어 있다. 더하기처럼 우리는 30이라는 전체로 시작해서 부분들로 진행된다. 물론 빵집 주인은 아주 활동적이고 몇 번씩이나 나르는 것을 좋아한다. '더하기'처럼 '곱하기'는 더 넓게 더 큰 숫자를 구성하는 곱하기된 숫자보다는 부분으로 만들어진 전체를 이해하는 도덕적인 방식으로 가르쳐야 한다.

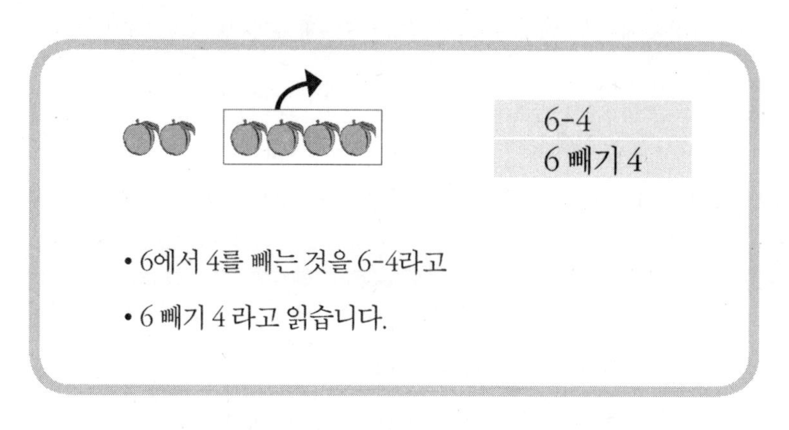

여기에 충분히 익숙해져 자연스럽게 분석에서 통합으로 넘어가는 것이

바람직한 교육이다. 이렇게 계산하면(12 = ? + ? + ?), 아이들은 자신이 원하는 대로 가수를 셀 수 있다. 이러한 방법은 큰 숫자에서도 마찬가지다.

뺄셈 역시 마찬가지다. 이제까지는 '6-4=?' 식으로 가르쳤다. 6 빼기 4는 무엇이냐는 물음을 던지게 되는데, 이 물음은 내가 6개를 가지고 있는데 4개를 가져갔다, 그러면 몇 개가 남았을까, 하는 물음인데 실제와는 전혀 맞지 않다. 6-4=?는 무엇이 없어졌을까, 하는 질문이다. 하지만 우리는 이미 답을 알고 있다. 이 물음 안에 여러 가지 물음을 담고 있다. 그러다 보니 이 시기 아이들은 자기들이 볼 수 있는 세상에 대해서 모르는 게 없다.

지금까지 우리는 전체에서 부분을 빼내는 계산 방식에 익숙했다. 단순히 뺏어가기보다는 더 도덕적인 태도인 '나누어 주기'가 몸에 익숙하도록 가르치고 배우도록 해야 한다. 우리는 그동안 지금도 각 학교(현행 교육과정을 가지고 배우는 교과서)에서는 여전히 전체에서부터 배우지만 빼기의 특징 때문에 모두 가졌던 것을 나누어 주고 남은 나머지를 갖게 하는 것을 배우게 한다. 예를 들어 아이가 놀잇감 6개를 가지고 있다가 놀잇감이 필요한 친구나 동생들에게 많이 나누어 주었다. 처음에 모두 총 6개였지만 나중에는 2개만 갖고 있다.

하지만 계산 방식을 2=6-? 식으로 기존 방식과 다르게 하면 "처음에 6개가 있는데 이것을 여러 사람에게 나누어 주고 2개가 남은 거야!"라고 가르칠 수 있다. 즉 남겨진 2는 시작했던 6개 전체에서 생겨났지만 이것은 다른 사람을 돕기 위해 그만큼이었던 것이고, 그래서 그 많은 것을 나누어 주었더니 2개가 남았다고 가르치는 것이다.

뺄셈 공부를 할 때는 남아 있는 것에서 시작해야 바른 인성을 키울 수 있다. 다시 말하면 베풂(기부)의 미학을 가르치는 것이다. 뺄셈의 진짜 교육적 의의는, 남아 있는 것이 몇이고, 처음에는 얼마가 있었는지에 대한 것으로 돌아가고, 잃어버리거나 없어진 것이 얼마(몇 개)인지를 찾는 것이다.

나누기의 주요 목적 역시 균등하게 나눠 주는 것이다. 즉 평등의 원리를 이해하는 것이다. 예를 들어 전체 12개의 사과가 있는데 3명의 아이들에게 똑같이 나누어 주어야 한다. 그래서 아이들은 사과를 4개씩 받는다. 즉 4개씩 가지게 된 것은 전체 12개를 3사람에게 골고루 나누어 주었기 때문이다 (?= 12 ÷ 3).

여기서 나누기의 원리는 각각의 아이에게 균등하고 평등하게 전체의 부분들을 올바르게 나눠 주는 태도를 갖도록 격려하는 것이다.

수학의 계산 방식은 이처럼 저마다 도덕적인 요소를 지니고 있는데, 현행 교육과정과 교과서에서는 이러한 배려가 너무 적다. 있어도 아주 소홀히 다루고 있다. 그러면서 교사용 지도서에서 수학 인성교육을 이야기하는 것이 앞뒤가 맞지 않다. 수학 교과서를 배우면 마치 그럴 듯하게 인성교육이 되는 것처럼 환상을 심어주고 있는데, 실제로는 그렇지 못한 계산 방식을 아이들의 삶에서 강요하고 있다. 정말 수학을 인성교육 차원에서 제대로 다루고자 한다면 지금이라도 교육과정과 교과서를 다시 만들어야 한다.

'합'과 '차'라는 말을 가르쳐야 하나

덧셈 식을 읽을 때는 다음의 2가지 방법으로 배우게 된다.

(쓰기) 5+2=7

(읽기) 5 더하기 2는 7과 같습니다. 5와 2의 합은 7입니다.

1학년에게 '더하기'나 '빼기'라는 한글로 된 덧셈, 뺄셈식만 가르쳐도 되지 않을까? 굳이 '합'이나 '차'라는 한자말을 1학년 때 가르쳐 혼란스럽게 할 필요가 있을까? 더하기와 빼기에 대한 호흡을 충분히 하거나 익힌 다음에 2학기 후반에 가르쳐도 되는데, 두 가지를 함께 생각해야 하니 아이들은 혼란스럽게 생각한다. 차근히 단계를 밟아가는 공부다. 급할수록 놓치는 것이 많다. 이러다 보니 학습이 뒤처지는 아이들이 생겨나는 것은 당연한 결과인지도 모른다.

하필 왜 '외계인'인가

단원동기유발

외계인이 우주선을 타고 우리가 사는 지구로 와서 학교에 입학하였습니다.

– 교육과학기술부(2013), 수학(1–2학년군) 교사용 지도서, 101쪽

아이들의 호기심을 이끌어내기 위해서 외계인을 등장시키는 그림이 나오지만 이것은 수를 이해하는 것과 전혀 맞지 않는다. 외계인이 숫자를 몰라서 고민하는 것이 아니라 아이들 자신이 숫자를 하나씩 배워나가는 데 초점을 맞추어야 한다. 초등학교에 이제 막 들어온 아이들은 이미 유치원이든 어린이집에서 배웠거나 혼자 깨우쳤다고 해도 숫자를 전혀 모른다고

전제하고 출발해야 한다. 하지만 교과서 6~9쪽에서 외계인이 나오는 그림들을 자세히 보면 교실에 있는 아이들은 (3월 첫 주에) 이미 모두 숫자를 알고 있고, 외계인만 모르기 때문에 외계인에게 숫자를 가르쳐 주어야 한다고 상황이 설정되어 있다.

숫자를 단순히 개수로 접근해서 가르쳐서는 안 된다. 숫자가 지닌 고유성을 이 시기 아이들이 온몸으로 받아들이고 느낄 수 있도록 해주어야 한다. 하지만 교과서 10~11쪽을 보면 숫자에 대한 이해보다는 단순히 숫자 세기, 즉 개념으로 이해하도록 하고 있다.

1부터 5까지 수 이해하기도 마찬가지다. 머리로 숫자를 세어 보는 것 정도만 제시되어 있을 뿐, 온몸으로 느낄 수 있는 다양한 방법을 제시해 주지 못하고 있다. 또한 전체적으로 1학년에서 다루어야 할 내용이 너무 많다.

가르기와 모으기

'5+2=7'과 '7=2+5' 두 식의 차이점은 앞에서 말했듯이 '나누어 주기', 즉 아

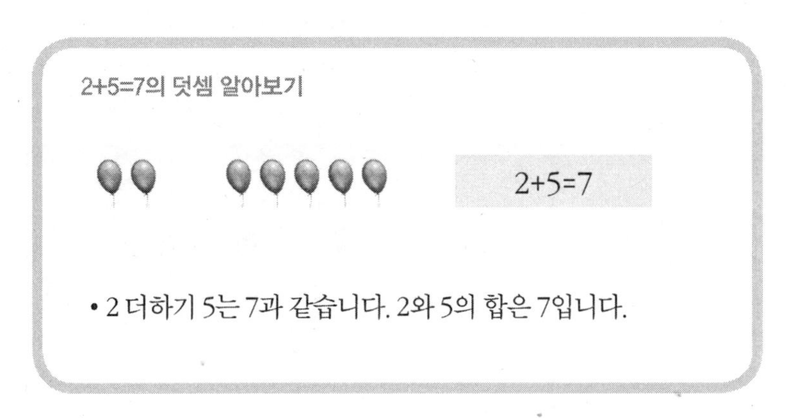

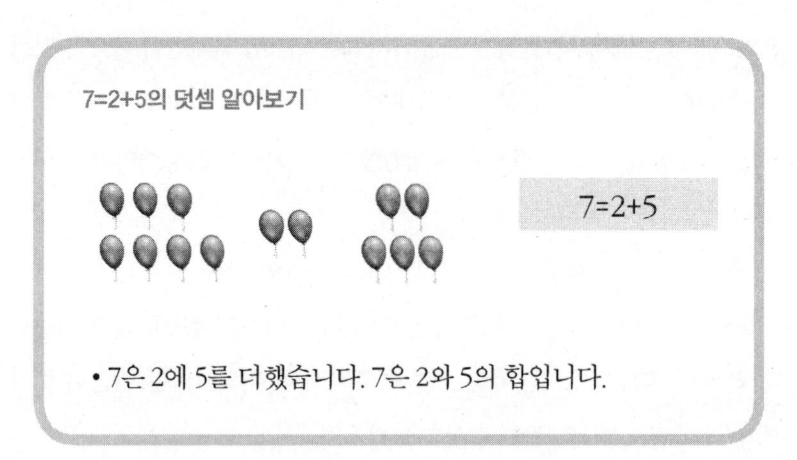

이들이 자기 자신의 일부를 내어줌으로써 무의식적으로 이타적인 태도를 가지게 되고, 남을 배려하는 마음을 지니게 된다는 것이라고 했다. 2+5라는 방법만 하게 되면 1차원의 세계에 머무르게 된다.

2+5=7, 2+3+1+4=?, 1+1+1+1+1=? 따위의 계산 방식은 알게 모르게 아이들의 욕심을 갖게 강화시키고 있다. 좀 더 많은 것을 원하게 만드는 것이

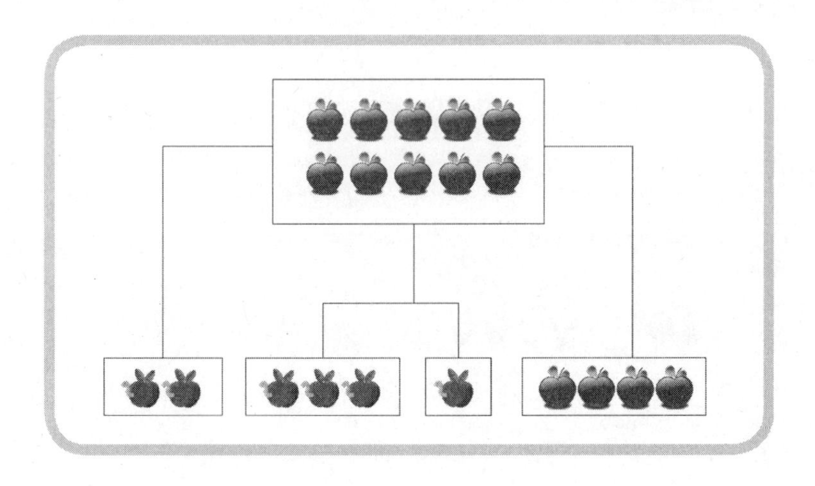

다. 결국 알게 모르게 탐욕(소유욕)의 태도를 지니도록 도와주는 것이다.

하지만 '7=2+5'의 방법으로 한다면 여러 차원으로 문제를 해결할 수 있다. 그뿐 아니라 덧셈을 이런 방법으로 한다면 아이들은 다 풍부한 상상력, 긍정적인 사고를 맘껏 경험할 수 있다(Rudolf Steiner, 1992).

"엄마가 사과 10개가 든 바구니를 갖고 있는데 아이에게 2개를 주고, 이웃에게 3개를 주고, 엄마 자신을 위해서는 1개를, 그리고 냉장고에 4개를 넣어두었다. 그러고 나니 합계는 이와 같다(10= 2+3+1+4)"라고 담임선생님이 가르친다면, 이것은 아이들에게 전체(이 경우는 10)에서 부분으로 가르치고 배우게 하는 것이다.

물론 아이들마다 배움에 차이가 있어 셈하기에 어려움이 있는 아이는 12=11+1 또는 12=10+2로 쓸 것이며, 재능 있는 아이들은 더 발전해서 곧 다음과 같이 계산할 것이다.

12=2+5+5

12=4+6+2

12=3+1+1+4+3

(…)

이러한 분석적 계산법이 1~5학년 아이들에게 중요한 이유는 다양한 풀이 방법이 계산 과정에서 생동감을 주고, 긴장감을 유지시키며, 유연한 사고를 키워주기 때문이다.

수학 1, 2학년군 수학 교과서 78쪽[1]을 보자. 다음 쪽 그림에 나오는 것은 미어캣과 미어캣을 잡아먹는 사자와 독수리다. 사자가 오는 것을 본 미어

캣들이 두 개의 굴 속에 나뉘어 무서움에 떠는 모습으로 가르기를 배우게 되는데 굳이 이런 그림과 예시를 보여주면서 가르칠 필요가 있을까? 숫자 관련 동화는 조금만 관심을 가지면 얼마든지 있다. 굳이 약육강식(弱肉强食)을 은유하는, 약한 자는 강한 자에게 먹힌다는 생존 경쟁의 살벌함보다는 우리 전래 동화나 그림형제 동화에서 찾으면 된다. 아이들의 발달단계를 제대로 모르기 때문에 이런 오류가 생기게 되고, 그러다 보니 교과서에 어떤 기준이 부재하다는 느낌을 지울 수 없게 된다.

초등학교에 들어와 처음 수를 접하는 아이들에게 수에 대한 의미나 수학과 관련된 이야기, 숫자 노래 등 직접 몸으로 움직이고 체험하는 활동이 부족하다. 계산 위주와 주변 물건을 세는 것으로 숫자 세기를 한정하는 계산 기능 중심으로 교과서가 구성되어 있어 그렇다. 그러다 보니 제대로 이해하지 못한 상태에서 공부를 하게 되고, 이에 학습이 뒤처지는 아이들이 생겨나는 것이다. 학습이 뒤처지는 아이들이 생겨난다는 것은 결국 교수 학습 내용에 문제가 있다는 말이다.

개념만으로 이해하려는 도형 수업

수학 1, 2학년군 수학 교과서 40쪽[2]을 보면 '도형'에 대한 단원이 나온다. 그런데 이것이 1학년 아이들 수준에 맞는 내용일까? 물론 1학년 아이들에게 가르칠 수 있다. 문제는 개념적인 지식을 배우도록 하는 데 있다. 직선과 곡선이 어떻게 생겼고 이것을 통해서 도형이 어떻게 발전되는지, 개념보다는 느낌(감성)을 이끌어내도록 가르쳐야 하는데 교과서는 그렇지를 못하다. 'ㅇㅇ는 ㅇㅇ다'라는 사실을 확인하는 과정을 익히게 하고 있다. 무엇을 어떻게 왜 느껴야 하는지에 대한 것이 있어야 하는데 이 부분이 충분치 않다.

도형의 출발점은 직선과 곡선에서 시작되어야 한다. 이것이 발전하고, 또 주변 세계에서 이와 비슷한 것들을 찾을 수 있도록 해야 하는데, 문제는 내용 짜임이다. 1학년 첫 주 첫날 수업에서 바로 직선과 곡선을 이용한 수업을 구성하고, 둘째 주부터 숫자를 익히는 수업으로 교과 내용이 구성되는 것이 바람직하다. 그런데 바로 개념을 가르치도록 되어 있다. 아래 '도형' 관련 성취 기준을 보면 인지적 학습만 강조했지 정의적인(보이는 모습을 그대로 지식으로 받아들이게 하는 것이 아니라 가슴으로 느낄 수 있는 내용으로 접근해야 한다. 햇살이 어떻게 비출까?, 눈이 어떻게 내리지?, 둥근 것이 어떤 것이 있을까?, 바람이 어떻게 불까?, 아주 센 바람을 몸으로 직접 표현해 보고 나서 선으로 나타내 보기, 별이 어떻게 움직일까?, 동서남북 따위들) 면을 전혀 생각지 않았다는 것을 알 수 있다.

2009 개정 교육과정(수학과) 해설 내용 체계(1-2학년군[학교급]별 성취 기준)

(나) 도형

[1] 입체도형의 모양

① 교실 및 생활 주변에서 여러 가지 물건을 관찰하여 직육면체, 원기둥, 구의 모양을 찾고, 그것들을 이용하여 여러 가지 모양을 만들 수 있다.

② 쌓기 나무를 이용하여 여러 가지 입체도형의 모양을 만드는 활동을 통하여 입체도형에 대한 감각을 기른다.

[2]평면도형의 모양

① 교실 및 생활 주변에서 여러 가지 물건을 관찰하여 사각형, 삼각형, 원의 모양을 찾고, 그것들을 이용하여 여러 가지 모양을 꾸밀 수 있다.

② 칠교판을 이용하여 여러 가지 모양을 자유롭게 꾸미거나 주어진 모양을 채우는 활동을 통하여 평면도형에 대한 감각을 기른다.

[3]평면도형과 그 구성 요소

① 삼각형, 사각형, 원을 직관적으로 이해하고, 그 모양을 그릴 수 있다.

② 꼭짓점과 변을 알고 찾을 수 있다.

③ 삼각형, 사각형에서 각각의 공통점을 찾아 말하고, 이를 일반화하여 오각형, 육각형을 알고 구별할 수 있다.

도형 분야는 '기하학'이다. 적어도 1~3학년까지 아이들은 자유롭게 스스로 마음 가는 대로 예술적인 방식의 기본적인 기하학적 도형을 그려야 한다. 4, 5학년에서 우리는 여전히 자유로운 방식이지만, 여러 가지의 기하학적 도형을 그리며, 그 도형들의 각기 다른 요소들이 서로 관련을 맺는 방식을 관찰하는 것으로 나아간다.

하지만 1학년 아이들이 배우는 도형에서 가장 중요한 것이 빠져 있다. 바로 '연습'이다. 연습 과정 없이 단순히 개념으로만 설명하고 받아들이는 수업은 온전한 내면화를 할 수 없다. 더구나 아이들에게 도형의 참뜻을 머리보다는 먼저 손과 발, 몸으로 '연습'하게 하는 것은 아이들의 공간 감각의 계발이며, 이것을 통해 아이들의 정서나 인상과 같은 내적인 세계의 운동성을 훈련할 수 있다.

또한 아이들의 감각을 육체의 동작을 통해 일깨워 주고, 또한 세밀한 동작을 연습해 동작을 조화롭게 해주며 다른 한편으로는 이렇게 행한 활동을 영혼적인 행동으로 내면화해야 하는 것이다. 최소한 아이들이 연습을 하고 나서 받아들일 수 있도록 해주어야 한다.

2단원 '여러 가지 모양'에서는 공 모양, 상자 모양, 기둥 모양 3가지로 구분하여 지도하게 된다. 왜 3가지 모양으로 구분하여 지도하게 만들었을까? 교실에서 3가지 모양을 찾아 보고, 굴려 보고, 쌓아 보는 활동으로 끝나는데 아이들 내면에 모양에 대한 그림이 만들어지지는 않았다.

개념적인 설명과 이해는 교사나 아이들에게도 수업을 재미없게 만든다. 도형을 소개하느니 차라리 직선과 곡선이 지닌 위대함을 소개하고 배우도록 하는 것이 더 낫다.

또 다른 문제는 1단원에서 배워야 할 학습량이 너무 많다는 것이다. 한 단원 안에 1에서부터 9까지 그리고 0, 하나 많은 수, 적은 수, 수의 순서 등을 모두 가르치려면 주어진 시간이 부족하다. 그래서 급하게 교과서 위주, 문제 풀이 위주로 수업을 진행될 수밖에 없다. 또한 수업 한 차시 분량 안에 너무 많은 지문이 제시되어 있다.

과거 교육과정에 비해 학습량을 줄였으나 스토리텔링 식의 수학을 적용한다고 해서 '공부를 잘 했는지 알아봅시다', '문제해결', '체험마당' 등이 있지만, 지문의 내용이 길고 1학년 아이들이 아직 모르는 단어로 만들어져 있다. 예를 들어, "바둑돌이 모두 몇 개 들어 있는지 어림해 보시오"라는 표현이 그러하다. 이것은 아이들의 인지 발달에서 보면 교육과정 체계상 맞지 않는 부분들이다.

그러다 보니 아이들이 1학년 때부터 수학을 어려운 과목으로 생각하고 있고, 흥미를 못 느끼는 아이들이 생겨난다. 그 아이들이 결국 학습에서 뒤처질 수밖에 없는 구조적 문제를 가지고 있다.

'비교하기' 단원에 대해서

초등학교 1학년에서는 이런 내용이 아직 무리다. 아이들의 사고가 아직 제대로 만들어지지 않은 시기에 길이나 높이, 무게, 넓이를 서로 견주는 것은 힘들다. 더구나 사고가 전체에서 부분으로 가는 단계이기 때문에 이 내용은 초등학교 3학년부터 배워야 한다. 교과서에서 길다, 짧다, 무겁다, 가볍다는 추상적인 생각을 이끌어 낸다고 하지만 왜 길고, 짧은지에 대한 정확한 이해 없이 단순히 바깥 현상 결과만 제시하고 있다. 세상 사물에 대해서 충분히 인식할 수 있는 시기에 맞추어 이 단원도 적절하게 도입이 되어야 하는데 너무 성급하다. 또한 2학기 때 '규칙 찾기' 단원이 나오는데 이것도 아이들이 배우는 데 무리가 있다.

내용이 너무 많다

초등학교 1학년 과정에서는 수, 여러 가지 모양, 덧셈과 뺄셈을 중점으로 다루어야 한다. 기초가 튼튼해야 다음 과제를 충실히 해 나갈 수 있는 것처럼, 1학년부터 너무 많은 내용을 배우도록 하는 것은 무리다. 그러다 보니 미처 소화하지 못하게 되고 결국 '수학'을 힘들어하고 싫어하게 된다. 모든 아이들이 수학을 잘하게 하려면 먼저 교과서 내용부터 확 줄여야 한다. 또한 스토리텔링이 제자리를 잡기 위해서는 교사들이 재구성이나 준비할 수 있는 시간적 여유를 주어야 한다. 그렇지 않고 현재대로라면 '껍데기 수학'으로 떨어질 수밖에 없을 것이다.

꼭 가르쳐야 할 내용이 빠져 있다

1. 지도서 - 단원별 구성 체제

1단계: 단원의 개관

-단원 소개

-단원 학습 목표

-단원 발전 계통

-단원의 흐름

-단원의 전개 계획

-지도상의 유의성

-단원 학습평가

-단원 배경지식

2단계: 개별차시활동

-수업의 흐름

-단원 학습 활동

-형성 평가

-창의 · 인성 지도자료(창의수학활동, 수학인성교육, 참고자료, 활동지)

3단계: 단원평가

-공부를 잘했는지 알아봅시다

4단계: 문제해결

5단계: 창의마당

-이야기마당

-놀이마당

-체험마당

-수학과 교사용 지도서 체제 및 활용 방안

위에서 볼 때 1단계부터 5단계까지 짜인 차림이 그럴 듯하게 보이지만 꼭 가르쳐야 할 내용이 빠져 있다. 1에서 5단계 흐름도는 단순히 인지 학습 중심으로 짜여 있다. 아이들이 배우고 느끼고 생각해서 경험하는 것이 중요한데, 머리로만 쓰는 것에 중점을 두고 있다. 삶이 없는 교육은 공허함을 낳게 하는 것이므로 세 가지 요소가 적절하게 배분되어야 한다. 만약 아이에게 감정을 동요시켜 배운 것을 행하는 데 의지를 가지고 참여하도록 하지 못한다면 분명하게 생각하는 능력은 아주 빈약해진다. 의지, 감정, 생각이 적절하게 이끌어져야만 아이들은 온전하게 잘 자랄 수 있다.

그렇다면 초등학교 1학년 아이들에게 꼭 필요한 것이 무엇일까? 더구나 3, 4월 수학 시간에 배워야 할 '수'와 관련된 내용은 무엇일까? 물론 1학년뿐만 아니라 6학년 전 과정에서 이 활동은 꼭 필수가 되어야 하는데, 이것을 소홀히 다루고 있다. 단지 머리로만 익히는 주입식 교육에 중심을 두고 있기 때문이다.

꼭 가르쳐야 할 것은 바로 리듬 활동이다. 수를 배울 때나 덧셈이나 뺄셈, 곱셈을 배울 때도 리듬 활동은 아이들에게 중요하다. 리듬 활동은 날마다 수학 수업이 진행된다면 빠짐없이 진행해야 할 만큼 아이들에게 중요한 것이다. 수업 중에 이루어지는 간단한 리듬 활동으로 몸(신체)과 감각을 일깨우고 살아 있게 유지시켜 주며, 공부할 뇌를 자극하고 그 결과 새로운 수학적 개념을 쉽게 받아들이게 한다.

리듬 활동 없이 바로 수학 수업을 진행하는 것과 수학과 관련된 리듬 활동을 하고 나서 수학 수업을 진행하는 것은 많은 차이가 있다. 하루도 아니고 날마다 진행되는 것이라면 엄청난 차이가 있다. 이 리듬 활동은 아이들을 깨우고, 밤 사이 잠들었던 영혼과 몸(신체)의 각 부분을 적절하게 연결시켜 줌으로써 좋은 학습이 이루어지게 해준다. 또한 날마다 진행되는 리듬 활동은 교실 분위기를 따뜻하고 질적으로 좋은 분위기를 만들어주며 이로 인해 아이들은 행복과 기쁨을 충분히 느끼게 된다.

또한 리듬 활동을 하면서 수업을 머리와 몸이 하나가 되어 안정감을 가지고 수업에 적극적으로 임하고자 하는 태도를 가지게 된다. 그만큼 리듬 활동은 아이들의 삶을 풍부하게 하는 데 많은 도움을 주는 교육 요소다. 리듬 활동으로는 몸을 이용한 여러 동작 활동으로 간단한 리듬감을 주는 춤, 노래, 말하기, 짧은 놀이, 콩 주머니 나르기, 둥근 막대를 가지고 하는 놀이, 양모 솜으로 만든 공으로 하는 놀이, 손뼉 치기, 발 구르기, 발끝으로 서기, 건너뛰기 활동 따위들이 있다. 그렇지만 중요한 것은 수업 전에 다루는 리듬 활동은 바로 이어서 진행될 수업에서 지도하게 될 내용과 연결되어야 한다. 예를 들어 손뼉 치기는 곧 이어질 수 배우기와 관련이 있다. 예를 들면 여러 가지 방법이 있다.

예1

교사와 아이들 함께

하나! (손뼉 한 번 친다), 둘! (두 번 친다), 셋!(세 번 친다)…

☞열까지 함께 친다.

예2

번갈아 가면서

교사가 먼저, 하나!(손뼉을 친다) 아이들이 둘!(두 번 친다)

예3

7까지 올라갔다가 내려온다.

교사가 1, 3, 5, 7, 6, 4, 2, 아이들 2, 4, 6, 7, 5, 3, 2, 1이 되게끔 교사가 먼저 치고 아이들이 나중에 친다.

예4

손과 발을 이용한다.

교사가 손뼉을 치면 아이들은 발구르기를 한다.

반대로 교사가 발구르기를 먼저 하면 아이들이 손뼉을 치거나 또는 다음과 같이 한다.

다리를 만지고	손뼉 치기
1	2
3	4
5	6
7	8
9	10

걷고	손뼉 치기
1	2
3	4
5	6
7	8
9	10

예 5

발 구르기로 숫자 세기다. 발 구르기를 이용해서 10까지 세어본다.

예 6

상대방과 함께 손뼉 치기다.

자신의 손	파트너의 손
1	2
3	4

5	6
7	8
9	10

예 7

앞에 예 4와 5의 과정을 충분히 했을 경우 20까지 세어보기 과정을 배울 때 필요한 리듬 활동이다.

다리 만지고	자신의 손뼉 치고	파트너와 오른손끼리 손뼉 치고	파트너와 왼손끼리 손뼉 치기
1	2	3	4
5	6	7	8
9	10	11	12
13	14	15	16
17	18	19	20

예 8

1, 2, 3, 4, 5, 6, 7

내 머릿속에 7개의 창문이 있네.

1, 2, 3, 4, 5, 6

각자 걸어가니 6을 만드네.

1, 2, 3, 4, 5

내 5개의 손가락을 보아라.

1, 2, 3, 4

나는 팔다리가 네 개라네.

1, 2, 3

육지, 공기, 바다 3가지.

1, 2

너와 나는 둘.

1

예 9

콩 주머니 놀이 : 원 모양으로 둘러앉고 한손에서 한손으로 콩 주머니를 건네는 동안 셈하기 놀이로 콩 주머니를 위로 던지고 잡을 때마다 셈을 한다(1~10).

예 10

10~100 셈하기를 할 때는 10단위로 해본다.

내가 손뼉 치기	짝지 손과 손뼉 치기
10	20
30	40
.....	
90	100

예 11

손뼉 치기　손뼉 치기　발 구르기

1	2	3
4	5	6
7	8	9
10	11	12
(…)		
28	29	30

예 12

머리 만지기	어깨 만지기	손뼉 치기
1	2	3
4	5	6
7	8	9
10	11	12
(…)		
28	29	30

예 13

소리	는	손뼉	+(손가락으로 덧셈 표시)	손뼉
2	는	1	+	1
4	는	1(2)	+	3(2)
6	은	1(3)	+	5(3)
(…)				

예 14

3, 6, 9 놀이

예 15

발 구르기 놀이로, 수를 셀 때나 구구단을 할 때 발을 구르면서 큰 소리로 말한다.

예 16

공놀이를 이용한 셈하기 1: 먼저 담임선생님이 부드러운 공(양모 솜이나 펠트로 만든 공)을 준비하고 아이들이 교사를 중심으로 해서 둥글게 선다. 선생님은 공을 들고서 '5'라고 말하고 아이들 가운데 한 명이 '2+2+1'이라고 말하면 그 아이한테 공을 두 손으로 아주 친절하게 던져준다. 공을 받은 아이가 선생님이 했던 것처럼 다른 아이에게 똑같이 말하면, 그 아이에게 공을 던져주는 놀이다.

예 17

공놀이를 이용한 셈하기 2 : 덧셈 '10'에 대해서 공부할 때, 먼저 담임선생님이 부드러운 공(양모 솜이나 펠트로 만든 공)을 준비하고 아이들이 교사를 중심으로 해서 둥글게 선다. 선생님은 공을 들고서 '6'이라고 말하고 아이들 가운데 한 명이 '4'라고 말하면 그 아이한테 공을 두 손으로 아주 친절하게 던져준다. 공을 받은 아이가 선생님이 했던 것처럼 똑같이 말하면, 그 아이에게 공을 던져주는 놀이다.

예 18

공놀이를 이용한 셈하기 2-1 : 덧셈 '10'에 대해서 공부할 때, 먼저 담임 선생님이 부드러운 공(양모 솜이나 펠트로 만든 공)을 준비하고 아이들이 교사를 중심으로 해서 둥글게 선다. 선생님은 공을 들고서 '6'이라고 말하면서 동시에 한 아이에게 던져주면 그 공을 받은 아이가 받으면서 '4'라고 말한다. 그 아이는 교사가 했던 것처럼 다른 아이들을 상대로 똑같이 한다.

예 19

윷가락이나 나무막대기(부드러운 모양-자갈 따위)를 이용한 숫자 세기로, 손뼉 대신 윷가락이나 돌멩이 2개를 이용해서 짝수일 때 서로 부딪혀서 소리를 내게 한다. 돌멩이를 너무 세게 치면 부스러기가 생기거나 갈라질 수 있으므로 주의한다.

그밖에 손뼉 치기를 변형해서 하는 숫자 세기 활동이 수없이 많으니 잠시 시간을 내어서 재구성하면 된다. 손뼉이나 발 구르기를 이용해서 숫자를 익히는 놀이는 아이들이 무척 좋아한다. 왜냐하면 온몸으로 표현하는 놀이이기 때문이다. 또한 리듬(율동)이 있는 수업은 조용하고 집중된 분위

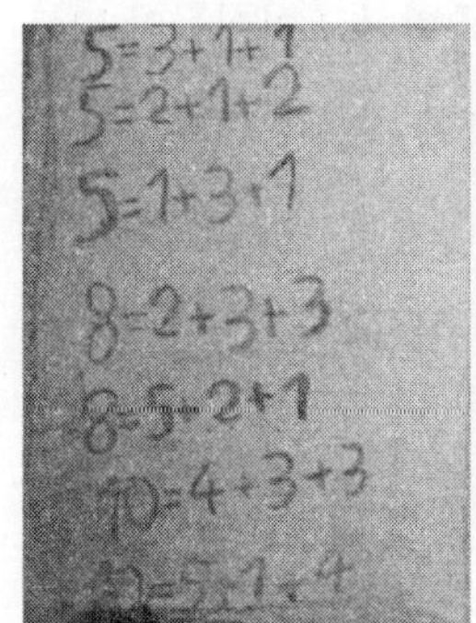

기로 이어지도록 해준다. 이렇게 해서 안으로 아주 평화로운 분위기가 만들어지고 이는 성공적인 수업을 위해 꼭 필요하다. 그러고 나서 마지막 작업 단계에서 공책에 크레용을 갖고 색깔별로 아름답게 써 본다.

셀 수 있어요[3]

교과서 10쪽에는 '셀 수 있는 것들을 찾아봅시다'라는 내용이 나온다. 하지만 아이들의 몸 바깥을 살피기보다는 먼저 자신의 몸을 이용한 활동을 하는 것이 더 좋다. 아이들은 숫자를 세는 것 없이 적어도 1에서 5까지 수를 셀 수 있다. 예를 들어 아이들 앞에 3개의 사과가 놓여 있다면 아이들은 즉시 "3개의 사과가 있어요"라고 말할 수 있다. 그렇지만 숫자 5 이상을 넘어갈 때 1~5까지 수를 정확히 알고 있는 것이 중요하다. 그래서 손가락을 써서 셈할 때 한 손에 5개의 손가락을 갖고 있다는 것을 알게 되면 아래 내용을 쉽게 이해한다.

7은 5와 2
8은 5와 3
9는 5와 4
6은 3과 3
8은 4와 4
10은 5와 5

결국 수를 이해하는 것은 우리의 몸에서부터 온다. 우리는 두 팔과 두 다리를 가지고 있다는 사실을 알고 '2'의 가치를 경험한다. 손가락 놀이로 5까지 세고 나서 이후에 10까지 셀 수가 있다. 하지만 발가락도 10이지만 어떤 아이들은 이것을 제대로 알지 못하기도 한다. 그래서 담임교사는 때때로 발가락을 포함해 손가락을 이용한 간단한 놀이를 하는 것도 필요하다. 물론 이때 리듬에 맞추어서 가벼운 율동을 하면서 함께 노래를 부르는 것도 좋은 방법 가운데 하나다. 예를 들어 〈리틀 인디언〉 노래처럼 5를 나타내는 것이나 10까지 셈하기를 할 때 필요한 노래를 골라서 부르면 아이들은 아주 좋아한다. 이렇게 몸을 이용한 수 세기를 충분히 한 다음 주변 사물을 알아 가야 하는데, 이러한 절차를 무시하고 바로 교실에 있는 물건이나 친구들의 수를 세어 보게 하는 것이다.

단계별 학습이 필요한데 이러한 절차를 무시하고 바로 진행되니 미처 준비가 되지 않은 아이들은 이러한 내용들을 쉽게 받아들이기가 힘든 것이다. 과연 이러한 활동들이 교과서에서 밝히고 있는 것처럼 아이들의 확산적 사고를 촉진한다고 하나 오히려 생각을 위축시키고 있다. 아이들은 충분한 준비 활동을 해야 주위 환경을 제대로 받아들이고 이해할 수 있는 것이다.

50까지 수‘에 대해서

몇 십 알아보기

10	20	30	40	50	60	70	80	90
열	스물	서른	마흔	쉰	예순	일흔	여든	아흔

만약 우리가 10개의 사과가 담긴 1개의 자루를 갖고 있다면, 그 안에 10개의 사과가 든 아래의 그림과 같은 자루를 그린다. 이제 그 아래 숫자 10을 쓸 수 있다(노란색으로 '1'을 쓰고 말하고 파란색으로 '0'을 쓰고 말한다. 또한 가방 자체 색은 노란색, 사과는 파란색으로 칠한다).

10

만약 각 주머니에 10개의 사과가 담긴 2개의 자루가 있다면, 우리는 몇 개의 사과를 가지고 있을까를 아이들에게 묻는다(담임선생님은 각 10개의 사과가 담긴 2개의 자루를 그리고 같은 색으로 칠한다. 아이들은 사과의 수를 세고 '20'을 말한다). 이제, 어떻게 '20'을 쓰는지 보라고 하면서 노란색으로 2, 파란색으로 0을 쓴다. 이것은 2개의 10을 설명해 준다.

20

30, 40, 50도 같은 방식으로 한다. 이것에 대한 충분한 연습으로 아이들은 적어도 20까지, 이상적으로는 50 내지 심지어 100까지 쉽게 셀 수가 있다. 또한 적어도 10부터 거꾸로 셀 수 있어야 한다.

스토리텔링에 대해서

1. 스토리텔링의 도입 취지

-맥락 속에서 추상적인 수학 개념에 대한 자연스러운 접근

-쉽게 이해하고 재미있게 배우는 교과서에 대한 요구

-감성세대 학습자의 특성에 부응

2. 스토리텔링의 활용 방안

방안1. 수학적 개념 이해를 위한 수학적 맥락으로 스토리 활용

방안2. 학습자의 의미 생성 활동으로 스토리텔링 기법 적용

방안3. 다양한 형태로 스토리 구성하는 활동하기

방안4. 학급에 보다 잘 어울리는 활동으로 재구성하기

– 2013년 초등학교 1~2학년군 교과서용 도서 활용 자료

과거 교육과정에 비해 현 교육과정에서는 수학 교과서에 '스토리텔링'을 끌어들였다. 아이들에게 수학을 나름대로 재미있는 것으로 이끌어내려고 노력한 흔적이 있다. 의도는 좋으나 문제는 내용 구성이나 소개가 너무 빈약하고 즉흥적이다.

스토리텔링이 단순히 문제 풀이를 위해서 즉흥적으로 즉 창작해서 들

려주는 것이 아니라 1, 2학년 발달단계에 맞는 이야기로 채워져야 한다. 숫자 3을 가르치거나 숫자 12를 가르칠 때 전래 동화에 이러한 숫자와 관련 있는 내용을 골라서 수업에 활용해야 한다.

스토리텔링 수업이 단순히 수학 교과서를 위한 것이라 생각할 수 있지만, 따지고 보면 국어과 수업과 연계하여 주제 통합으로 진행할 수 있다. 창작 이야기들은 아이들의 발달단계에 맞지 않는다. 억지에 가까운 이야기 구성은 자칫 아이들의 세계관을 흐리게 할 수 있다. 창작이 필요한 것은 문장제 수업을 할 때가 알맞다.

스토리텔링으로 알맞은 이야기는 옛이야기다. 수학 자체로만 수업이 진행되는 것이 아니라 국어나 즐거운 생활, 슬기로운 생활과 연계해서 지도해야 한다. 그렇다면 초등학교 1학년 아이들에게 알맞은 이야깃거리는 바로 옛이야기다. 교사용 지도서 244쪽과 245쪽에 스토리텔링에 대한 자료가 있는데 수업 시간에 활용하기에는 맞지 않다.

예를 들어 아래의 계산 방식에 어울릴 수 있는 옛이야기를 소개하면 어떤 것이 있을까?

욕심 많은 고을 사또가 착한 농부에게서 빼앗은 요술 항아리에 자기 아버지가 빠져서 나중에 여러 명의 아버지가 나온다는 이야기인 〈요술항아

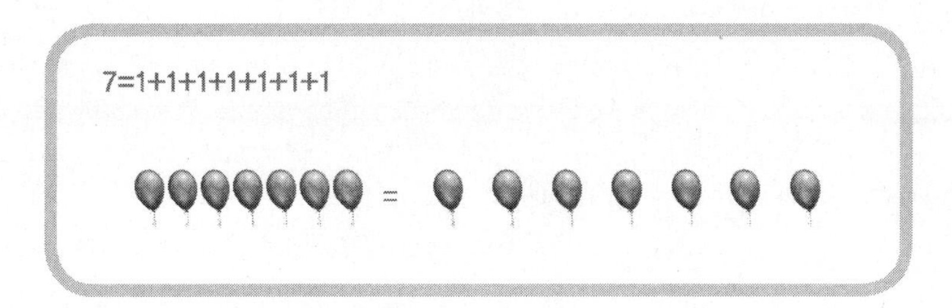

리〉가 어울린다.

스토리텔링은 단순히 이야기를 들려주는 것이 아니다. 수업 내용의 내면화를 위한 것이다.

첫째, 스토리텔링은 수업 후반부에 한다.

그렇다면 스토리텔링을 수업 전개 과정에서 어느 부분에 투입(삽입)을 해야 하는가? 교사용 지도서에서는 수업 초반, 즉 동기 유발 요소로 활용하도록 소개하고 있다. 하지만, 수학 수업을 진행해 본 선생님들은 바로 스토리텔링, 즉 이야기를 들려주고 다음 단계로 넘어가는 것이 쉽지 않음을 경험했을 것이다. 스토리텔링이 주는 요소가 정적이기 때문이다. 차분히 가라앉은 상태에서 본 차시로 넘어가는 것이 가능할까? 물론 억지로 분위기 전환을 해서 할 수 있겠지만 거기까지 가기 위해서는 시간이 필요하다.

스토리텔링 수업은 그날 수업 내용을 정리하는 차원에서 후반부에 관련된 내용을 중심으로 아이들에게 들려주는 것이 좋다. 내면화를 할 수 있도록 해주는 것이다. 수업 초반에 리듬과 감성, 중반에 사고, 후반부에 행하기(문제 풀이), 그러고 나서 정리 차원에서 스토리텔링을 한다.

그러면 아이들은 자연스럽게 앞 내용들을 무의식적으로 받아들여, 집에서 숙제를 하면서 그리고 잠을 통해서 더 내면화하게끔 하는 수업 방법이 될 수 있다. 학원이나 과외를 받는 경우에는 스토리텔링에 대한 효과 있는 내면화를 기대하는 것은 힘들다. 왜냐하면 이것을 느끼려고 하는 힘 자체를 외형적인 인지 학습이 방해하기 때문이다.

스토리텔링을 하기 위한 블록수업제 전개 과정

	1일	2일	3일	4일	5일
리듬 (감성) 20~ 25분	1. 아침 소식 말하기(담임교사) : 2~3분 2. 아침 시(전체) : 3~4분 3. 아이들을 집중시키고 깨어있게 하기 위한 간단한 운동 : 7~8분 손뼉 치기, 발 구르기, 다양한 리듬 활동 ※노래와 함께 하는 리듬 활동도 좋음. 4. 노래(펜타토닉 5음계 또는 리코더, 합창) : 5~6분 5. 말하기 훈련 : 5~6분				
내용 (사고) 30분	오늘 배울 내용 소개	1. 어제 배운 내용 상기 : 5~6분 2. 과제 발표 : 5~6분 3. 오늘 배울 내용 공부하기			1. 배운 내용 정리하기 2. 과제 발표
작업, 활동 (의지) 25~ 30분	수학(에포크) 공책에 칠판 내용을 쓰거나, 그림을 그리거나, 담임선생님과 이야기 나누기 ※스토리텔링(숫자와 관련된 동화 듣기) : 6~8분 ※다 못한 것은 집에서 해오기(자기주도학습)				내면화 작업 ※이미지 작업, 습식이나 그림 작업

또한 블록수업제를 할 경우 단순히 40분과 40분을 합쳐서 진행하는 것이 아니다. 80분 동안 위 표에서처럼 시간을 세 부분으로 나누고 각 영역마다 진행해야 할 내용들이 있다. 하지만 현재 학교 현장에서 블록제수업이 위 내용대로 진행되고 있기보다는 단순히 시간을 합쳐서 진행하는 것으로 알고 있는데, 이것에 대한 정확한 이해가 필요하다.

둘째, 스토리텔링은 책을 읽어주는 것이 아니라 들려주어야 한다.

책 내용을 그대로 읽어주는 것이 아니라 옛이야기를 교사가 완전히 외워서 들려주어야 한다. 책을 읽어줄 때와 책 없이 그 내용을 완전히 이해해서 아이들 눈을 하나하나 바라보면서 들려주는 것과는 엄청난 차이가 있다. 물론 옛이야기를 다 외우는 것이 쉽지 않다. 하지만 단위 시간에 전부를 들려주는 것이 아니다. 물론 내용이 짧은 것은 그렇게 할 수 있지만 긴 내용은 재구성을 한다. 여기서 재구성이 뜻하는 것은 내용을 다시 구성하는 것이 아니라 시간 조정을 하라는 것이다.

예를 들어 숫자 3과 관련해서 〈세 행운아〉를 들려줄 때 전체를 보고 3일 분량으로 나눈다. 내용이 많은 옛이야기 경우는 5일 분량으로 나눈다.

첫째 날은 3분의 1 분량만 들려준다.

옛날 어떤 아버지가 세 아들을 불러서 맏아들에게는 수탉을, 둘째 아들에게는 낫을, 셋째 아들에게는 고양이를 주었지. 아버지가, "나는 너무 늙어 죽을 날이 가까운 사람이다. 내가 죽기 전에 너희들이 먹고 살도록 보살펴 주고 싶었는데 돈이 없구나. 지금 너희들에게 준 것들은 거의 값어치가 나가지 않는 것 같지만, 중요한 것은 너희들이 얼마나 현명하게 쓰는가에 달려 있다. 그런 물건들을 아직 모르고 있는 나라를 찾으면 재산을 모을 수 있을 게다."

아버지가 죽자 맏아들은 수탉을 가지고 집을 떠났어. 하지만 가는 곳마다 다들 수탉을 알고 있었어. 도시에 가 보면 벌써 멀리서부터 탑 위에 앉아서 바람을 따라 돌고 있고, 시골 마을로 가 보면 한 마리 이상의 닭들이 꼬기오 우는 소리를 들을 수 있었어. 이 짐승을 신기하게 여기는 사람은 아무도 없었으므로 이것으로 한 재산 잡을 생각이 보이지 않았어.

어느 날 마침내 맏아들은 수탉이 뭔지 전혀 모를 뿐더러 시간을 나누어 쓸 줄도 모르는 사람들이 사는 섬에 닿게 되었지. 그들은 언제 아침이 되고 저녁이 되는지는 알았지만, 잠을 못 이루는 밤이면 시간이 얼마나 되었는지 헤아릴 길이 없었지.

"보십시오."

맏아들이,

"이 얼마나 당당하게 보이는 짐승입니까. 루비처럼 붉은 왕관을 머리에 쓰고, 기사처럼 박차를 달고 있지요. 또한 밤에는 일정한 시각에 세 번 울어 여러분에게 시간을 알려 줍니다. 마지막 우는 때가 바로 해 뜨는 시각입니다. 하지만 대낮에도 울 때가 있는데, 그러면 여러분은 날씨가 달라질 것에 대비하면 됩니다."

사람들은 그 말에 귀가 솔깃했어. 그들은 밤새 자지도 않고 수탉이 두 시, 네 시, 여섯 시에 커다랗고 확실하게 시간을 알려 주는 소리를 들으며 몹시 기뻐했지. 그들은 이 짐승을 팔지 않겠느냐고, 판다면 얼마를 요구하겠느냐고 물었어.

"나귀 한 마리가 지고 갈 만큼의 황금 정도라면 되겠습니다."

"이렇게 귀중한 짐승의 값으로는 터무니없이 싸군요."

그들은 입을 모아 외쳤어. 그리고 맏아들의 요구를 기꺼이 들어주었지. 맏아이들이 부자가 되어 집으로 돌아오자 동생들은 깜짝 놀랐어. 둘째 아들이 말했어.

"그럼 나도 길을 떠나 나도 그렇게 잘 처분할 수 있는지 보겠어."

하지만 그럴 가망은 없어 보였어.(이하 줄임)

(그림형제, 1999)

둘째 날 이야기를 들려줄 때 첫날 들려주었던 줄거리를 들려주고 나서 둘째 날 본 내용을 들려준다. 셋째 날에는 첫날 줄거리와 둘째 날 줄거리를 이어서 들려주고 나서 셋째 날 본 내용을 들려준다. 아이들은 줄거리를 들려줄 때 기억을 되살릴 수 있고, 이야기가 끝났을 때는 전체 이야기를 다 기억할 수 있다.

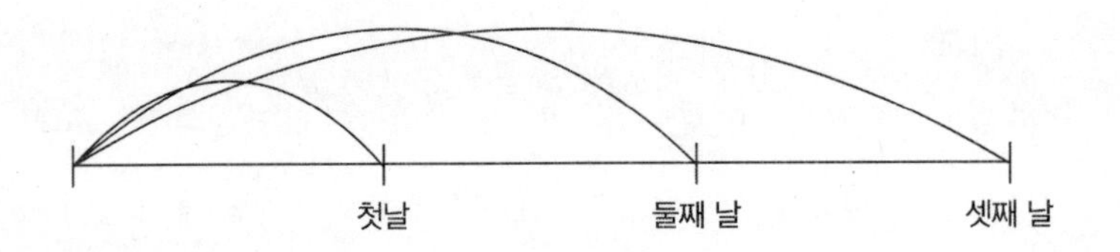

단 유의할 것은 아이스ㅇㅇ과 티ㅇㅇ 사이트나 인터넷 교사 동호회에서 제공하는 콘텐츠를 그대로 보여주느니 아예 보여주지 않는 것이 더 낫다. 오히려 아이들의 상상력을 방해하게 만든다. 간단함을 추구하기보다는 노력하는 모습이 필요하다.

셋째, 오랜 관습에서 벗어나야 한다.

이야기를 들려주고 나서 아이들이 이야기 속에 그대로 머물 수 있도록 해주어야 한다. 이야기에 대한 질문이나 분석을 하지 말아야 한다. 자칫 이것이 아이들이 이야기에 대해 강제로 객관적이 되기 때문에 상상과 느낌이 이야기 밖으로 벗어나게 된다. 이야기를 들려주고 그 느낌을 물어보는 아주 오래된 관습은 결국 스토리텔링이 지닌 효과를 망가뜨린다. 휴식을 갖고 아이들이 들었던 이야기의 분위기와 생생한 그림을 유지시키는 이야기에서 그려지는 칠판 그림으로 아이들을 곧장 이끄는 것이 가장 좋다.

넷째, 의지, 감정, 사고를 위한 '주기 집중 블록수업제' 전개 과정은 다음과 같다.

의지

아이들은 전체 숫자만큼 사과 또는 밤, 도토리, 방울토마토 따위를 책상 위에 놓는다. 선생님은 아이들을 부분(한 상인으로부터 2, 다른 상인으로부터 몇 개)으로 나눈다. 아이들은 합계로 해답을 발견한다.

감정

담임선생님은 이야기에 각 합계의 부분들을 말하면서 아이들에게 합계를 말하도록 한다. 예를 들면 만약 합계가 5=2+3이라면, 아이들과 선생님이 함께 말한다. "(몸 동작을 이용해서) 5개의 사과가 있다. 그리고 그것은 집에서 과일 장수에게서 산 2개의 사과와 (더하기 대신) 시장에서 다른 과일 장수에게 산 3개의 사과다."

생각(쓰기)

선생님은 위와 같이 말하는 한편, 학급에 합계를 쓰는 법을 제시한다. 칠판에 합계를 쓰는 동안, 선생님은 쓰인 기호에 대해서 자세히 이야기한다.

-등호표시(=): 이것은 ㅇㅇ이다. 아이들은 이것을 되풀이해서 공부한다.
-연산 기호를 쓰기 전에 선생님은 아이들에게 물어본다. "누가 각 과일 장수로부터 할머니가 산 사과를 세기 위해 할머니를 도우러 왔니?" 아

이들은 "○○○이요" 하고 대답한다.

선생님은 "○○○은(는) 옷에 어떤 기호를 달고 있니?" 하고 묻는다. 아이들은 몸짓을 이용해서 선생님에게 보여준다.

-이제 선생님은 ○○○이(가) 물건을 함께 더할 필요가 있을 때마다 +(더하기)라고 말하는 기호를 쓴다고 말한다.

-동일한 방법으로 다른 연산 기호가 쓰일 수 있다. 합계가 칠판에 쓰이면 선생님이 각 기호를 지시하는 동안, 아이들은 그때 그 합계를 읽는다(5=2+3, 이것은 "5는 2 더하기(+) 3이다"처럼 읽는다). 칠판에 적힌 합계를 읽는데 이야기와 함께 늘 연결되어야만 한다. 이것은 합계가 아이들에게 의미가 있도록 만들고 합계가 왜 이런 방식으로 쓰이는지 이해하도록 해준다.

또한 선생님은 날마다 질 좋은 수업을 위해 셈하기와 관련된 여러 가지 동작, 시, 노래를 연구하여 가르쳐 주어야 한다. 또한 거꾸로 셈하기를 하면서 수업을 역동적으로 이끌어 보기도 한다. 중요한 것은 교사가 얼마큼 수업에 대한 열정과 아이디어를 쏟아내느냐에 따라서 좋은 수업을 기대할 수 있다는 것이다. 또한 답을 말하지 말아야 한다. 왜냐하면 교사는 아이들이 스스로 해답에 도달하도록 해야 한다. 그래서 이야기를 해줄 때 담임선생님은 주요 인물이 직면했던 문제의 해답을 제시해서는 안 된다. 아이들이 스스로 원하는 방식으로 해답을 말하도록 해야 한다. 스스로 계산하면서 배워 나가는 모습을 지켜봄으로써 어떤 아이들이 해답을 발견하고 경쟁하는 아이들에게 도움을 주는지 쉽게 알 수 있다.

다섯째, 스토리텔링은 만병통치약이 아니다.

교과서와 교육과정은 여전히 1, 2학년뿐 아니라 3, 4학년에도 스토리텔링을 강요하고 있는데, 과목의 특성에 따라 해야 할 것이 있고 그렇지 않은 것이 있는데 무조건 마치 특효약처럼 해야 한다고 하는 것은 억지에 가깝다고 하겠다.

수학 수업의 중요성

슈타이너 박사는 "아이들에게 수학을 가르치는 것은 아주 다른 일이다. 여기서 가장 중요한 것은 숫자의 형태가 아니라 숫자 형태에 존재하는 현실성(reality)이라는 것을 느끼게 될 것이다. 그리고 이 살아 있는 현실성은 쓰기와 읽기 속에 존재하는 현실성보다 정신적 세계에 더욱 중요하므로 우리의 가르침은 수학의 물리적 개념에서 벗어나서 영혼과 정신을 진정으로 가르쳐야 한다"고 하였다(Rudolf Steiner, 1976).

숫자 하나하나에는 각각의 뜻이 담겨 있다. 단순히 개념적인 접근보다는 '왜 이렇게 되는지'에 대한 이해를 돕는 것으로 수업을 해나가야 한다. 그래야만 아이들이 기초부터 차근히 다져 나갈 수 있다. 현 교과서에서는 이 부분을 소홀히 다루고 있다. 다 알고 있다는 것으로 생각하고 있지만, 그것은 단지 숫자가 지닌 뜻보다는 개념으로만 알고 있어 이에 대한 정확한 가르침이 필요하다.

숫자 '1'

• 내용

1은 모든 숫자에서 처음이라는 것, 가장 큰 숫자라는 것

1학년 3월 첫 주나 둘째 주 수학 시간에 숫자 1을 가르친다면 다음과 같이 할 수 있다.

수업 첫날부터 직선(1이라는 숫자)은 새로운 의미를 갖고 다시 나타난다. 이 숫자는 태어나서 한 살에 아이가 얻게 된 바른 자세를 나타낸다. 그것은 지금의 자신, 즉 하나의 단일화된 힘이다. 단, 아이들은 이를 의식해서는 안 된다. 아이들은 선 자세로 학습함으로써 이 힘을 얻고, 이것으로 사물의 세계를 한 개인과 주체로서 직면할 수 있게 된다.

• 활동

① 여러분(아이들) 각자는 '1'입니다. 스스로 각자 바르게 똑바로 서 보세요! 여러분 각자는 단지 '1'입니다.

아이들은 한 발자국 떼고, 한 번 위로 뛰어 보고, 한 번 박수를 친다.

② 우리가 알고 있는 이 세상에 '하나'인 것은 어떤 것이 있을까요?

아이들은 하나의 신, 하나의 세계, 하나의 태양. 하나의 머리, 하나의 달, 나, 너, 한 달 따위를 말한다.

③ 우리가 어떻게 1을 보여줄까?

아이들은 손가락 하나, 한 사람 따위로 대답한다.

④ "어떻게 숫자 1을 쓰지?"(숫자 1을 보여준다)

• 동작

내 두 손으로 하늘에 도달하기 위해, 나는 창처럼 곧게 서 있다. 내 모양은 '나'의 수를 표현한다(두 발로 선 사람).

• 작업

선생님은 칠판에 숫자 1을 쓰고 아이들에게 공중에 1을 그리거나, 교실 바닥에 발로 그리거나 옆에 있는 짝의 등에 손가락으로 차례로 써보도록 하고 나서 (에포크) 공책 위에 손가락으로 쓰도록 한다. 그런 다음 아이들에게 숫자 1을 크게 그리도록 한다.

(※이 모든 진행은 블록수업제 전개 과정에 중심으로 진행한다.)

숫자 '2'

• 내용

2는 갈라서는 것, 나누어지는 것

우리는 두 개의 손을 가지고 있고 이 두 손은 서로를 만질 수 있다. 이 두 손은 둘로 된 것이다. 이 둘로 된 것은 인간 발달에 있어 중요한 주제다. 몇 개의 신체 기관들 가운데 쌍으로 된 것들과 이들의 상호작용은 건강의 필수 조건이다.

아이들은 인간의 생리학의 부분으로서 발견된 다른 둘로 된 것을 알 수 있도록 깨닫게 된다. 예를 들면 두 눈, 두 귀, 두 발 따위의 각 쌍을 이루는 기관들과 그것의 기능은 인간의 의식 세계에 대한 뜻과 그리고 외부 세계와 관계를 함께 한다. 또한 태양과 달, 왕과 왕비, 남과 여, 양지와 음지, 하늘과 땅처럼 짝을 이룬다.

• 활동

① 숫자 '1'이 된 각 아이들의 경험을 단순히 되풀이하도록 한다.

② 두(2) 걸음, 두 번(2) 뛰기, 점프 두 번(2), 건너뛰기 두 번(2), 무릎 두 번(2) 만지기, 두 번(2) 박수 치기 따위를 해본다.

③ "자 '2'를 배워봅시다. '2'가 되는 느낌은 어떻죠?"(말하지 말고 우선 느끼도록 한다.) "여러분은 2일 때 무엇을 할 수 있지?", "여러분이 2일 때 어떤 모양을 만들 수 있지?", "여러분이 서로 멀어지도록 반대 방향으로 당길 때 어떤 일이 일어날까?", "여러분이 다시 함께 모일 때 어떤 느낌이 들까요?" 따위로 아이들에게 묻는다.

④ 전처럼, "2가 되면, 어떻게 느껴지지? 혼자 있는 것과 어떻게 다르지?", "2가 되는 것은 무엇이 있지?" 따위로 아이들에게 묻는다. 아이들은 예를 들어 두 팔과 두 다리, 밤과 낮, 땅과 바다, 엄마와 아빠, 달과 별, 천사와 악마 따위라고 대답한다.

⑤ "우리가 어떻게 2를 보여주지?" 하고 물으면 아이들은 두 개의 손가락, 귀, 코 따위로 대답한다.

• 동작

나는 혼자서 나 자신을 느낄 수 없다.

그러나 하나를 가지고 다른 하나를 느낄 수 있다.

너는 이들을 양쪽(both)이라 부르지만 나는 누구이며 나의 기호는 무엇인가?(우리의 양손)

• 작업

교사는 칠판에 숫자 2를 그리고, 아이들에게는 공중에 그리게 한다. 교실 바닥에 발로, 옆에 있는 짝의 등에 손가락으로 차례로 써보도록 하고 나서 (에포크) 공책에 손가락으로 쓰도록 한다. 그런 다음 아이들에게 숫자 2를 크게 그리도록 한다(선생님은 각 아이들이 제대로 했는지 살펴본다).

숫자 '3'

• 내용

3은 '모든'이라는 말이 붙을 수 있는 최초의 숫자이며, 3은 모든 것을 둘로 나누면 중심이 남는 최초의 강한 숫자다. 처음과 중간과 끝을 모두 포함하기 때문에 전체를 나타내는 숫자다. 3의 힘은 보편적이며 하늘, 땅, 바다로 이루어지는 세계의 3중성을 나타낸다. 3은 천계의 숫자이며, 4가 육체를 나타내는 데 비해 3은 영혼을 상징한다. 3은 4와 합쳐져 7이라는 성스러운 숫자가 된다. 또 3과 4를 곱하면 12가 되는데, 그것은 '황도십이궁', 일년 열두 달을 의미한다. 3은 1과 2를 더해서 만들어지기 때문에 2와 1로 나누어질 수 있다. 3에는 모든 것을 포괄하는 '신성'(아버지, 어머니, 아들)이 있는데, 이것은 사람의 가족에게도 해당된다. 또한 3에는 중첩 효과라는 권위가 있다. 즉 한 번이나 두 번은 우연의 일치라고 할 수 있지만 세 번이 되면 확실성과 강한 힘을 지닌다. 가위바위보 놀이를 할 때 세 번을 하는 것도 다 여기에 영향을 받았다(존 킹, 2001/ 마이클 슈나이더, 2002).

또한 머리, 심장 그리고 두 손(손가락)과 발가락 마디 구성, 사고, 느낌, 그리고 의지, 신경, 리듬 그리고 신진대사 구조도 3과 닮았다. 손바닥을 펼쳐 보이고 거기에 있는 손가락 마디를 살펴보는 것도 3을 알 수 있는 좋은 방법이기도 하다. 손가락 마디가 세 마디가 아니고 두 마디나 한 마디였을 때 물건을 어떻게 집을 수 있을지에 대해서 아이들과 함께 직접 체험을 해본다. 불편한 점은 없는지, 그렇다면 왜 세(3) 마디로 되어야 우리가 생활하는 데 불편함이 없는지를 아이들은 스스로 깨닫게 된다.

3은 또한 태양과 달과 별, 아빠와 엄마와 나, 하느님과 예수님과 성령의 삼위일체와 관련이 있다.

• 활동

박수 세 번 치기, 발 세 번 구르기

• 동작

앞에는 둘, 뒤에는 하나,

우리는 멀리 모든 땅을 여행한다.

우리는 여행하면서 우리의 노래를 부른다.

우리의 숫자는 나 또는 우리처럼 소리 난다.

(3명의 여행자)

• 작업

아이들이 선택한 그림뿐 아니라 삼각형을 그리도록 한다.

(※이 모든 진행은 블록수업제 전개 과정에 중심으로 진행한다.)

숫자 '4'

• 내용

슈타이너 박사는 네 다리를 가진 동물로 이 부분을 이끌어 내었다. 예를 들어 아이들에게 "너희들은 이웃의 개를 본 적이 있니?", "그 개가 그냥 두 발로 걸어갔니?"라고 묻는 것이다. 이렇게 동물 속에서 4를 찾으면 아이들은 4와 네 줄에 대해서 알게 될 것이다. 아이들은 실생활로부터 숫자 4를 가지고 관계를 형성할 수 있다. 다른 것은 4계절, 4원소, 나침반 4방위, 바람의 4방향 따위다. 4는 완전성, 전체성, 완성, 연대, 대지, 질서, 합리성, 측정, 상대성, 정의를 상징한다.

• 동작

북으로부터, 서쪽으로부터, 남쪽으로부터, 동쪽으로부터
우리는 휘파람을 분다.
여러분이 알고 있는 우리의 숫자는
그러나 우리는 누구인가?
(네 방향에서 부는 바람)

• 작업

사각형을 그리기

(※이 모든 진행은 블록수업제 전개 과정에 중심으로 진행한다.)

숫자 '5'

• 내용

서로 가까이 붙어 있는 손가락이 다 펼쳐보이도록 한다. "이것은 손이야, 끝에서 이것은 나누어졌어. 그리고 너희들은 다섯 손가락을 셀 수가 있어. 나는 확신하는데, 우리는 이 다섯에 대한 상징으로 손을 상징할 수 있을 거야" 하는 등으로 말한다. 숫자 5를 만드는 각도로 네 손가락을 함께 하고 엄지를 들어서 손을 보여준다(Ernst Schuberth, 1993).

5는 별을 가리킨다. 5는 소우주로서의 인간을 나타낸다. 사지를 뻗어 오각형의 별 모양을 한 사람을 나타내는 숫자다. 오각형 별에는 끝나는 점이 없기 때문에 그것은 별과 마찬가지로 완전성과 힘의 상징이다. 별 모양은 4대 원소라는 힘을 만들어낸 중심적 창조주인 신성을 나타낸다. 5는 여성, 짝수인 2와 남성, 홀수인 3의 결합으로서 성혼의 숫자다. 사람의 다섯 손가락은 최초의 계산기 구실을 했다.

• 활동

① 5개의 꼭짓점을 가진 별 만들기 : 머리, 두 팔, 두 다리

② 자신의 몸으로 꼭짓점 5개의 별을 만들고, 다섯 명의 아이들이 중심에 각각 손을 모으고 서기

③ 손가락을 다 펼쳐 보이기, 팔다리를 양쪽으로 벌리기(별 모양)

• 작업

꼭짓점 5개짜리 별 그리기

숫자 '6'

• 내용

6면체 크리스털, 6면체 벌집, 다윗의 별(각각 위와 아래를 향하도록 두 개의 삼각형을 교착시킨다.)

• 동작

손을 잡고 6명이 한 그룹을 만들어 6면체 벌집과 다윗별 만들기, 벌집과 다윗의 별 그리기

(※이 모든 진행은 블록수업제 전개 과정에 중심으로 진행한다.)

7~12까지 숫자들도 앞의 방법대로 똑같이 한다. 예를 들자면 숫자 '7'은 일곱 색깔 무지개, 한 주일, 7일 따위, '8'은 거미와 낙지 등의 8개 다리 따위, '9'는 구구단, 가장 신성한 수 따위, '10'은 열 개의 손가락, 발가락 따위 하는 식이다.

아이들이 두 개의 눈, 두 개의 귀, 두 개의 팔과 다리, 다섯 손가락, 다섯 발가락 따위에 대해 말할 때, 아이들 자신의 몸과 함께 연계되도록 이끈다. 그리고 아이들이 스스로의 중심에서 출발하도록 한다. 그런 다음, 책상이

나 테이블의 네 다리, 동서남북, 일곱 색깔 무지개 따위들을 말할 때 아이들의 생각을 바깥세상과 관련이 있다는 데다 중점을 두고 이야기를 진행한다. 이때 중요한 것은 담임선생님이 사전에 얼마나 숫자가 지닌 뜻을 많이 알고 있는가 하는 것이다.

그래야만 아이들의 상상력을 제대로 자극할 수 있다. 선생님들이 숫자가 지닌 뜻을 제대로 알지 못하고 있다면 그만큼 그 수업은 매력적이지 못하고, 사실에 대해서 단지 확인하는 시간으로 흐를 가능성이 많다. 수업에서 이야기를 재미있게 진행해 나가기 위해서는 그만큼 철저한 준비가 필요하다.

또한 3월부터 학교 꽃밭에 들꽃들이 피기 시작하기 때문에 함께 나가거나 아니면 아이들이 쉬는 시간에 나가서 나무나 꽃들 속에 있는 2, 3, 4, 5 따위의 숫자를 찾는 것도 살아 있는 수업이 되고 아이들도 멋진 경험이 될 것이다. 따로 시간을 내기보다는 '즐거운 생활'이나 '슬기로운 생활' 시간을 충분히 활용하면 얼마든지 가능하다.

전체에서 부분으로

수학은 전체에서 부분으로 가야 한다. 한 아이가 7+3과 2+9와 같은 더하기 기본 문제를 풀어 보도록 하였을 때, 여기는 단지 하나의 정확한 답만 있다. 이 부분에 대해서 다른 답이 있을 수 없고, 하나의 답만 머릿속에 쉽게 떠오른다.

따라서 교사와 학생 그리고 교실의 분위기에 작용하는 진정한 전체(학습 참여자 모두)의 관계는 교사가 "16은 무엇이니?"나 "가장 아름다운 16은 무엇이니?"와 같은 질문을 던졌을 때 바뀌게 된다.

처음에 제시된 문제와는 달리 여기서는 많은 답이 가능하고 그 해답들은 모두 옳다. 이 과정에서 아이들의 다양한 생각을 이끌어 낼 수 있다. 그래서 이때 교사는 아이들의 대답을 될 수 있으면 다른 방식으로 들어야만 한다.

이를 실제 적용해 보면, 아이들에게 어떻게 5개의 손가락을 갖고 있는지를 두고 수업을 진행할 수 있다. 어떻게 5개의 손가락이 4와 1을 만들기 위해 늘어나고, 손가락들이 함께 있을 때는 5지만 나누면 4와 1이 된다는 식으로 말이다. 또한 손가락을 쭉 뻗어서 5는 2와 2와 1로 이루어질 수 있다고 가르칠 수도 있다. 그래서 아이들은 스스로 다른 형태의 5를 나타낼 수 있게 된다.

이 방법으로 덧셈 구조, 즉 숫자가 더해지는 구조와 같은 첫 수학 계산을 소개하면 다음과 같다. 이 과정을 충분히 익히면 수의 계산을 잘 풀 수가 있다. 교사(부모)는 하나의 숫자를 칠판에 적고 아래처럼 여러 가지 조합 형식을 적어 본다.

7

1 5 1

3 4

2 3 2

1 2 1 2 1

6 1

1

2 = 1 + 1

3 = 1 + 1 + 1

3 = 2 + 1

3 = 1 + 2

4 = 1 + 1 + 1 + 1

4 = 1 + 2 + 1

4 = 1 + 3

4 = 2 + 1 + 1

4 = 3 + 1

5 = 1 + 1 + 1 + 1 + 1

5 = 1 + 2 + 1 + 1

5 = 1 + 1 + 2 + 1

5 = 1 + 1 + 1 + 2

5 = 1 + 3 + 1

5 = 1 + 1 + 3

5 = 1 + 4

5 = 2 + 1 + 1 + 1

5 = 2 + 1 + 2

5 = 2 + 2 + 1

$5 = 2 + 3$

$5 = 3 + 1 + 1$

$5 = 3 + 2$

$5 = 4 + 1$

$6 = 1 + 1 + 1 + 1 + 1 + 1$

$6 = 1 + 2 + 1 + 1 + 1$

$6 = 1 + 1 + 2 + 1 + 1$

$6 = 1 + 1 + 1 + 2 + 1$

$6 = 1 + 1 + 1 + 1 + 2$

$6 = 1 + 1 + 2 + 2$

$6 = 1 + 2 + 1 + 2$

$6 = 1 + 2 + 2 + 1$

$6 = 1 + 3 + 1 + 1$

$6 = 1 + 1 + 3 + 1$

$6 = 1 + 1 + 1 + 3$

$6 = 1 + 1 + 4$

$6 = 1 + 4 + 1$

$6 = 1 + 5$

$6 = 2 + 1 + 1 + 1 + 1$

$6 = 2 + 1 + 2 + 1$

$6 = 2 + 1 + 1 + 2$

$6 = 2 + 2 + 1 + 1$

6 = 2 + 1 + 3

6 = 2 + 3 + 1

6 = 2 + 4

6 = 3 + 3

6 = 4 + 1 + 1

6 = 4 + 2

6 = 5 + 1

(…)

9 = 1 + 2 + 3 + 2 + 1

16 = 1 + 2 + 3 + 4 + 3 + 2 + 1

25 = 1 + 2 + 3 + 4 + 5 + 4 + 3 + 2 + 1

주어진 전체 구조로 더하기를 소개하고 다시 전체를 만들기 위해 부분의 통합을 다룬 뒤에, 교사는 자연물(돌이나 솔방울)과 같은 다양한 재료로 두 가지 계산을 연습한다. 짧은 수학 이야기는 아이들에게 이런 절차를 단순한 문제 해결에 적용할 수 있는 기회를 줄 수 있다.

또한 수학에서 연결하기는 중요하다. 연결하기는 어떤 숫자를 구성하는 부분들을 아는 것과 관계가 있다.

예를 들어, 6의 연결하기는 다음과 같다.

6= 5+1	1= 6-5
4+2	2= 6-4
3+3	3= 6-3

2+4	4= 6−2
1+5	5=6−1

6 = 3 + ?

6 = 1 + ?

6 = ? + 4

6 = ? + 5

3 + ? = 6

1 + ? = 6

4 + 2 = ?

5 + 1 = ?

4 = 6 − ?

2 = 6 − ?

6 − 3 = ?

6 − 5 = ?

7 = 6 + 1	6 = 7 − 1
7 = 5 + 2	5 = 7 − 2
7 = 4 + 3	4 = 7 − 3
7 = 3 + 4	3 = 7 − 4
7 = 2 + 5	2 = 7 − 5
7 = 1 + 6	1 = 7 − 6

$8 = 7 + 1$	$7 = 8 - 1$
$8 = 6 + 2$	$6 = 8 - 2$
$8 = 5 + 3$	$5 = 8 - 3$
$8 = 4 + 4$	$4 = 8 - 4$
$8 = 3 + 5$	$3 = 8 - 5$
$8 = 2 + 6$	$2 = 8 - 6$
$8 = 1 + 7$	$1 = 8 - 7$

$9 = 8 + 1$	$8 = 9 - 1$
$9 = 7 + 2$	$7 = 9 - 2$
$9 = 6 + 3$	$6 = 9 - 3$
$9 = 5 + 4$	$5 = 9 - 4$
$9 = 4 + 5$	$4 = 9 - 5$
$9 = 3 + 6$	$3 = 9 - 6$
$9 = 2 + 7$	$2 = 9 - 7$
$9 = 1 + 8$	$1 = 9 - 8$

$10 = 9 + 1$	$9 = 10 - 1$
$10 = 8 + 2$	$8 = 10 - 2$
$10 = 7 + 3$	$7 = 10 - 3$
$10 = 6 + 4$	$6 = 10 - 4$
$10 = 5 + 5$	$5 = 10 - 5$
$10 = 4 + 6$	$4 = 10 - 6$

10 = 3 + 7	3 = 10 - 7
10 = 2 + 8	2 = 10 - 8
10 = 1 + 9	1 = 10 - 9

이것은 아이들이 배우는 데 있어 중요한 기술이고 더하기와 빼기 능력에 속도를 높일 수 있다. 위와 같은 방법 가운데 하나가 손가락을 써서 연결하기를 공부하는 것이다. 초등학교 1학년 교실에서 흔히 볼 수 있는 장면이다. 아직까지 사고가 분화되지 않았기 때문에 수를 계산하고자 할 때 자신의 몸을 먼저 이용하는 것이 이 시기 아이들의 특성이기도 하다. 그러다가 아이들은 차츰 손가락 없이 계산할 수 있는 방법을 알아 가게 된다. 그렇지만 모든 아이들이 수월하게 이 과정을 거치는 것이 아니다. 어떤 아이들의 경우는 다른 아이들보다 더 오래 손가락 계산기를 쓴다. 아직까지 이 아이들은 구체적인 것에서 추상적인 것으로 바꾸는 데 더 느리기 때문이다.

그렇기 때문에 교사는 3월 첫날 자기 학급에 들어온 아이들이 모두 숫자를 다 안다고 가정하고 가르쳐서는 안 된다. 물론 교사들 역시 그렇게 하기 쉽지만 문제는 지금의 교과서에는 이러한 배려가 없다는 것이다. 천천히 배워 나가도록 해주어야 하는데 그럴 여유를 주지 못하게 하는 것이 현행 교육과정이다. 달팽이가 아주 느리게 가지만 결국 목적지에 가는 것처럼 아이들 스스로가 배워 나갈 수 있도록 기다려 주는 교육이 필요하다.

그리고 그렇게 하기에는 현행 교육과정과 교과서 내용이 지나치게 많다. 많은 내용을 다 가르칠 필요는 없고 교사가 재구성하라고 하지만 현실은 어디 그런가? 담임교사가 교과서 내용을 다 가르치지 않으면 학부모들을 교장실이나 교육청에 담임교사에게 문제가 있다고 항의를 하질 않는가.

이러한 불편함을 교육부가 나서서 해결해야 한다. 결국 초등학교 1학년 과정에 꼭 필요한 내용을 중심으로 한 교육과정을 만들어서 가르치고 배우게 해야 한다.

숫자를 연결하는 방법으로 1학년 아이들은 10까지 배운다. 이 방법대로 수업을 진행하다 보면 결국 지금의 교과서를 내려놓거나 내용을 재구성할 수밖에 없다. 그렇지만 1학년 과정을 마칠 때 아이들은 교과서 내용에서 배운 것보다 더 확실하고 폭넓게 수학을 공부했고, 이는 머리보다는 온몸으로 받아들이는 수업으로 배웠기 때문이다.

숫자 7의 경우에, 교사가 손가락 4개를 보여주고 나머지 손가락에 대해서는 아이들에게 묻는데, 그러면 아이들은 자신의 손가락을 이용해서 나머지 것을 표현한다. 교사가 "자, 이게 몇 개일까요?" 하고 묻고 나서 두 번째 질문을 해본다. "얼마나 많은 손가락이 펼쳐지지 않고 있을까?" 이 차이에 대한 이야기는 수업의 주요한 주제가 될 수 있고, 자연스레 뺄셈 공부로 이어져 나갈 수 있다.

리듬이 살아 있는 수학 공부

기초가 되는 수 개념뿐 아니라 숫자에 대한 중요한 경험은 이동과 균형 감각의 내적 확실성을 키우는 데 많은 도움이 된다. 그러므로 우리는 숫자를 다양한 종류의 이동과 결합하도록 노력할 필요가 있다.

늘 활동(운동)의 양극을 머릿속에 기억해 두면서 이야기를 풀어 나가야 한다. 그래서 물리적으로 숫자를 움직였고 내적으로 이동을 인식하게 해야 한다. 수업은 물리적이고 의지와 관계된 활동, 예를 들면 발 구르기, 손뼉 치기, 깡충깡충 뛰기, 말하기 등과 같은 것으로 시작하면 좋다. 그러고 나서 더 작고 덜 분명한 움직임으로서 더 상상력 있는 활동으로 전환이 이루어지도록 해야 한다. 게다가 상상력과 관련되면서 더 의지와 관련된 활동이 함께 해야 한다. 이 두 개를 연결 짓는 요소가 리듬이며, 수학에서는 리듬이 매우 중요하다.

리듬(율동)이 있는 수업은 조용하고 집중된 분위기로 이어지도록 한다. 이렇게 해서 안으로 아주 평화로운 분위기가 만들어지고 이는 성공적인 수업을 위해 꼭 필요하다.

숫자와 관련된 동화 들려주기

여기서 소개하는 이야기들은 스토리텔링 시간에 들려줄 이야기들이다. 아무 이야기나 선정해서 들려주기보다는 옛이야기가 지닌 내용을 중심으로 숫자와 맞는 내용을 찾아 들려주는 것이 아이들의 내면화 작업에 좋다.

아래 소개하는 동화는 그림형제 동화들로, 1학년 아이들에게 꼭 들려주어야 할 내용에서 뽑았다. 물론 우리나라 전래 동화 가운데 이와 비슷한 내용이 있는 옛이야기가 있다면 그것으로 대신할 수 있다. 여기서는 단지 길라잡이로 방향을 제시하는 것뿐이니 얼마든지 내용을 재구성하거나 주변 환경에 맞게 좋은 내용들을 찾아서 들려주면 좋다.

〈전 세계는 하나〉: 각자가 나름대로 재구성해서 들려준다. 꼭 정해진 것이 아니라 교사가 나름대로 지역, 환경에 맞게 재구성하여 가르치면 된다. 예를 들어, 기독교 문화에서는 유일신이지만, 불교 문화권에서는 다르게 한다.

〈의좋은 두 형제〉: 한국 전래 동화

〈세 행운아〉: 그림형제 동화

〈재주꾼 네 형제들〉: 그림형제 동화

〈은화가 된 별〉: 그림형제 동화

〈여섯 사내가 세상을 헤쳐 나간 이야기〉: 그림형제 동화

〈일곱 마리 까마귀〉: 그림형제 동화

〈숫자 8 이야기〉: 각자가 나름대로 재구성해서 들려준다.

〈난쟁이들〉(〈9개의 머리가 달린 용〉): 그림형제 동화

〈10개의 손가락〉: 각자가 나름대로 재구성해서 들려준다.

〈12공주와 12왕자〉(〈다 떨어진 신발〉)

일반적으로 이야기 말하기를 이용할 때, 너무 많은 이야기를 말하는 데 관심을 두지 말고 같은 이야기를 며칠 동안 되풀이하거나 또는 3, 4일 동안 한 번 이상은 이야기를 들려주어야 한다. 문제는 지금의 교사용 지도서에 이러한 자료들이 수록되어 있지 않기 때문에 이에 대한 수고를 해야 한다.

온몸으로 배우는 수학

리듬 있는 수학 활동, 즉 온몸을 이용해서 할 수 있는 놀이는 주로 손가락을

이용한 것이다. 숫자에 맞추어서 손뼉 치기나 발 구르기, 손뼉과 발을 이용해서 숫자 세기 등을 할 수 있다. 또는 전체가 둘러앉아서(원 모양) 콩 주머니를 이용해서 옆 사람으로 한 칸씩 박자에 맞추어서 옮겨가는 놀이를 할 수도 있다. 레크레이션 자료집이나 놀이연구회 자료집을 보면 손과 발을 이용해서 할 수 있는 여러 가지 놀이들이 얼마든지 있다. 교실 환경에 맞게 내용을 재구성해서 수업 시간에 이용하면 된다. 아래는 그 중 몇 가지를 소개한다.

나는 네가 보는 두 발과 두 손이 있고,
두 귀가 있고, 코 하나가 있어.
그리고 이것이 나야.
내 손에는 10개의 손가락이 있고,
내 발은 10개의 발가락이 있어.
나는 손가락으로 글을 쓰고
발가락으로 춤을 춘다.
(…)

하나(1)
나는 예의 바르고, 단정하고 깔끔하다.
내 걸음걸이는 곧고 나의 옷은 단정하다.
그래서 나는 내 걸음을 세고
너는 모든 발걸음이 나에게 똑같다는 것을 알게 된다.
1, 2, 3, 4, 5, 6, 7, 8, 9, 10, 11, 12

둘(2)

그러나 내 발걸음은 똑같지 않다.

왜냐하면 나는 내 지팡이에 기대야만 하기 때문이다.

비록 내가 굽어 있고 약하고 늙었지만

나는 여전히 용감하게 숫자를 셀 수 있다.

1, 2, 3, 4, 5, 6, ……

셋(3)

나는 밝고 명랑한 소년이다.

그리고 나는 오히려 놀기를 좋아한다.

내가 숫자를 일컫는 동안

나는 공을 갖고 뛸 수 있다.

1, 2, 3, 4, 5, 6, ……

넷(4)

내 발걸음은 강하다.

나는 잘못된 곳으로 가지 않을 것이다.

내 모든 의지로

나는 옳은 것을 보호하고

항상 얼마나 멀리 가야할지 안다.

1, 2, 3, 4, 5, 6, ……

다섯(5)

나는 생쥐처럼

발가락 끝으로 두려움에 떨며 간다.

왼쪽을 보며 오른쪽을 보며

위험이 눈앞에 펼쳐지지는 않는지

주위를 살피며 앞으로 나아간다.

무사히 나는 도착한다.

나는 숫자 5이다.

1, 2, 3, 4, 5, 6, ……

여섯(6)

나는 많은 기교를 부릴 수 있다

나는 숫자 3이라는 친구가 있다.

그는 내 도우미다

그는 내게 놀이를 가르쳐주었다.

그러나 나는 나만의 방식을 가지고 있다.

1, 2, 3, 4, 5, 6, ……

열(10)

나는 단지 옆에서 빙빙 도는 거인이다.

숫자를 높게 만들기 위해 나는 빨리 날아다닌다.

10, 20, 30, 40, 50, 60, 70, 80, 90, 100

셈하기와 기질의 관계

셈하기는 아주 다양한 방법으로 진행되어야 한다. 아이들을 지루하게 만들면 안 된다. 심지어 세는 방법을 아는 아이들(유치원이나 어린이집에서 선행 학습을 한 아이들)도 다양한 방법으로 제시만 해주면 셈하기를 즐긴다. 아이들의 활동적이고 살아 있는 부분, 즉 의지를 포함한다면 셈하기 학습은 쉬워진다. 리듬 활동 동작으로 아이는 마치 놀고 있었던 것처럼 행동하며 셈하기를 배운다.

이 시기 아이들은 되풀이해서 셈하는 리듬이 있는 반복을 좋아한다. 그래서 스토리텔링으로 옛이야기를 고를 때도 이야기가 되풀이되는 것을 들려주는 것이 좋다. 아이들이 평상시에 쉽게 경험할 수 있는 내용으로 진행하는 것이 좋다. 물론 약간 응용을 하면 좋은데 전혀 모르는 것이라면 또한 발달단계에 맞지 않는 것이라면 아이들은 거리감을 두고 쉽게 접근하지 않는다. 손뼉 치기 활동의 경우 아이들이 쉽게 접할 수 있는 것이므로 진행해도 좋다. 이러한 활동을 통해 아이들은 안도감과 행복을 충분히 느끼게 된다.

다음과 같이 네 가지 기질(기질 이야기는 제2부에서 자세히 소개함)에 따라 셈을 하는 분위기에 변화를 주면 아이들이 흥미를 잃지 않고, 따라서 같은 활동을 되풀이해서 가르칠 수 있다.

가볍고 빠르게 셈하기(다혈질)
강하고 단호한 방법으로 셈하기(담즙질)
느리고, 꿈꾸듯 행복한 방법으로 셈하기(점액질)

슬픈 방법으로 셈하기(우울질)

셈하기를 다음과 같이 그림으로도 표현할 수도 있다.

지금 우리는 크고 느린 발걸음을 내딛는 도깨비(담즙질)

지금 우리는 풍덩 소리를 내며 뛰는 개구리(다혈질)

지금 우리는 한 팔 한 팔 휘저으면서 강처럼 흐른다(점액질).

따라서 더하기는 천천히 셈하기 좋아하고, 셈하기와 이야기에서 기쁨을 얻는 점액질 요소를 지녔고, 빼기는 아픔을 알고 늘 어려움을 직면하는 사람들을 좋아하며 다른 사람을 행복하게 만들고 물건을 나눠주길 좋아하는 우울질 요소를 지녔다. 곱하기는 빠르게 가볍게 셈하며 큰 숫자를 즐기는 다혈질 요소를 지녔으며, 나누기는 통제를 잘하며 상황에 따른 질서를 세우고 똑같이 물건을 나누고 많은 에너지(모험)를 요구하는 과제를 다루기 좋아하는 담즙질 요소를 지니고 있다.

이것을 스토리텔링 시간에 적용한다면, 점액질 아이들을 위해서는 〈요술항아리〉, 담즙질 아이들을 위해서는 〈어부와 어부 아내〉, 우울질 아이들을 위해서는 〈은화가 된 별〉, 다혈질 아이들을 위해서는 〈빨간 모자〉를 들려주는 것이 좋다.

물론 이러한 내용은 기질에 꼭 맞는 정형화된 이야기들이 아니고 각 기질이 지닌 성향에 가까운 것일 뿐이다. 가장 좋은 것은 담임선생님이 자기 반 아이들의 기질을 먼저 파악하고 수업 내용에 따라 알맞은 옛이야기를 찾아 들려주는 것이다. 예를 들어 사칙 연산은 실제로 같은 종류의 활동을 하는 네 형제(그림형제 동화)와 비슷하다. 따라서 예를 들어, 네 형제 중 한 사람을 냉정한 사람, 다른 한 사람을 낙천적인 사람, 또 다른 한 사람을 우울한 사람, 그리고 네 번째 사람을 화를 잘 내는 것으로 이야기할 수 있다. 만약 이렇게 이야기한다면 그것은 가장 기초적인 사람의 본질에 대해 이야기하는 것이 된다.

아이들은 본능적으로 이것을 느끼고 더 깊이 있는 무언가를 보탠다. 또한 각 이야기는 의미 있어야 한다. 각 이야기는 본질적인 방법으로 삶에 진실이어야 한다. 그래서 만약 새로운 개념을 변형시킨다면, 아이들은 의미 있고 사람의 중요성이 포함된 상상적인 생각이나 이야기로 배우도록 가르쳐야 한다. 이때 담임교사는 아이들이 삶에 있어 필요한 기본적 개념들을 배움과 동시에 아이들 자신의 정신적 본질에 접근하도록 도와야 한다. 그만큼 기질론은 교사나 부모에게 아주 중요하다.

수와 형태그리기

수 공부를 좀 더 내면화할 수 있는 작업으로는 스토리텔링도 있지만 그 사전 단계에서 형태그리기를 하면 좋다. 예를 들면 다음과 같다.

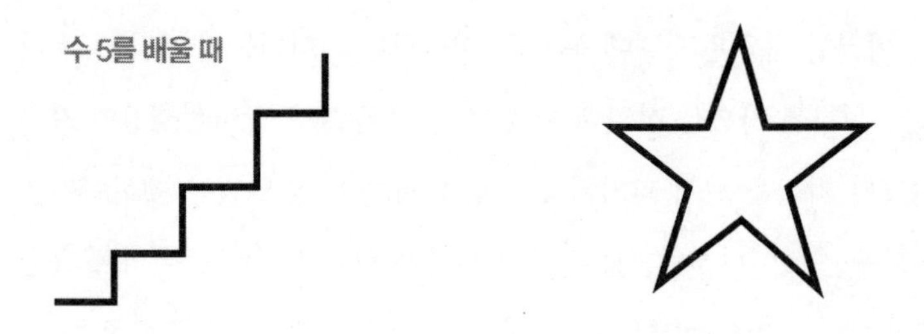

수 6을 배울 때

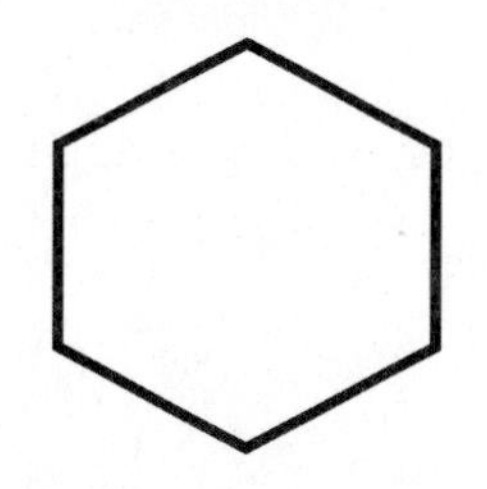

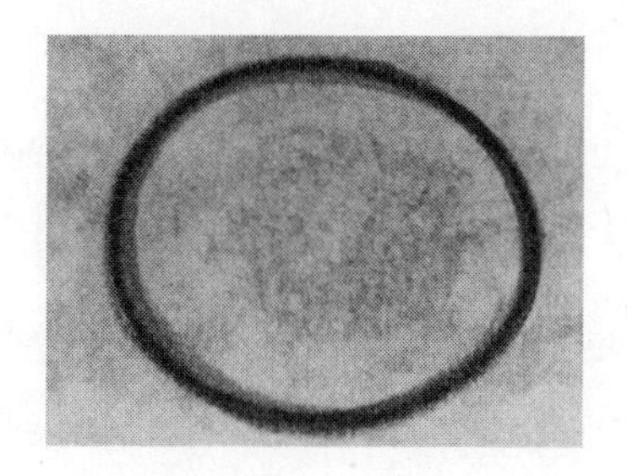

수 9를 배울 때

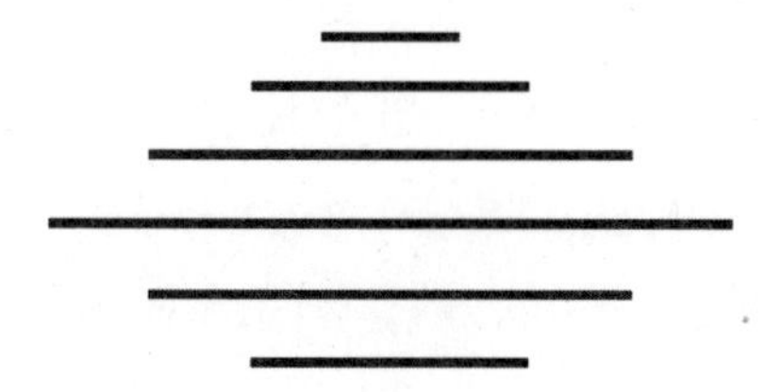

이런 형태들을 그리는 방법은 세로 선을 그릴 때 크레용을 떼지 않도록 하고 세 번 정도 왔다 갔다 하면서 그리도록 한다. 사각크레용을 써서 색을 칠할 때는 한 방향으로 사랑하듯이 천천히 칠하도록 한다. 그림을 종이의 중앙에 위치하게 그리도록 한다. 누운 선(잠을 자고 있는 선)에서 서서히 일어서는 선을 그리도록 하고 다시 눕는 선을 그린다. 누운 선 → 일어서는 선 → 다시 눕는 선으로 그리고 사각크레용으로 한 방향으로만 바탕색을 칠하도록 한다.

실생활과 관련된 수학 공부

공현진초등학교에서는 지난 2012년 국내에서 처음으로 집짓기 프로젝트로 유치원생을 포함해서 전교생이 참여해서 나무 집을 멋지게 지었다. 이 프로젝트에서 아이들은 수학도 깊이 있게 공부했다.

선생님은 아이들과 숲속 놀이터에서 수학 관련 '각도' 수업을 하면서 이렇게 질문할 수 있다.

"자, 보시다시피 이 나무 집이 수직이 되지 않아요. 기둥이 약간 기울어져 있는데, 이것이 수직이 되려면 어떻게 해야 될까요?"

또는 6학년 '입체도형의 겉넓이와 부피'를 구하는 수업에서는 아이들과 함께 운동장에 나가, 아이들이 많으면 모둠으로 나누어서 가로 1m, 세로 1m, 깊이 30cm씩 파게 하고 판 흙을 미리 준비한 비닐에 담아서 나중에 무게를 재어보거나, 파놓은 것에 물이 스며들지 않게 하고 물을 부으면 얼마만큼 물을 넣어야 하는지, 물의 무게를 재는 등의 수업을 직접 몸으로 익히면서 배울 수도 있다.

이러한 체험 활동은 아이들이 교과서로 학습을 하는 경우보다 삶의 과정에서 필요한 문제 해결력을 키우는 데 더 큰 효과를 거둘 수 있다. 이 과정 속에서 아이들은 협력과 배려를 배우고, 상상력과 창의성을 살찌우게 된다.

시험 문제도 이와 관련한 문제를 출제해서 평가하도록 한다. 실생활과 밀접한 내용을 배우고 익히는 것이 곧 아이들이 제대로 배워야 할 내용이다. 교실에서 머리로만 배우는 수업이 아니기 때문에 가능하다. 공현진초등학교에서는 벽돌 집짓기 수업(34쪽)을 하면서 수평 잡기와 수평, 각, 비율,

직각, 넓이, 부피 따위의 내용들을 실제 작업을 하면서 그렇게 몸으로 배우게 한 바 있다.

2학년 수학 수업

1학년 수업이 여러 계산 방법의 기초적인 도입에 중점을 두었다면, 2학년이나 3학년에서는 앞에서 시작된 내용을 더욱 심화하며 숫자 영역을 단계적으로 넓히고 정확한 계산력을 연습한 후 곱셈 공식을 익혀서 수학 법칙을 알아보도록 해야 한다. 하지만 문제 풀이식 개념 중심으로 수학을 접근하고 있어서 학년이 올라가면서 갈수록 배움에 어려움을 느끼는 아이들이 늘어나고 있는 것이 현행 교육과정의 문제다.

사실 2학년 과정은 계산 능력을 발전시키는 데 중요한 의미를 띠고 있다. 아직은 학생들이 직접 계산을 하며 연습할 시간이 많지만 학년이 올라가면 올라갈수록 다른 공식들이 추가되어 지금까지 주어진 시간을 분할할 것이다. 그렇기 때문에 교사는 합리적인 수업을 진행하여 아이들에게 많은 연습 시간을 줄 필요가 있다.

또한 교사들은 아이들이 집이나 학교에서 풀어 제출한 수학 문제들을 관심을 갖고 바라보고 틀린 문제들을 체크하고 가끔씩 깔끔하지 못한 글씨나 정돈을 지적해야 한다. 이렇게 하여 어느 학생이 문제를 이해하거나 이해하지 못했는지 알아낼 수 있으며 어느 문제를 풀면서 어려움을 겪는지, 혹은 도움이 필요한지 알아내야 한다.

수학 공부가 제대로 되기 위해서는 양적인 숫자 개념들을 자유롭게 다룰 수 있도록 내면에서는 계산할 수 있는 힘이 준비되어 있어야 한다. 이 공간 안에서 아이들은 처음의 다양한 숫자 세기 리듬을 익히고, 리듬에 맞추어 움직이는 것을 배운다. '1과 1'을 리듬과 동작에 맞추어서 암기한 것이 이 과정이 실행되는 데 많은 도움을 준다.

본격적인 계산 수업을 시작할 때 가능한 구체적이며 이해하기 쉽게 나아가는 것과, '전체에서 부분으로'라는 주요 동기를 고려하는 것이 중요하다. 즉 분석적 사고와 통합적 사고의 올바른 관계를 형성해야 한다는 것이 중요하다.

구구단을 공부하기 전에

손바닥을 마주 치면 소리도 나지만, 아이들의 집중력과 사고력도 높아진다. 혼자 해도 좋고, 학급 아이 모두 함께 해도 좋은 박수 구구단은 수에 대한 리듬감과 자신감을 높여 주며 구구단을 완전하게 습득하지 못한 아이들도 크게 부담감을 느끼지 않으면서 함께 외울 수 있는 장점이 있다.

또 박수 구구단이 익숙해지면 서로 팀을 나눠서 박수로 문제를 내는 팀과 답을 말하는 팀으로 나눠 구구단을 진행할 수 있다. 매번 같은 방법으로만 하면 지루하기 때문에 팀별로 번갈아 하면 훨씬 생기 있게 할 수 있다.

박수 구구단을 공부하기 전에 먼저 기본적인 손뼉 치기 방법을 익숙하게 익혀야 한다.

기본적인 손뼉 치기 방법(손뼉을 이용한 수)

1 = ♩, 2 = ♩ ♩, 3 = ♪ ♪ ♩

4 = ♪ ♪ ♩ ♩, 5 = ♪ ♪ ♩ ♩ ♩, 6 = ♪ ♪ ♩ ♪ ♪ ♩

7 = ♪ ♪ ♩ ♪ ♪ ♩ ♩, 8 = ♪ ♪ ♩ ♪ ♪ ♩ ♩ ♩, 9 = ♪ ♪ ♩ ♪ ♪ ♩ ♪ ♪ ♩

6단 박수 구구

6 × 1 = 6 ♪ ♪ ♪ ♪ ♪ ♪ 곱하(♪ ♪), 기(♩) ♩

／(왼손) ＼(오른손) 교차하여 곱하기 모양을 만듦

발도르프학교에서는 곱셈 구구를 이용하여 다양한 도형의 형태를 알아보고 이를 통하여 수학의 규칙성과 아름다움을 찾는 수업을 저학년 때부터 꾸준하게 하고 있으며 이런 활동은 6학년 때 시작되는 기하학 수업의 부분이 된다.

아이들은 수학이 문제만 푸는 계산 위주의 과목이 아닌 수를 통한 규칙성과 아름다움이 있는 즐거운 과목임을 깨닫는 새로운 계기를 만든다. 원 위에 10개의 점을 찍어 0부터 9까지 숫자를 쓰고 각 구구단의 많아지는 숫자만큼 점을 뛰어 숫자를 연결하면 구구단마다 다른 규칙적인 도형이 만들어진다(안수영, 2011).

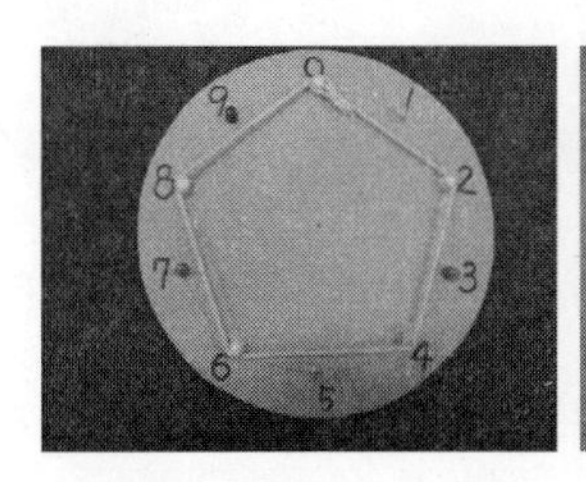

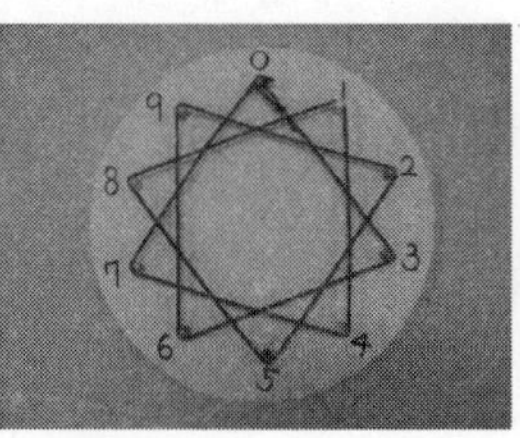

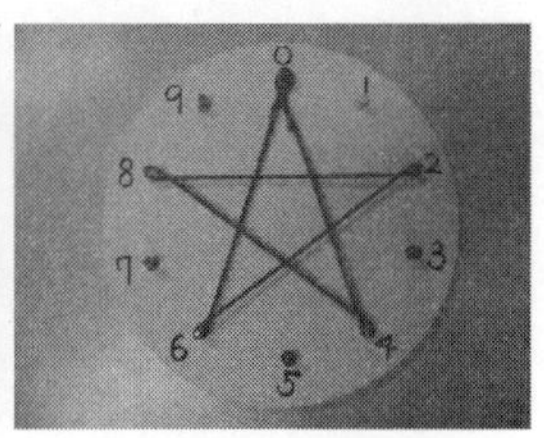

원형 구구단. 왼쪽부터 2단과 8단, 3단과 7단, 4단과 6단

3, 4학년 수학 수업

9살이 되면 아이들은 결정적인 변화를 겪게 된다. 주변 환경과의 온전한 관계성에 변화가 일어나는데, 즉 거리감이 생기게 되는 것이다. 주변 환경과 영혼 세계 간의 조화는 글자 그대로 '깨진다'.

3, 4학년 계산 수업에서는 분수에 대한 개념을 가르치게 되는데, 이는 아이들의 영혼 체험의 변화를 따라가는 것이다. 아이는 이 수업 내용 중에 자신이 내면적으로 체험했던 것을 발견하게 된다. 이어 실용적인 소수의 계산법을 배우게 된다. 나눌 수 있는 한계를 뛰어넘은 학생들은 5학년에 소수 계산의 실용성을 발견하게 된다.

예를 들어 3학년 아이들은 길이, 무게, 양, 화폐 단위, 부피들을 배우는데 처음에는 짐작해 보고 나중에는 모두 실제로 해본다. 병 안에 몇 리터의 물이 들어갈까 짐작해 보면서 직접 재보고 목욕탕 물도 직접 재본다.

좋은 수업은 교사 자신의 끊임없는 노력에 의해서 교사 자신에게 맞는 방법들을 만들어 가는 것이기 때문에 인터넷에 떠도는 것은 참고는 할 수 있지만 자기 것이 아니다.

아이들은 삶의 목적을 가지고 교실로 온 것이며, 교사에게 온 것이다. 어린 아이들도 원하지 않는 삶이 있다. 어른들은 흔히 어른들만이 자아를 가지고 있다고 생각하며 아이들은 주어지는 것을 배워야만 하는 존재라고 생각한다. 하지만 아이들은 모두들 각자 자아를 가지고 있으며, 교사가 자신들을 도와줄 것이라는 믿음을 가지고 있으며, 교사에게 많은 것을 기대한다. 교사가 아이들을 하나하나 사랑해 주고 주시한다면 아이들은 마치 많은 영양분 속에서 자라나는 식물과 같다. 우리가 세상에 없다고 하더라도 세상은 정신적으로 발달되고 있다. 아이의 발달을 위해 교사의 노력은 중요하지만 주입이 되어서는 안 된다. 교사는 교사로서 자신을 발달시킴으로서만이 아이들을 도와줄 수 있다. 그렇기 때문에 이 모든 것을 기계가 대신해 줄 수 없다. 교사의 뜨거운 열정만이 아이들의 성장을 제대로 도울 수 있고, 좋은 수업을 일구어낼 수 있다.

5, 6학년 수학 수업

5학년에서는 형태그리기 수업에서 기본적인 기하학 수업으로 넘어갈 수 있다. 이제는 양극성인 직선과 곡선을 기하학적으로 사용하여 기초 도형을 그리는 것부터 시작할 수 있다. 학생들이 이 두 가지 기하학적인 도형을 가능한 적극적으로 체험할 수 있도록, 먼저 컴퍼스와 자 없이 손으로 그리는 것이 바람직하다.

4학년 때까지 행동과 연계된 그림 상황들을 통한 개념 형성이 내면화되었다면, 학생들이 약 12살부터는 경험을 통해 성장하는 자신의 논리력을 가지고 습득한 내용을 파악하며 정리할 수 있다. 대수학에서 이러한 단계가 더욱 뚜렷하게 나타난다. 수학 계산에서 계산 과정의 관찰로 넘어가며 계산 과정에 나타나는 일반적인 연관성을 찾아내게 된다.

또한 5학년 과정에서 수학은 아이들에게 확신을 주는 내용이 되어야 한다. 하지만 우리 교육과정은 그러한 확신을 주지 못하고 있다. 아이들은 수학 하면 오히려 골치 아프다며 고개를 설레설레 흔드는 모습을 볼 수 있다. 더구나 수학을 가장 싫어하는 과목으로 꼽는 아이들이 많다.

수학은 특별히 공부 잘하는 아이들 몫이라고 생각하는 경우가 많다. 그렇다면 아이들이 왜 수학을 싫어하는가? 단순히 수학 계산 때문일까? 더구나 틀에 박힌 계산 방식 때문일까? 다른 과목에 비해서 시간을 가장 많이 쏟아 부어도 성과는 그리 높지 않는 경우를 교사라면 누구나 경험했을 것이다. 그렇다면 아이들이 자유롭게 계산할 수 있는 방법은 없을까? 마음 상태나마 자유롭게 해주는 것이 수학에 대한 부담을 덜게 해 주는 것이다.

물론 여기에는 어떻게 접근하고 지도하느냐 하는 방법론이 뒤따라야 하겠지만 무엇보다도 중요한 것은 자신감을 심어주면서 수학에 대한 확신을 갖게 해주는 것이 필요하다. 왼쪽에 소개한 사진 자료는 아이들의 나눗셈 계산 내용이다. 나눗셈을 단순히 제수와 피젯수에 따른 일반 방법에서 좀 더 한 단계 높은 방법을 택해 본다. 나눗셈은 자리를 어떻게 맞추느냐가 중요하다. 자릿수를 제대로 찾을 줄 알면 답은 쉽게 나온다. 그래서 아이들이 계산 자리를 제대로 찾기 위한 훈련이라 할까, 4칸 모눈종이를 이용한 방법을 택했다.

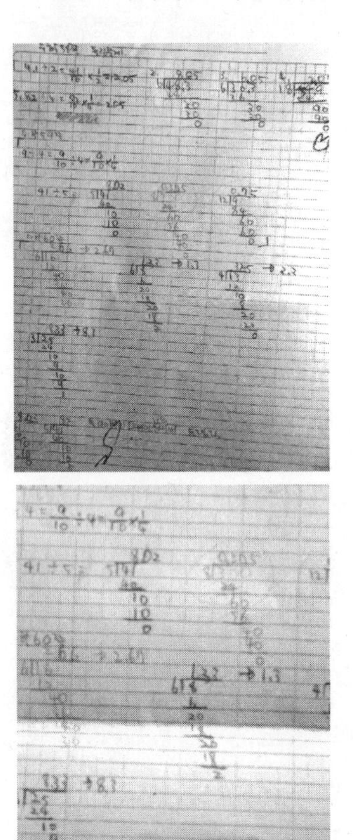

수학 익힘 책에서 계산할 때보다 자릿수 찾는 것이 더 정확하고 답을 이끌어내는 비율도 높다. 이 과정을 되풀이하면서 아이들 대부분이 나눗셈에 대한 계산 방

식에 대해서 자신감 있어 하는 모습을 보이고 있다. 그만큼 아이들은 자아에 대한 느낌이 구체화되면서 점차 확신에 찬 모습들을 보이고 있다는 것이다.

5, 6학년에서 중요한 것은 담임교사가 같은 학년 내에서 차별화된 문제들을 제시해야 한다는 것이다. 하지만 이 문제들은 모두 하나의 수학적 기본 질문으로부터 출발하고, 그 질문으로 다시 귀결되어야 한다. 여기에서 실용적인 계산 문제들을 통해 학생들에게 풍부한 연습 활동 공간을 제공할 수 있으며, 또한 이 수업을 다양한 분야의 사실을 접할 수 있는 인생 수업으로 꾸밀 수 있게 해주는 배려도 필요하다. 왜냐하면 수학에서 계산은 사고력 분야의 의지를 키우는 것이기 때문이다.

왜 우리는 기하학을 배우지 않는가?

기하학이란

기하학 기원은 영어로 '지오메트리'(Geometry)라 부르고, '지오'(geo)는 토지를 '메트리'(metry)는 측량을 뜻한다. 처음은 이집트에서 시작했다. 나일 강이 해마다 넘쳐나 땅을 뒤엎었고, 그 동안 힘들게 경작해 놓았던 질서 정연한 농지

구획 표시를 지워 버렸다. 논밭으로 넘쳐났던 물들이 줄어들면 이집트 사람들은 농지의 경계선을 새로 측량하곤 했다. 해마다 되풀이되는 이런 작업들을 기하학(Geometry)이라고 하였다. 그 뒤로 이 기하학은 그리스로 건너가서 많은 철학자들에게 커다란 영향을 주었으며, 철학자들은 기하학을 새로운 학문으로서 이론과 내용들을 더 튼튼하게 해서 후세에 남겼다. 오늘날까지 전해 오는 우주의 신비를 담은 기하학은 많은 분야에 커다란 영향을 미치고 있다.

기하학 도형들은 우리가 감각으로 깨닫지 못하는, 감춰져 있는, 끊임없이 영원하며, 우주 운동을 드러내 보여주는, 그리고 조용한 명상의 시간을 주는 것이라고 할 수 있다. 이와 같이 겉보기에 흔해 빠진 수학 공부의 지식 공부일지 모르지만 영적인 통찰력을 갈고 닦기 위한 수양의 과정이 될 수 있는 것이다(로버트 물러, 1997).

왜 배워야 하는가?

발도르프학교에서는 1~5학년까지는 사물의 형태를 표현하는 형태그리기(Formen Drawing)를 배운다. 이것은 5학년에서부터 배우는 기하학을 배우기 위한 사전 공부를 할 수 있다. 아동 발달단계에 맞는 교육 내용인 셈이다. 아동의 상태를 생각하지 않고 무턱대고 배우는 것이 아니라, 그 나이에 맞는 가장 좋은 영양분을 받아들여 아이들 스스로 자기 것으로 만들며 잠들어 있는 영혼을 깨우는 것이다.

또한 이 시기(12~13살)는 아동 발달에 있어서 중요한 시기다. 의지와 감정의 시기가 끝나고, 사고 단계로 들어서는 과정이다. 그렇기 때문에 선이나 원을 하나 긋거나 그리더라도 1~5학년까지 아무렇게나 종이 위에 그렸지만 이 시기부터는 다르다. 자기와 주변 세계에서 이제는 바깥 세계로 나가는 시기이기 때문에 좀 더 정확한 표현이 필요하다. 그래서 완전하고 완벽한 모양을 그려야 하는 것이다.

예를 들어 컴퍼스와 연필로 원을 그릴 때 연필심이 뭉툭하다고 치자. 그러면 다음에 어떤 일이 일어날까? 컴퍼스를 이용해 원을 그리면 원 모양이 제대로 그려지지만 선 두께가 일정하지 않다. 그래서 작은 점이나 선, 원을 긋거나 그릴 때도 정확하고 같은 크기로 골라서 그려야 한다. 그래야만 자신을 제대로 표현할 수 있다. 또한 1~5학년까지는 컴퍼스를 쓰지 않고 여러 가지 형태들을 그렸지만 6학년에서는 정확함을 표현하기 위해서는 컴퍼스를 이용한다. 그렇지만 삼각형을 그리고 오각형을 그릴 때나 길이나 지름을 나눌 때 자를 이용하지는 않는다. 이것 역시 생각을 그대로 묶어둘 수 있기 때문에 자 대신에 컴퍼스와 연필만 가지고 기하학 도형을 그려 나가야 한다.

발도르프학교에서 기하학은 5학년 때부터 12학년까지 배운다(나라마다 약간 차이가 있다. 4학년부터 배우는 곳도 있는데 보통 5학년부터 배운다). 우리의 경우는 초등학교 과정이 6학년에서 끝나기 때문에 기하학을 한다고 해도 제대로 과정을 끝까지 마치지 못하고 겉핥기에 지나지 않을 수밖에 없다.

물론 나라마다 환경이 다르고 문화가 다르다고 할 수 있지만 아이들의 삶을 생각한다면 어느 것이 참된 것인가를 생각해 볼 필요가 있다. 초등학교를 마치면 중학교 때부터는 그야말로 입시 경쟁으로 빠져드는 현실에서 어떻게 기하학의 신비로움을 배울 수 있을까? 물론 중학교 1학년에 기하학의 한 부분이 도형에 나오지만 이것 역시 원리나 법칙은 멀리한 채 입시와 관련해서 문제 푸는 데만 매달리고 있으니 아이들의 지혜로운 생각들을 어찌 살찌울 수 있겠는가. 그러다 보니 아이들은 기하학(도형, 다면체, 원주율 따위들)을 그저 수학의 한 분야로 여기고 어렵고 머리 아픈 것이라 생각할지 모른다. 이런 것들을 보면 왜 발도르프학교에서 교과서가 없고 아이들 영혼을 살찌우게 하는 여러 가지 교육 내용들을 실천하고 있는지 이해를 할 수 있다.

어떻게 가르치고 배워야 하는가?

그렇다면 우리는 어떻게 기하학 공부를 해야 하는가? 초등학교 5, 6학년 2년으로 기하학의 모든 것을 맛볼 수 없는 현실이라면 우리에게 맞는 교육 내용을 찾을 수밖에 없다. 다른 나라하고는 학교 입학하는 시기와 나이, 학기가 다르기 때문에 적어도 우리의 경우에는 5, 6학년 과정을 함께 묶어서 해보는 것도 괜찮다. 나이로 보면 12살에서 13살이다. 그래서 이 나이에 맞는 기하학 내용을 우리 현실에 맞게 다시 구성해서 배우는 것이 알맞다. 그렇지만 기하학을 배우기에 앞서서 분명히 해야 할 것이 있다.

1~5학년에서 형태그리기를 배우지 않았다면 5학년에서 배우는 기하학은 아무런 효과나 의미가 없다. 자칫 잘못하다가는 아이들에게 기하학에 대한 어려움과 공포감을 만들어 줄지 모른다. 그럴 바에는 아예 하지 않는 것이 아이들이나 교사에게 좋다. 굳이 한다면 1~5학년에서 배웠던 형태그리기 가운데 기본 내용들을 먼저 시작하는 것이 좋다. 그런 다음 어느 정도 형태그리기나 기초 기하학에 대한 이해가 생기면 그때 가서 기하학을 시작하는 것이 좋다.

5학년에 처음 배우는 아이들과 3~5학년 때부터 조금씩 형태그리기를 해왔던 아이들과는 많이 차이가 있다. 5학년에서 처음 시작하는 아이들은

생각하는 것에서부터, 색칠과 표현력들이 익숙하지 않는 탓인지 제대로 자기 것으로 만들지 못하는 것을 경험했다. 저학년 때부터 꾸준한 기초 과정이 중요하다. 이런 것을 무시하고 단지 흥미만으로 기하학을 시작한다면 결국 교사의 욕심으로 아이들은 또 다른 고통을 받을 수 있기 때문에 많은 고민과 판단이 필요하다.

발도르프학교에서 배우는 기하학은 단순히 도형을 배우는 것이 아니다. 단순한 도형 하나를 배우더라도 그 속에 담긴 뜻을 아이들 스스로 깨닫고 우주의 신비로운 법칙들을 배워 나간다. 하지만 우리 5, 6학년 수학 교과서를 보면 단순히 도형 그리기와 문제를 푸는 것에 초점을 두고 있다. 아무런 깨달음이 없이 단순히 머리만 살찌우는 일에만 가르치려고 하고 있다. 기하학을 하면서 아이들에게 선이 맞지 않는다던지, "색은 왜 이렇게 했니? 이렇게 해야 하는 거야!" 하면서 교사의 생각을 강요해서는 안 된다. 아이가 늦으면 늦는 대로 빠르면 빠른 대로 색칠도 아이들 개성에 맞게 놔두는 것이 바로 그 나이의 아이들이 겪는 사고 과정이다.

기하학 내용들은 도형의 가장 기본이 되는 삼각형에서부터 사각형, 오각형, 육각형, 원, 도형들의 변형 따위들을 공부한다. 그래서 아이들은 기하학의 효과를 맛보기 위해 1~5학년에서부터 꾸준히 기하학에 기본이 되는 형태그리기를 배우는 것이다. 그러면서 아이들은 삼각형과 사각형 또는 별 모양의 다른 점을 알게 된다. 그 어떤 도구 없이 완벽한 모양의 도형들을 손으로 그릴 수 있는 것은 교육상 매우 중요하다. 형태그리기나 기하학을 배울 때 아이들은 연필로도 선을 재서는 안 된다. 아이들 각자의 눈을 통해 균형을 잡고 조화를 이뤄 물체의 길이를 재야 한다. 그래서 아이가 컴퍼스로 원을 그리기 이전에 손과 팔을 이용해 원을 그릴 수 있는 것이다.

더구나 저학년 아이들이 자신들의 발로 원을 그려 보라고 가르치면 아이들은 발가락 사이에 색연필을 끼울지도 모른다. 이렇게 아이들은 이 공부를 통해 더 나은 손재주를 얻을 뿐 아니라 자신들의 꿈과 이상(理想)에 더욱 가까운 경험을 느낄 것이다. 오늘날 아이들에게 아주 필요한 것은 아이들 내면에 예술 교육의 정신을 키워주는 것이다. 이제까지 그려온 기초가 되는 기하학 형태의 관계와 법칙들을 깨달은 5학년 아이들은 형태그리기 끝점에 다른 삼각형을 붙였을 때 아이들은 기하학의 법칙과 관련성을 찾을 수 있다.

정사각형이나 다른 모양으로도 가능하다. 즉 아이들은 손과 발을 이용해 기하학을 배울 수 있는데 여기에는 감춰진 여러 법칙들이 있다. 이 결과 5학년 아이들은 기하학 형태의 여러 모양을 관찰하게 토론하며 서로 모양을 견주게 된다. 아이들에게 만족을 주며, 아이들 스스로 가장 쉬운 방법으로 이것들을 이해하게 되는 것이다.

저학년에서는 여러 가지 각도와 곡선들을 연습시키면서 교사는 자기가 관찰한 것을 아이들에게 이야기하고 그것에 대한 생각을 말해 준다. 5, 6학년에서부터 배우는 기하학은 그야말로 1~5학년에서 배웠던 형태그리기 내용들보다 새로운 방법으로 다가서고 있다. 단순한 크레파스나 색연필을 이용하는 것이 아니라 자와 컴퍼스를 쓴다.

그래서 아이들은 자나 컴퍼스를 쓰는 것이 꼭 중요하거나 편리하다고 생각지 않는다. 1~5학년 과정에서 이미 자나 컴퍼스 없이도 원이나 여러 가지 도형들을 완벽하게 그렸기 때문에 새삼스럽게 도구에 대한 편리함을 느끼지 못하거나 때론 불편함을 느낄지 모른다. 그렇지만 좀 더 정확하고 완벽한 그림을 그리기 위해서는 도구가 필요하기 때문에 이것에 대한 문제점들도 새로운 의지로 극복하고, 아이들 스스로 안으로 자신들이 성장하고 있다는 것을 느낀다.

이렇게 시작한다

기하학은 새롭게 만나는 학문이라 할 수 있는데 도형 하나하나마다 우리가 지금까지 전혀 알지 못했던 사실들이 담겨져 있다. 다음에 각 도형마다 그리는 방법들을 소개하겠지만 여기서 중요한 것은 단순히 수학에서 다루는 공식을 이용해서 각 도형들을 그리는 것이 아니라 그 속에 담겨져 있는 사실들을 들추어내는 것이다.

물론 기하학을 하기 위해서는 먼저 자나 컴퍼스, 연필이 필요하다. 가능하면 컴퍼스 같은 경우는 돈을 조금 더 주더라도 좋은 것을 구입하는 것이 좋다. 너무 싼 것이면 원을 그리는 데 중심이며 원 둘레 같은 것이 제대로 그려지지 않는다. 그러다 보면 그리는 데 여간 신경이 쓰이지 않고 짜증까지 나서 오히려 기하학에 흥미를 잃을 수 있다.

또한 아이들은 자의 눈금을 이용해서 도형을 그리거나 선을 나누려고 한다. 자의 기능은 어디까지는 점과 점을 연결하는 도구이다. 선을 나누고 그리는 것은 컴퍼스나 이런 도구들을 이용하지 않고 감각으로 직접 그리는 경우다. 이런 점에서 아이들이 쉽게 자를 이용하여 선을 나누고 그리는 경우가 많은데 특별히 신경을 써서 지도할 필요가 있다.

단순히 칠판에 각 도형들을 그려 놓고 그려 보라는 것보다는 시간을 정해서 기하학을 지도하는 것이 좋다. 예를 들어 '삼각형'이라면 먼저 "우리 생활에서 삼각형을 이용한 것이 어떤 것이 있을까? 삼각형을 가지고 만들 수 있는 것들은 어떤 것이 있을까? 삼각형을 이용해서 만들 수 있는 도형은 어떤 것이 있을까? 삼각형 속에는 몇 개의 삼각형이 담겨져 있을까? 삼각형의 합을 구하거나 나누려면 어떻게 해야 할까? 옛날 이집트 사람들이나 그리스 사람들은 삼각형을 이용해서 어떤 생활용품이나 건축물을 만들었을까?"(이것은 사회과와 관련해서 지도하는 것이 좋다.) 따위의 문제들로 아이들이 많은 상상을 할 수 있도록 하는 지도 방법이 필요하다. 단순히 수학 개념으로 접근하다 보면 자칫 아이들이 흥미를 잃기 쉽다.

앞서 이야기한 것이지만 형태그리기 단계를 거치지 않는 아이들에게는 더더욱 기하학 공부가 쉽지가 않다. 그렇게 때문에 처음부터 기하학에 접근하기보다는 먼저 형태그리기를 통해 기본 선들을 충분히 익힌 다음에 공부하는 것이 좋다. 무턱대고 교사의 욕심 때문에 접근하다 보면 실패하기가 쉽다.

또한 기하학은 우리 교육과정에서 볼 때 5학년 2학기부터 시작하는 것이 좋다. 아니면 6학년에서 해도 되지만 너무 짧다. 물론 중학교까지 이어진다면 6학년부터 시작해도 무리가 없지만 이것은 불가능(?)한 일이라 교사 나름대로 재구성해서 지도하는 것이 가장 바람직하다. 1년 동안에 모든 것을 다 할 수가 없다. 교사 나름대로 내용은 재구성해서 기본이 되거나 중심이 되는 몇 가지를 뽑아 가르치면 큰 어려움은 없다.

05

과학 학년에 맞게 쉬워야 한다

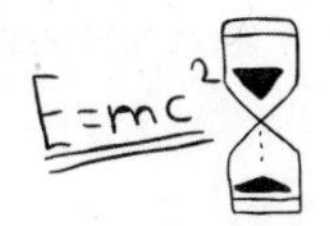

실험은 언제부터 하는 것이 좋은가?

2014년부터 3, 4학년에게 새로 적용될 2009 개정 교육과정을 배우게 된다. 하지만 내용 체계에서 보면 색다른 것이 반영된 것이 아니라, 과거 내용이 그대로 편성되어 있고, 한두 개 정도가 학년 구성을 서로 바꾸는 것으로 편성되어 있다.

구성 내용이 크게 달라지지 않았고, 2007년 교육과정에서 5, 6학년에서 다루었던 '지구와 달'이 3, 4학년군으로 내려왔다.

2009 개정 교육과정 과학과 해설 내용 체계(2014년 학년부터 적용 시행)

	3, 4학년	5, 6학년
물질과 에너지	· 물체의 무게 · 물체와 물질 · 액체와 기체 · 소리의 성질 · 자석의 이용 · 혼합물의 분리 · 거울과 그림자 · 물의 상태 변화	· 온도와 열 · 용해와 용액 · 산과 염기 · 물체의 빠르기 · 전기의 작용 · 여러 가지 기체 · 렌즈의 이용 · 연소와 소화
생명과 지구	· 지구와 달 · 동물의 한 살이 · 동물의 생활 · 지표의 변화 · 식물의 한살이 · 화산과 지진 · 식물의 생활 · 지층과 화석	· 날씨와 우리 생활 · 식물의 구조와 기능 · 태양계와 별 · 우리 몸의 구조와 기능 · 지구와 달의 운동 · 생물과 환경 · 생물과 우리 생활 · 계절의 변화

학년군(학교급)별 성취 기준

- 3-4학년군 : 학생들의 발달단계를 고려한 활동 중심의 과학 수업을 통하여 과학 탐구에 필요한 기초 탐구 능력을 기른다.
- 5-6학년군 : 학생들의 발달단계를 고려한 과학 수업에서 기초 탐구 과정과 함께 통합 탐구 과정이 포함된 활동을 통하여 과학 탐구에 필요한 탐구 능력을 기른다.

학년별 성취 기준에서 아이들의 발달단계를 생각했다고 하나 어떤 근거에 의해서 각 영역별로 편성했는지에 대한 정확한 근거가 부족하다. 자세히 들여다보면 오히려 발달단계를 제대로 생각하지 않은 내용으로 구성되어 있다는 것을 쉽게 알 수 있다.

예를 들어 3학년부터 시작하는 '실험' 내용이 과연 아이들의 발달단계에 맞게 편성된 것일까? '실험'이라는 학문이 이 세상에 나오게 된 배경을 제대로 살피면, 과학과 교육과정이 얼마나 허술하게 편성되었는지를 살필 수 있다. '물체와 물질' 단원도 "이 영역은 물질 개념의 기본으로서 물체와 물질을 다루며, 우리 주위의 여러 사물이 무엇으로 이루어져 있는지에 대한 호기심과 궁금증을 해결하기 위한 기초적인 학습 내용"이라고 되어 있다. 하지만 3학년, 10살 나이의 아이들이 물질 개념을 제대로 이해할지 의문이 든다.

물질에 대한 호기심은 그 자리에서 결과(답)를 보여주는 것이 아니다. 아이들이 어떻게 생각할 수 있도록 상상력을 자극하는 데 초점을 맞추어야 한다.

또한 학습 내용 성취 기준을 "여러 가지 물질의 성질을 비교하여 어떤 성질 때문에 일상생활에 활용되었는지 설명할 수 있다"라고 되어 있지만, 어디까지나 집필에 참여한 어른들(교수, 교사)의 생각이 아닐까?

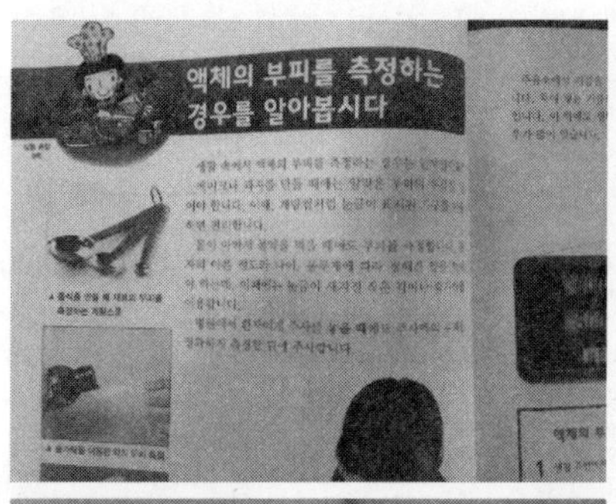

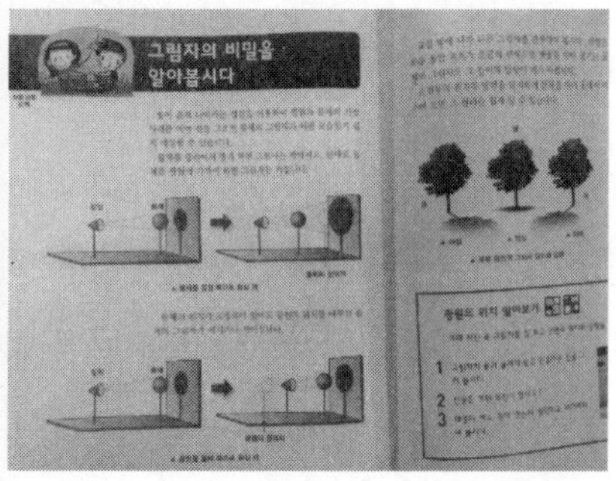

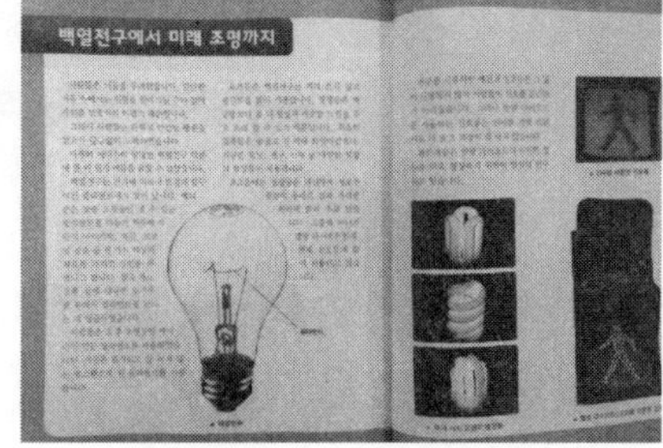

3학년 시기의 아이들은 이것을 제대로 받아들이지 못한다. 설사 이해한다 해도 단지 머리, 즉 지식으로만 받아들일 뿐 완전한 이해를 하지 못하다. 물론 몇몇 아이들은 선행 학습으로 개념을 이해한 아이들도 있지만, 중요한 것은 아이들이 이것을 이해하고자 하는 지적인 준비, 능력이 되지 않았다는 것이다.

인류사를 통해 '실험'이라는 것이 어떻게 세상에 나왔고, 어떻게 우리 생활에 이용되었는지를 알게 된다면 과연 3학년 과정에 알맞은 내용은 아니라는 것을 쉽게 알 수 있다.

'실험'이라는 연구 방법은 16세기에 시작되었다. 르네상스(14~16세기) 후반기에 해당하는 시기다. '실험'을 창시한 사람은 프랜시스 베이컨(Francis Bacon, 1561~1626)[1]이다. 베이컨은 "우리는 자연을 실험 대상의 증인으로 삼아야 한다"고 했다. 이것은 곧 '실험'을 뜻한다. 실험을 하면서 자연적인 것을 강요하기 위해 인위적인 상황을 만들었다. 따라서 실험은 자연 관찰과 정반대라 할 수 있다.

그렇다면 왜 16세기에 들어서서 '실험'이라는 것을 생각해냈을까? 베이컨은 자연과학적 지식의 유용성을 강조한 인물이다. 자연에 대하여 알아낸 지식으로 인간이 자연을 지배하고 통제할 수 있다는 그의 생각은 "아는 것이 힘이다"라는 문구에서 잘 나타나고 있다. 그는 이전의 학문 방법론에 대해 비판하면서 새로운 학문 방법론으로 귀납법을 제시하였다. 그 당시로서는 학문의 새로운 방법이었다. 우리가 요즘 흔히 말하는 '혁신'이라고 할 수 있다.

르네상스 이전에는 이러한 생각보다는 자연에 대한 관찰 그대로였다. 단순히 자연은 사람에게 무엇을 보여주는가에 머무는 단계였다. 그러다 보니 자연을 이용한 발명들이 쉽게 나오지 않았던 것도 그 이유이기도 하다. '생각'을 이끌어내기에는 의식의 발달이 아직 덜 된 것이다.

그러던 것이 르네상스를 맞이하여 이전에 생각하지 못했던 새로운 생각들이(의료, 천문학, 농업, 과학, 철학, 건축 기술 따위들) 쏟아져 나오면서 인류의 삶의 질을 한 단계 끌어올렸다. 우리나라도 세종대왕 때 집현전[2]에서 수많은 발명품들이 쏟아져 나왔는데, 이걸 보면 동서양이 비슷한 과정을 겪어왔다는 것을 알 수 있다.

베이컨 자신이 제안한 귀납적 방법으로 자연에서 직접 진리를 구한다면 인류가 과학의 힘으로 우주를 지배할 날이 멀지 않았다고 했다(베이컨, 2011). 또한 베이컨은 자연에서 직접 진리를 구하는 방법으로 '실험'을 강조했다. 그 시대에는 상당히 혁신적인 이론이었다. 베이컨은 "자연의 비밀은 자기 스스로 진행되도록 놔두었을 때보다 사람이 기술로 조작을 가했을 때 그 정체가 훨씬 더 잘 드러난다"고 생각했다.

그렇기 때문에 인류 발달단계 측면에서 본다면 '실험'에 대한 수업은 3학년 아이들에게 맞지 않다. 물론 가능하다고 이야기하는 사람들이 있겠지만, 그것은 아이들 발달단계를 제대로 알지 못하는 어른들의 생각이다. 어른 자신들이 초등학교 시절에 과연 이러한 교과서 내용들을 제대로 이해했는지를 기억하면 쉽게 알 수 있다. 따라서 '실험'과 관련

발도르프학교에서는 8학년(우리나라 중학교 2학년)부터 화학 관련 내용을 가르치고 배운다.

한 내용은 6학년 때부터 구성해서 배워 나가도록 내용 체계를 다시 편성해야 한다. 이것이 발달단계에 맞는 제대로 된 과학과 교육과정이다.

물론 그 가운데는 이해하는 아이들이 있을지 모르나 그것은 내면 깊숙이 받아들이는 것이 아니다. 단순히 머리로만 이해하고 개념 중심으로 받아들이는 것이다. 이 '실험 관련' 내용들은 중학교 1, 2학년 과정에서부터 가르치고 배워야 한다.

'실험'에 대한 성숙한 준비와 이해, 그 성숙은 세상을 조금씩 제대로 바라보는 시기가 되는 사춘기다. 충만한 감성을 밑거름으로 '사고'의 힘이 열리기 시작할 때 아이들은 제대로 된 과학의 힘을 경험할 수 있다. 자양분을 충분히 받고 자란 과일 나무가 좋은 열매를 만들어내는 것과 같이 때를 기다리게 만드는 교육이 필요하다.

또한 현재 과학 수업에 쓰이고 있는 '실험 관찰'은 아이들의 상상력과 창의력을 가로막고 있다. 정해진 틀 속에서 답을 써넣는 것은 실험 활동에 대한 올바른 방법이 아니다. 아이들은 실험에 대한 행위를 해야 하기 때문에 결과에 대해서 늘 어떻게 될지 초조함과 긴장감으로 둘러싸여 있다. 차라리 실험한 것에 대해 각자가 생각한 것을 쓰게 하는 것이 오히려 부담이 덜하다.

정해져 있는 부족한 시간에 편리를 제공하기 위해 '실험 관찰' 교재를 제공해 놓았다고 하나 어쩌면 과잉 친절이다. 과학 역시 그 자체로 느낄 수 있도록 해야 하는데, 결과를 이미 도출하고 확인하는 것은 창의적인 생각을 가로막는 것이다.

3, 4학년에게는 너무 어려운 화산과 지진, 지층과 화석

2009 개정 교육과정 과학과 학습 내용 성취 기준(3-4학년)

[화산과 지진]

[학습 내용 성취 기준]

(가) 화산 활동으로 여러 가지 물질이 나온다는 것을 안다.

(나) 화성암의 생성 과정을 알고, 화강암과 현무암의 특징을 이해한다.

(다) 화산 활동이 우리 생활에 미치는 영향을 이해한다.

(라) 지진 발생의 원인을 이해하고 지진이 났을 때의 대처 방법을 안다.

[탐구 활동]

(가) 화산 활동 모형 만들기

(나) 화강암과 현무암 관찰하기

(다) 화산과 지진의 피해 사례 조사하기

[지층과 화석]

[학습 내용 성취 기준]

(가) 지층의 형성 과정을 알고 쌓인 순서를 이해한다.

(나) 지층을 관찰하고 여러 지층의 같은 점과 다른 점을 이해한다.

(다) 퇴적암이 만들어지는 과정을 이해하고, 그 특징에 따라 퇴적암을 구분한다.

(라) 화석의 생성 과정을 이해한다.

(마) 화석이 지구의 과거 모습을 알려줄 수 있음을 이해한다.

(바) 화석이 자원으로서 우리 생활에서 활용되는 다양한 예를 들 수 있다.

[탐구 활동]

(가) 지층이 쌓이는 순서 실험하기

(나) 퇴적암 관찰하기

(다) 여러 화석 관찰하기

(라) 화석 모형 만들기

이 내용이 10, 11살 아이들에게 알맞은 내용일까? 한마디로 무리한 편성이다. 이러한 내용을 가지고 수업을 하면 아이들이 제대로 이해했는지에 대한 결과로 학년 교육과정에 편성해 놓았는지 다시 생각해야 한다.

이 내용들이 과연 이 시기 아이들에게 맞게 편성해 놓은 것이라고 한다면, 왜 많은 아이들이 제대로 이해하지 못하고 있고 어려워하고 있는 것인가? 교사의 수업 기술이 부족해서 그런 것이라 둘러댈 수 있겠지만 면밀히 살펴보면 교육 내용이 너무 어렵다.

이것 역시 제대로 이해할 수 있는 나이가 아직 아니라는 점이다. 이러한 내용을 이해하려면 적어도 6학년 이상에서 가능한 내용이다. 아이들은 3학년 사회과에서는 처음에 자기 주변을 중심으로 한 '동네학'을 배운다. 학년이 올라가면서 나선형 방식으로 고장, 더 나아가 지구 전체를 살펴보는 지리학(세계 여러 나라)을 배운다. 과학과 3, 4학년에는 위 내용보다는 이 시기 발달단계에 맞는 자연현상과 동물을 가르치고 배우는 것이 맞다. 땅속을 들여다보는 '지층과 화석, 화산과 지진'은 3, 4학년 아이들에게 가르칠 차례가 아직은 아니다. 이것을 받아들이려는 지적 준비가 되어 있지 않기 때문이다.

6학년에서 지리학을 배우고 그 다음에 바로 땅속을 들여다보는 광물학, 지질학(지층, 화석, 화산, 지진)을 배우는 것이 올바른 차례다. 지층에 대한 이해나 화석 이름들이 어려운데 설사 표본을 보여준다고 해도 아이들은

완전히 이해를 못한다. 단지 머리로만 무엇 무엇이라고 할 뿐이다. 그것이 어떻게 작용했는지에 대한 정확한 이해는 못한다. 결국 아이들 발달단계를 제대로 파악하고 있다면 이런 내용을 3, 4학년에 편성하지 않아야 한다.

6학년 이상이 되면 지구 전체를 둘러보고, 그런 다음 땅속을 들여다보고, 그러고 나서 눈을 돌려 나머지 하늘을 바라보게 되는 데 알맞은 시기다. 6학년 아이들은 자신이 땅을 딛고 서서 하늘을 향해 서 있다고 느끼는 시기다. 즉 세상을 하나씩 제대로 알아가는 나이로 별이 있고, 하늘이 있다는 것을 이해할 줄 아는 나이이다.

따라서 무조건 아무것이나 가르친다고 다 되는 것이 아니다. 무엇을 어떻게 왜 배워야 하는지에 대한 정확한 원칙이 없다. 그만큼 원칙이 없는 교육은 아이들이나 교사에게 공허만을 줄 뿐이다.

하늘을 제대로 바라볼 수 있는 나이

사람들이 최초로 가진 세계관은 바로 신화에서 시작하였다. 신화 속에 나오는 인물들을 보면 별자리와 관련이 있다. 지금도 우리가 밤하늘 별자리를 보면서 신화 속에 나온 이야기와 연관해서 이야기를 하는 것을 보면 금방 이해가 된다.

그러다가 사람들은 프톨레마이오스의 천동설(지구를 중심으로 행성이 공전, 반면 지동설은 태양을 중심으로 행성이 공전)이 나오면서 차츰 신화에서 벗어났다. 내적인 세계관에서 외적인 감각적 인식으로 넘어가게 된 것이다. 하지만 신화와 관련된 세계관(그리스 신화, 중국 신화, 인도 신화, 바빌로니아 신화, 이집트 신화 따위)과 프톨레마이오스의 천동설이 서로 반대되지 않고 평화롭게 공존하며 널리 쓰였다.

2007 개정 교육과정 5학년 과정에 '태양계와 별'이 편성되어 있었고 앞으로 배울 3, 4학년 2009 개정 교육과정에서도 이 내용이 그대로 편성되어 있다. 문제는 발달단계를 고려한 내용 구성인가 하는 점이다. 앞에서 말한 것처럼 14살 이전, 즉 6학년 이전에 아이들에게 코페르니쿠스의 지동설[3]을 믿게 해서는 안 된다. 이는 아직까지 세계관이 제대로 만들어지지 않은 나이로서 이때까지도 세상을 전체로 보고 느끼고 사고가 아직까지 개념적인 사실들을 이해하지 못하고 있다는 점이다. 그러다 보니 신화적인 상상이 이 5학년 시기까지 존재하고 있다는 것이다. 또한 지나온 인류사에서 우리는 프톨레마이오스 천동설에서 코페르니쿠스 지동설로 바뀔 그 당시 얼마나 인류가 고통을 겪었는지를 쉽게 잊고 있다.

우리가 36년간이라는 일본 제국주의의 지배를 받은 것이 지금 시점으로 보면 짧은 시간이라 볼 수도 있지만 1910년 한일한방 이후 1945년 8월 15일까지 36년 간 이 땅에 어떤 일들이 일어났는지를 생각하면 그 시대의 아픔을 이해할 것이다.

코페르니쿠스의 《천구의 회전에 관하여》(1543년, 데이바 소벨, 2012)가 세상에 발표되었을 때, 세상 사람들이 로마 교황청에서 "자, 그럼 지금까지 우리의 생각이 틀렸으니 지금부터 코페르니쿠스가 주장한 천체에 대한 학설을 믿읍시다"라고 하지는 않았다. 이 이론이 대중화되기까지 수많은 사람들이 죽음으로 대신했다. 그 결과로 코페르니쿠스의《천구의 회전에 관하여》는 책이 나온 지 36년이 지난 후에 비로소 공개적으로 알려지게 되었다. 갈릴레오 갈릴레이가 종교재판을 받고 나오면서 한 "그래도 지구는 돈다"라는 말을 생각하면 쉽게 이해할 수 있다.

오랜 시간이 지난 뒤였지만 그 영향은 그 당시 세상 사람들에게 대단히 충격적이었다. 이러한 역사적 고통이 있는데, 이것을 단순히 5학년 과정에서 다루는 것은 어떤 근거에서일까? 단순히 아이들 지적 수준이 높아졌고, 구성하다 보니 5학년 2학기가 적당하다고 생각해 편성했다면 이것은 아이들 발달단계에 대해서 제대로 알지 못하는 것이다.

물론 교육과정 편성 위원들이 많은 논의를 했겠지만, '학생들의 발달단계를 고려'했다면 왜 5, 6학년군에 편성되었는지에(정확히는 5학년 2학기에 편성) 대해 명확한 근거를 제시해야 한다. 학생들의 발달단계를 생각한다면 임의대로 구성할 것이 아니라, 인간 발달에 따른 것을 충분히 파악해서 편성해야 한다.

발달단계에 맞는 과학과 내용 체계

과학 수업이 아이들에게 제대로 다가가기 위해서는 성장 과정을 밑거름으로 한 것을 중심으로 내용 체계를 바로 세워야 한다. 예를 들면, 땅 위는 어떤 모습일까? → 함께 사는 동물 → 함께 사는 식물 → 땅속은 어떻게 생겼을까? → 하늘은 어떻게 생겼고 어떤 별들이 있을까의 순으로 진행되어야 할 것이다.

또한, 학년별로 보자면 아래와 같이 편성할 수 있을 것이다.

3학년 : 자연학(자연 현상을 그대로 관찰함)

4학년 : 동물학

5학년 : 식물학

6학년 : 물리, 화학, 천체학, 동물학(심화), 식물학(심화)

이렇게 하는 것이 아이들 발달단계를 제대로 고려한 것이다. 또한 4학년에서 동물을 배울 때 중요한 것은 단순히 아무 동물이나 배우는 것이 아니다. '사람과 동물'을 중심으로 해서 머리와 관련 있는 동물, 가슴과 동물 있는 동물, 다리와 관련 있는 동물, 눈과 관련 있는 동물, 코와 관련 있는 동물 따위들을 배움으로써 사람이 얼마나 고귀하고 소중한 존재라는 것을 느끼게 해주어야 한다.

사람의 몸을 설명할 때 동물과 견주어서 이에 알맞은 동물을 찾아 이야기해준다. 오징어는 머리 부분을 설명할 때, 부엉이는 '눈', 기린은 '목'이다.

아이들은 좀 더 실제적이고 동물들이 특정한 환경에서 사는 방법을 배우기를 원한다. 그렇기 때문에 동물학 수업을 할 때 담임선생님이나 과학 전담 선생님은 늘 동물의 특성과 사람을 연결시켜야 한다. 동물에 대한 수업을 하고나서 현장 체험 학습으로 4학년 아이들을 동물원에 데려가는 것도 하나의 방법이기도 하다.

4학년 동물에 대해서 배울 때 이 시기 아이들은 세상을 향해 작용하는 팔과 다리를 통해 사람은 자유롭다는 것을 알게 된다. 머리는 느리게 세상으로 옮겨지지만 팔 · 다리는 늘 활동적이고 세상에 작용한다. 그렇다고 지식을 중심으로 한 내용을 배우고 다루는 것이 아니고 사람의 삼중성을 기본으로 하고 그런 다음 이에 관계된 것을 배워야 한다. 따라서 동물학에 대한 깊이 있는 내용들은 이후 고학년에서도 다른 단원과 연계해서 좀 더 깊이 있게 다루고 배우도록 편성되어야 한다. 4학년 과정에서는 '사람과 동물'이라는 주제로 어떻게 동물을 바라보고 사람과 어떤 관련성이 있는지를 가르쳐야 한다.

또한 4학년 아이들에게 사람과 동물 세계의 관계를 가르치는 방법은 다윈의 진화론 추종자들에 의해 보급된 이론들(현재 우리들이 배우고 있는 일반적인 지식)과 뚜렷하게 대조된다. 그러나 세계적인 대안 교육인 발도르프교육에서 과학 교육과 관련한 접근은 과학적 발견이나 연구 이론, 과학적 관찰을 무시하거나 축소시키는 것이 아니라 다른 관점에서 진화를 보는 것이 그 특별함이다.

우리(교사와 어른)의 과제는 미래로부터 우리를 선택해서 이 땅에 온 아이들의 삶을 더 고귀하고 가치 있게 가꾸어 나갈 수 있도록 도와주어야 하는 것이다. 그렇기 때문에 각 교과끼리 관련성과 계통성이 있어야 한다. 가르치고 배우는 것이 단순히 이거 배우고, 저거 배우고 하는 지식 전달 수준에 머물러서는 안 된다. 전체와 통합성을 밑바탕으로 해서 가르치고 배워야 한다. 하지만 현행 교육과정은 개별성에 너무 치우쳐 있다. 1학년 때 국어 시간에 옛이야기 속에 나오는 사람과 동물에 관한 이야기는 2학년 때는 '동물 우화'로 그리고 마침내 3학년 때는 자연학(농장)에 관한 수업으로 이어져야 한다. 그리고 마침내 4학년에서는 '사람과 동물'이라는 주제로 가르쳐야 아이들이 제대로 된 발달단계를 맞는 교육과정을 배우는 것이다.

더구나 4학년에서 동물에 대해서 제대로 배워야 하는 것은 모든 동물은 사람과 대등하다는 것이다. 동물은 사람보다 더 잘하는 기능을 지니는 것들이 많다. 뛰기, 냄새 맡기, 수영 따위들이다. 그러나 사람에게는 모든 것이 조화로운 균형을 이룬다. 아이가 내적 자아와 세상 사이에서 경험하는 분열은 아이가 세상에서 스스로 발견하는 지식과 세상이 아이에게서 발견하는 지식을 통해 치유된다.

만약 우리 사람이 바깥세상의 생명에 우리의 감각을 제대로 기울이면 우리는 내면을 볼 수 있고 정신을 충족시킬 수 있다. 무조건적인 지식(개념) 주입은 결코 아이들 삶에 큰 도움이 되지 않는다. 어른들의 시각과 생각에서 교육과정을 편성하고 교과서를 만드는 것이 아니라, 아이들 처지에서 어떤 발달단계를 거쳐 왔고 거치고 있는가를 제대로 파악해서 이에 맞게 교육과정을 편성하는 것이 가장 좋다.

기본 뼈대가 충실하고 제대로 잘 세워지면 살을 붙여 나가는 일은 쉽다. 하지만 그렇지 못한 경우 얼마가지 못해서 뜯어고친다면 우리 모두에게 시간과 노력과 교육 재정 면에서 큰 손해다. 기본에 튼튼한 교육은 미래 사회에 대비하는 창조적이고 능동적인 사람을 길러낼 수 있는 것이다.

과학과 교육과정 내용 체계를 지금이라도 다시 조정해야 한다. 말 그대로 "학생들의 발달단계를 고려한"이라는 말에 맞게 내용을 조정하면 된다. 3~5학년 단계에서 '실험' 내용을 6학년 이후 과정에서 다루게 하면 아이들은 건강한 생각(사고, 인식)을 할 수 있다.

교사는 실험 기구나 도구를 어떻게 다루는가를 자세히 관찰을 할 수 있다. 이것은 6학년 이후에 아이들이 세상을 보는 힘이 생겨나기 때문에 사물에 대한 관찰을 제대로 할 수 있는 것이다. 그렇기 때문에 '실험'을 제대로 할 수 있는 것이다. 제대로 준비가 되지 않은 아이들이 단순히 개념으로만 받아들이고 이해한다고 생각하는 것은 비교육적인 것이며, 비과학적인 수업 방법이라 할 수 있다.

아이들이 6학년 시기가 되면 모든 감각 기관이 열리기 시작하기 때문에 자연 현상에 대한 결과를 제대로 받아들일 수 있어서 내용 체계에 대한 학년별 재구성이 필요하다.

융합인재교육(STEAM)이란

> 융합인재교육(STEAM)의 도입
>
> -STEAM의 내용이 특별히 드러나도록 내용을 구성
>
> -차시의 주 내용으로 구성, '이런 것도 있어요'나 '과학 이야기'나 교사용 지도서의 '창의, 인성+융합인재' 부분에서 읽을거리로 제시
>
> – 2009 개정 교육과정 초등 3–4학년군 교과용 도서 연수 교재 활용 자료

벽돌 집짓기 프로젝트 수업 모습

융합인재교육(STEAM, Science, Technology, Engineering, Art & Mathematics의 약칭으로 과학, 기술, 공학, 예술, 수학 등 교과 간의 통합적 교육 접근 방식)이 학생들의 흥미와 이해력을 높이고 창의적 문제 해결력을 기를 수 있다고 주장하는데, 과연 그럴까? 이 말을 고안해낸 대학교수들의 생각이 아닐까? 이는 소수의 아이들에게만 해당되지, 결코 대다수 아이들에게 해당되지 않는다.

아이들 발달단계에 대한 정확한 이해 없이 무조건 통합한다고 교육이 잘된다는 환상에 현혹되지 말아야 한다. 오히려 아이들을 더 피곤하게 만들고 병들게 할 뿐이다. 교과 통합은 마구잡이로 하는 것이 아니다. 여기에 빌붙어서 융합인재교육을 해야 한다고 말하는 대학교수나 교사들이 진정 아이들을 위해서일까 아니면 자신들의 승진을 위한 입신양명을 위해서 일까? 아이들 삶과 동떨어진 교육은 결코 오래가지 못한다. 아이들 삶을 생각한다면 무엇이 옳고 그름을 잘 판단해야 한다. 그것이 교육을 제대로 볼 줄 아는 혜안인 것이다.

공현진초등학교에서 혁신적으로 운영하고 있는 목공예 수업의 경우 아주 좋은 융합인재교육이다.

치수와 각도를 생각하면 수학, 쓰임에 대해서 생각하면 실과, 아름다움은 미술, 친환경이면 과학, 어떻게 만들 것인가를 이야기 나누면 국어(토의) 수업이 된다. 여기에 협력 수업도, 진로 직업 교육도 그야말로 미래 사회가

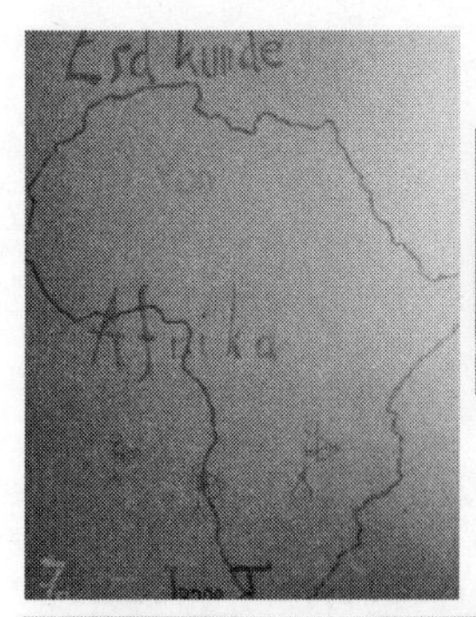

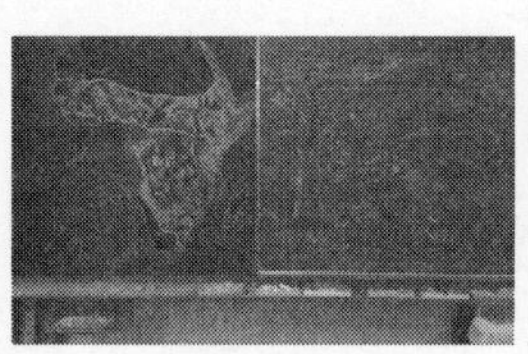

발도르프학교의 주기 집중 수업 장면

요구하는 융합형 인간을 키우는 것이다. 이렇게 융합인재교육이 지닌 본래 취지의 좋은 대안 교육 프로그램이 있는데도, 대부분 학교에서는 오로지 컴퓨터나 스마트폰 따위에서 찾으려고 한다.

앞 쪽의 사진 자료는 2014년 1월 독일 발도르프학교 수업 참관 내용인데, 7학년 지질학이다. 우리 6학년과 비슷한 내용을 다룬다. 하지만 한 주제를 4주 동안 집중해서 다루고 있는 것이 큰 차이다. '아프리카'에 대해서 지리 환경을 배우면서, 식물, 동물, 광물들을 배우고 나서 적도를 중심으로 한 날씨, 기후를 배우고 있다. 이렇게 한 주제를 4주 동안 여러 내용으로 폭넓게 다루는 것이 요즘 우리도 관심을 가지고 있는 융합인재교육이 아닌가 싶다. 발도르프학교는 이미 약 100년 전부터 이런 방법으로 여러 과목들을 해오고 있다.

창의성을 가로막는 '실험 관찰'

실험을 하고 바로 결과를 실험 관찰에다가 옮겨 쓰는 것은 아이들의 관찰의 힘을 키우기보다는 오히려 없애는 수업 방법이다. 실험을 하고 나서 바로 실험 결과로 나타난 법칙을 바로 알게 하는 일은 아이들을 현상으로부터 떼어 버리는 것과 같다. 실험을 하고 나면 여기에는 아이들 각자가 생각하는 시간이 필요하다. 생각하는 시간을 주어야 하는데 지금의 수업 방법에서는 실험 후 바로 '실험 관찰'에 옮겨 쓰게 한다. 그야말로 'INPUT-OUTPUT' 수업을 많이 이용한다. 대부분 교사들이 또 이렇게 해야 수업을 제대로 했고, 아무 일 없이 잘 가르쳤다고 생각하고 있다. 하지만 이러한 수업 방법은 아이들의 관찰력을 키우지 못하고 전적으로 교사 중심의 수업 방법과 생각이다.

아이들의 관찰력을 키우기 위해서는 '실험'이 끝난 뒤가 관건이다. 물론 지금 이야기하는 것은 현행 교육과정에서(3~5학년) 하라는 것이 아니다. 한다고 해도 아이들에게는 도움이 되지 않는다. 이것은 이 시기 아이들 발달단계에 맞지 않기 때문에 어떻게 해도 그 한계를 벗어나지 못한다. 따라서 새로 제대로 된 교육과정을 만들어서 6학년 이상 아이들이 '실험' 관련 내용을 공부했다면 교사는 실험이 끝난 뒤 모든 실험 기구를 치우고 학생들로 하여금 자유롭게 생생한 기억을 하며 관찰한 과정에 대하여 다시 설명을 하게 한다. 왜냐하면 이 시기, 즉 6학년에서는 이러한 활동이 가능하고 아이들 성장 수준도 충분히 이러한 행동을 할 수 있다. 그렇지만 자연법칙을 이끌어내는 일은 기다려야 한다. 그날 배운 것을 그날 해치우는 것이 아닌 아이들도 교사도 생각할 시간을 주고 나서 다음날에 이루어지는 수업 방법을 진행하는 것이 바람직하다.

뉴턴의 만유인력 법칙은 어느 날 정원에 있는 사과나무에서 한순간에 떨어졌을 때 알아낸 것이 아니다. 이 부분에 대해서 오랜 세월 연구하고 생각하고 또 생각을 거듭해 나가는 과정에서 마침내 발견해낸 것이다. 실험 결과를 알아내는 데까지는 시간이 필요하다. 여기에는 집중할 수 있는 잠자는 시간이 있어야 한다는 것이다. 다음날이 되면 아이들은 내면적으로 관찰한 것에 대해서 생각할 준비가 되어 있다. 그렇지만 현행 교육과정에서 3~5학년 아이들에게 이러한 것을 요구하는 것은 무리다. 설사 있다고 치더라도 아이들 각자가 내면적으로 생각을 정리하는 힘이 부족하다. 우리가 토의, 토론 수업을 저학년에서도 자랑스럽게 운영한다고 하는 교사들이 있는데, 그 자리에서 가능한 것처럼 보이지만 실제 아이들 내면까지는 스며들지 못한다. 이러한 수업을 한다고 해도 한두 마디 오고가다가 그치는 경우가 대부분이다. 아무 내용이나 아이들 발달단계를 생각하지 않고 수업에 활용하는 것은 이제 신중하게 다시 생각해야 한다.

과학 교육과정을 새롭게 만든다면

어릴 때부터 어떤 사건이나 경험한 것을 말로 설명(이야기)하거나 글로 정리하는 것이 아주 중요하다. 이런 뜻에서 아주 편리하게 '실험 관찰' 부교재를 만들었는지 모르나 올바른 과학 수업을 하기에는 적합하지 않다. 그렇다고 초등학교에서 논문 형식은 아직 필요하지 않다. 단지 실험한 내용(결과)이나 관찰한 것이나 들은 것을 설명(말로 이야기)하면서 다시 보여주는 것이 필요하다. 그렇기 때문에 실험이 끝난 뒤 모든 실험 기구를 치우고 학생들로 하여금 자유롭게 생생한 기억을 하며 관찰한 과정에 대해서 다시 설명해 보라고 하는 것이다.

이러한 관찰력이 곧 사춘기를 거치면서 비로소 사람 사는 세상에서 올바른 방법으로 사회적인 참여를 해나갈 수 있다.

다음 쪽 표에 현행 과학과 교육과정을 아이들 발달단계에 따라 다시 구성해 보았다. 굵은 글씨는 영역 이름을 새롭게 명시한 것이다.

발달단계에 맞는 과학과 학년별 교육과정

	영역
3학년	· 생물과 우리 생활 · 물과 환경 · 자연학 · 계절의 변화
4학년	· 동물의 한살이 · 동물의 생활 · 사람과 동물
5학년	· 식물의 한살이 · 식물의 생활 · 식물학
6학년	· 지표의 변화 · 지층과 화석 · 광물학 · 지구와 달 · 태양계와 별
중1	· 액체와 기체 · 소리의 성질 · 물리학, 천체학, 기상학 · 자석의 이용 · 거울과 그림자 · 물의 상태 변화 · 온도와 열 · 용해와 용액 · 전기의 작용
중2	· 식물의 구조와 기능 · 연소와 소화 · 생리학, 영양학 · 우리 몸의 구조와 기능 · 물체와 물질 · 혼합물의 분리 · 산과 염기
중3	· 물체의 빠르기 · 여러 가지 기체 · 전기학, 지질학, 생화학 · 렌즈의 이용 · 물체의 무게 · 화산과 지진 · 지구와 달의 운동

좋은 과학 수업이란?

첫째, 생활에 도움을 주어야 한다.

과학의 시작은 자연현상이나 사물에서부터 출발했고 사람들의 생활과도 밀접한 관련이 있다. 그래서 '실험', '발견', '발명'이 생겨났고, 지금 이 순간에도 수많은 사람들이 더 나은 삶의 진화를 위해서 과학과 관련된 일에 몰두하고 있다. 하지만 우리 교과서는 과학에서 요구하는 상상력을 자극하기에는 너무나 한정되어 있다.

방대하고 주먹구구식인데다, 너무 일찍 개념을 쏟아 붓다 보니 상상력과 창의성을 끌어내는 데 한계가 있다. 과학 교과서를 배웠으면 실생활에 관련된 것들을 누구나 해야 하는 것이 과학 교육이 추구하는 목표가 아닐까? 하지만 아이들이 참 삶을 가꾸어 나가는 데는 별 도움이 되지 않는다. 그런데 단순히 평가와 교과서 지식에만 머물고 있으니 배움과 생활이 따로 떨어진 교육은 이제 달라져야 한다. 또한 문제 풀이식 과학 교육도 마찬가지다. 사물 현상을 제대로 이해시키고자 하는 교육 목표를 다시 만들어야 한다.

둘째, 진로 직업 교육이 되어야 한다.

다른 교과도 마찬가지겠지만 과학은 배우는 아이들에게 과학자라는 큰 꿈을 주게 되고 그 꿈을 향해 노력하는 희망을 준다. 또한 과학자가 되면 우리 인류를 어떻게 할 것이라는 꿈을 가지게 해준다. 누구나가 어릴 때 과학자가 꿈이었던 것을 현실로 만들어주는 교육정책과 제도가 제대로 마련되어야 '실사구시'의 진정한 과학이 되고 더 나아가 제대로 된 진로 · 직업 교육에 대한 대안을 제시할 수 있다.

과학 교육을 많이 배우게 한다고 과학 교육을 잘하는 것은 아니다. 물론 그렇지 않다고 생각할 수도 있다. 하지만 과학 교과서를 지금보다도 더 재미있게 만들고, 그 흥미를 주기 위해서는 아이들 발달단계에 맞는 교과서를 만들어야 한다. 그래야만 어릴 때 경험했던 과학에 대한 좋은 기억을 오래도록 기억할 수 있다.

06

도덕 차라리 교과서를 없애라

도덕 교과서의 환상

국어사전에는 교육을 "지식과 기술 따위를 가르치며 인격을 길러 줌"이라고 정의한다. 그런데 교육 자체가 도덕이 아닐까? 세계 여러 나라에 교육과정을 보면 철학을 가르치는 나라는 있어도 '도덕'을 따로 떼어내어서 가르치고 배우게 하는 나라는 우리 이외에 한두 나라 정도뿐이다. 도덕 대신 철학을 배운다고 해도 중고등학교에서 배우도록 교육과정을 편성했다.

다른 나라에서 배우지 않기 때문에 배울 필요가 없다는 것이 아니라, '교육'이라는 말 자체가 가지는 본질을 생각해볼 필요가 있다. 물론 한순간에 '도덕' 교과서를 없애려고 할 때 이와 관련된 분야(교

2013년 OECD 국가 부패인식지수(CPI) 현황[1]

부패높음 ← → 매우깨끗함

0-9 | 10-19 | 20-29 | 30-39 | 40-49 | 50-59 | 60-69 | 70-79 | 80-89 | 90-100

순위	국가	CPI점수	순위	국가	CPI점수	순위	국가	CPI점수
1	덴마크	91	19	우르과이	73	36	타이완	61
1	뉴질랜드	91	19	미국	73	38	브루나이	60
3	핀란드	89	21	아일랜드	72	38	폴란드	60
3	스웨덴	89	22	바하마	71	40	스페인	59
5	노르웨이	86	22	칠레	71	41	카보베르데	58
5	싱가포르	86	22	프랑스	71	41	도미니카공화국	58
7	스위스	85	22	세인트 루시아	71	43	리투아니아	57
8	네덜란드	83	26	오스트리아	69	43	슬로베니아	57
9	오스트레일리아	81	26	아랍에미리트	69	45	몰타	56
9	캐나다	81	28	에스토니아	68	46	한국	55
11	룩셈부르크	80	28	카타르	68	47	헝가리	54
12	독일	78	30	보츠와나	64	47	세이셸	54
12	아이스랜드	78	31	부탄	63	49	코스타리카	53
14	영국	76	31	키프로스	63	49	라트비아	53
15	바베이도스	75	33	포르투갈	62			
15	벨기에	75	33	푸에르토리코	62	175	북한	8
15	홍콩	75	33	세인트빈센트그레나딘	62			
18	일본	74	36	이스라엘	61			

자료 : 한국투명성기구

NEWSis

육대학교나 사범대학의 도덕과 교육 관련 교수들)에서 반발하겠지만, 좀 더 미래를 내다본다면 과감한 결단이 필요하다.

중고등학교에서 과목 교사들을 전문 상담 교사로 전환시킨 것처럼, 시간을 두고 추진하거나 다양한 인문 교양 과목들을 개설하면 큰 무리가 없을 듯하다.

전 국민이 초등학교 6학년, 중학년 3년에서 도덕 교과서를 배웠으면 전 세계에서 가장 도덕적인 사람들을 가장 많이 길러냈어야 한다. 하지만 결과는 아주 실망스럽다. 그렇다면 가르치는 방법이나 내용에서 문제가 있는 것일까? 아니면 우리가 알지 못하는 또 다른 원인이 있는 것일까?

지금 우리 사회는 어떠한가? '도덕' 교과서를 학교에서 배웠다고 하나 실제 생활에서는 거리가 멀다. 교통사고, 인터넷 중독자, 아동 성범죄, 범죄, 이혼율, 각종 부패지수 따위가 높은 이유는 뭘까? 그렇다면 무엇이 문제인가? 2013년 우리나라는 세계 부패인식지수에서 46위다. 문제는 2012년 45위, 2011년 43위, 2010년 39위였다는 점이다.

학교에서 그나마 도덕을 가르치고 배웠기 때문에 이나마 이 순위를 유지하는 것이라고 봐야 하는가? 아니면 현행 교육과정에 문제가 있기 때문일까?

인성교육이 무슨 즉석 음식인가?

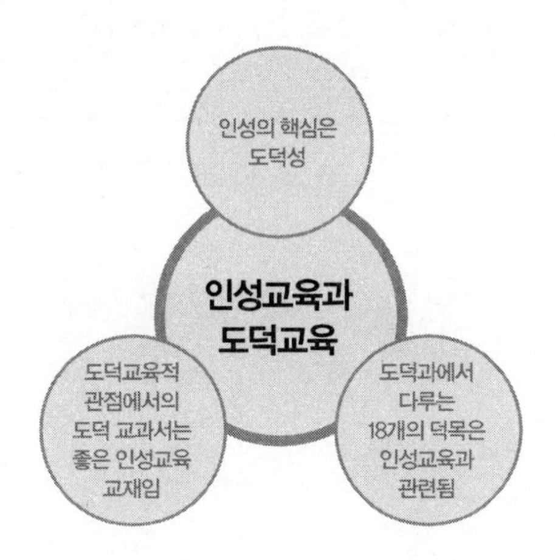

– 2009 개정 교육과정 초등 3, 4학년군 교과용 도서 연수 교재 활용 자료

2014년 3, 4학년 도덕 교육과정 해설 자료를 보면, 도덕 교과서가 인성교육의 대안인 것처럼 설명하고 있다. 음식 만들기 방법처럼 교과서에 있는 내용들을 차례대로 착착 넣기만 하면 인성교육이 잘될 거라고 생각하는 것 자체가 문제다.

수학 교육에서도 인성교육을 강조하고 있다. 물론 따로 나누어서 가르치는 것이 아니라 커다란 항아리처럼 전체 교육과정을 배우는 속에서 진행되고 일어나는 배움의 과정인데 아이들이 무슨 흡입 기계라도 되는 것처럼 너무 쉽게 생각하고 있다.

07

사회 '동네학'부터 시작하자

진도 나가기 바쁜 개념적 접근

2014년부터 3, 4학년이 2009 개정 교육과정을 가지고 공부하게 된다. 전체 기본 골격이 크게 달라지지 않았고, 단지 말만 몇 글자 바꾸었을 뿐이다. 사회과 자체가 다루어야 할 분야가 너무 광범위하다는 것이다. 역사, 지리, 일반사회 분야를 한데 묶어서 '사회'로 가르치고 있는 것 자체가 교사나 아이들에게 큰 부담으로 다가온다.

사회과에서 추구하는 목표가 "사회생활에 필요한 지식과 기능을 익혀 이를 토대로 사회 현상을 올바르게 인식하고, 민주 사회 구성원에게 요구되는 가치와 태도를 지님으로써 민주 시민으로서의 자질을 갖추도록 하는 것"이라고 하지만, 각 주제 내용 설정이 너무 넓고 포괄적이다. 더구나 다른 교과에서는 어느 정도 학생들 발달단계를 생각해서 교육 과정을 편성했다고 밝히고 있지만 실제로는 그렇지 못하다.

말 그대로 사회 현상에 관한 여러 기초적 지식(지리, 역사, 여러 사회과학)들을 단순히 개념적인 접근에만 치중했다는 것이다. 개념과 원리를 발견하고 탐구하는 능력을 익힌다고 하나, 너무 이른 나이에 개념적인 내용들을 강요하고 있다. "ㅇㅇ는 ㅇㅇ이다"라는 개념 교육은 깊이가 없고 아이들이 무척 어려워한다. 또한 너무 많은 내용을 제대로 소화하지 못하고 있는데 어떻게 이것을 편성했을까? 사회과가 나선형 교육과정을 추구한다면 학년 발달단계에 맞게 순차적으로 교과 내용을 배치하는 것이 더 바람직하다. 한 예로 '역사' 영역의 경우 5학년 현행 교육과정도 그렇고 2015년부터 배우게 될 2009 개정 교육과정에서는 5학년 과정에서 역사를 다루는 데 가르치는 내용이 너무 많다.

사회과 학습 내용 성취 기준을 보면 다음과 같다.

역사 영역의 경우 선사 시대에서 오늘날 대한민국까지의 역사와 문화 및 생활상의 변화를 대표적인 인물과 유물을 통해 파악한다. 고조선이 우리나라 최초의 국가임을 알고 삼국, 통일 신라와 발해의 역사를 대표적 인물을 중심으로 파악한다. 고려가 외침을 극복하고 여러 나라와 활발히 교류하면서 문화를 발전시켰음을 안다. 유교 문화가 발달한 조선의 건국과 발전 과정을 이해하고 각 신분 계층의 생활 모습을 파악한다. 전란의 어려움을 극복하고 국토를 지키려 한 노력을 이해하고 새롭게 등장한 문화적 요소와 농민의 성장을 파악한다. 개항 이후 근대 국가 수립을 위한 노력과 일제 침략에 맞선 독립 운동의 내용을 조사한다. 8 · 15 광복 이후 오늘날까지 대한민국이 분단과 전쟁 등 시련을 극복하고 민주화와 경제 발전, 문화 성장을 이루었음을 이해한다.

초등 사회과 교과서 체제

-단원명 및 단원 도입(4쪽)

-주제명 및 학습 활동(3~4차시)

-문제해결활동(도입-전개-정리)

-주제 정리(간단한 활동으로)

-단원 정리(콕콕, 생각 쑥쑥)

-2009 개정 교육과정 초등 3-4학년군 교과용 도서 사회과 활용 자료

2007 개정 교육과정 사회과 내용 체계

	지리 영역	역사 영역	일반사회 영역
3학년	• 우리가 살아가는 곳 • 사람들이 모이는 곳	• 우리 고장의 정체성 • 이동과 의사소통	• 고장의 생활문화 • 다양한 삶의 모습들
4학년	• 우리 지역의 자연환경과 생활 모습 • 우리 지역과 관계 깊은 곳들 • 여러 지역의 생활		• 주민 자치와 지역 사회의 발전 • 경제생활과 바람직한 선택 • 사회 변화와 우리 생활
5학년		• 하나 된 겨레 • 다양한 문화가 발전한 고려 • 유교 전통이 자리 잡은 조선 • 조선 사회의 새로운 움직임 • 새로운 문물의 수용과 민족운동 • 대한민국의 발전과 오늘의 우리	

6학년	• 아름다운 우리 국토 • 환경을 생각하는 국토가꾸기 • 세계 여러 지역의 자연과 문화		• 우리 경제의 성장과 과제 • 우리나라의 민주정치 • 정보화, 세계화 속의 우리

2009 개정 교육과정 사회과 내용 체계

	지리 영역	역사 영역	일반사회 영역
3–4 학년	• 우리가 살아가는 곳 • 달라지는 생활 모습 • 촌락의 형성과 주민 생활	• 사람들이 모이는 곳 • 도시의 발달과 주민 생활 • 다양한 삶의 모습들 • 사회 변화와 우리 생활	• 이동과 소통하기 • 우리 지역, 다른 지역 • 경제 생활과 바람직한 선택 • 지역 사회의 발전 • 민주주의와 주민 자치
5–6 학년	• 살기 좋은 우리 국토 • 환경과 조화를 이루는 국토 • 우리 이웃 나라의 환경과 생활 모습 • 세계 여러 나라의 환경과 생활 모습	• 우리 역사의 시작과 발전 • 세계와 활발하게 교류한 고려 • 유교 문화가 발달한 조선 • 조선 사회의 새로운 움직임 • 근대 국가 수립을 위한 노력과 민족 운동 • 대한민국의 발전과 오늘의 우리	• 우리 경제의 성장 • 우리나라의 민주 정치 • 우리 사회의 과제와 문화의 발전 • 정보화, 세계화 속의 우리

그럴듯하게 당위성을 이야기하고 있지만, 자세히 내용을 살펴보면 한 나라의 5천 년이 넘는 역사를 어떻게 한 학기에 전부 다룰 수 있는지, 이 시기 아이들이 과연 이 내용을 다 알 수 있을지 의문이다. 물론 가능하다. 중요한 내용만 나열하게 해주고 암기하면 된다.

그렇지만 이것은 올바른 가르침과 배움이 아니다. 역사를 제대로 가르치고 배우는 것은 그 나라 민족정신을 일깨우는 것이다. "역사를 가르치지 않는 민족은 미래가 없다"는 말처럼 한민족이 걸어온 발자취를 되돌아보고 다가올 미래를 대비하는 것이 역사 공부다. 단순히 암기식으로 내용을 배우는 교육과정 편성으로 어떻게 하겠다는 것인가. 문제는 중학교, 고등학교 가서도 똑같은 내용을 되풀이해서 배운다는 것이다. 반복 학습을 충실하기 위한 것인가? 아니면 역사에 대한 몰이해인가?

내용이 너무 많다 보니 교사들은 가르치는 것도 신나지 않고, 교과서 진도 나가기에 여유가 없고, 학생들은 방대한 내용을 짧은 시간 안에 배워야 하기 때문에 이해보다는 외우기 중심으로 공부를 해야 한다. 나라와 그 시대마다 일어난 중요한 사건 하나하나에 담긴 역사적 사실을 일깨우는 데 초점을 맞추어야 하는데, 가르침과 배움에 여유를 주지 못하는 교과서라면 다시 생각해 봐야 한다.

대안적인 사회과 역사 영역 교과서

- 초등학교 : 구석기, 신석기 시대~통일신라시대
- 중학교 : 고려사~조선 전기(임진왜란)
- 고등학교 : 조선 후기~현대

이렇게 편성을 하면 시간적 여유를 가지고 깊이 있게 가르치고 배울 수 있다. 역사 인식에 대한 소홀함이 결국 일본이 독도 문제, 중국이 동북아공정을 주창해도 강력히 대처하지 못하는 결과를 가져왔다. 이것은 역사 교육에 대한 부재에서 오는 당연한 결과인지도 모른다.

위의 사진 자료는 지난 2014년 1월 독일 발도르프학교를 방문했을 때 우연히 보았던, 지리학 수업 시간에 활용하는 책이다(우리나라에서는 4학년부터 《사회과부도》 책이 있음). 동해를 '일본해'로, 독도를 '다케시마'로 표기된 것을 발견하고, 이 학교 선생님들에게 잘못된 표기라고 설명해 주었다. 이것이 우리 외교 현실인 것이다.

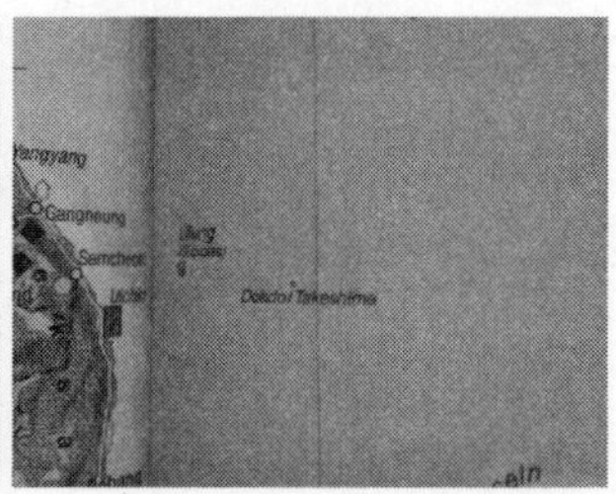

아이들에게 올바른 역사 인식을 제대로 일깨워주는 작업은 교사가 해야 한다. 최소한 사범대나 교대 시절에 역사 과목을 필수 전공으로 하고, 학교 현장에 나와서도 역사 관련 연수를 몇 시간 이상 의무적으로 이수하도록 해야 한다. 그렇다고 국수주의자나 민족주의자를 양성하고자 하는 것은 아니다. 최소한 사람을 길러내는 교사라면 우리 역사 책, 옛이야기, 신화, 우화는 꼭 읽어야 한다. 그래야만 아이들에게 올바른 민족정신과 역사관을 심어줄 수 있다. 이것이 교사로서 지니는 막중한 책임이자 의무다.

다행히 2014년부터 고교 한국사 수업을 2학기에 걸쳐서 배운다고 하는데, 선사 시대부터 현대사까지 되풀이하는 교육과정 내용으로 구성되지 않고, 고등학교 발달단계에 맞는 시기에 깊이 있게 다룰 내용으로 편성되어야 하는데 오래된(?) 고정관념을 깨지 못하는 것이 아쉽기도 하다.

2014년에 고등학교에 입학하면 한국사를 2학기에 걸쳐 배우고 매학기 체육 수업을 받게 된다. 교육부는 역사 교육 강화, 학교 체육 활성화 등 주요 교육 정책을 반영해 '초 · 중등학교 교육과정 총론'을 개정, 고시했다고 밝혔다. 개정

된 총론을 보면 고등학교 한국사 필수 이수 단위가 현행 5단위(1단위 주 1시간)에서 6단위로 늘어나고 한국사 수업이 2개 학기 이상 걸쳐 편성된다. 고등학교의 체육 필수 이수 단위가 10단위 이상으로 확대되고, 일반고뿐 아니라 자율고, 특목고, 특성화고 등 모든 고등학교에서 체육 수업이 매학기 편성된다(〈연합뉴스〉 2013. 12. 17.).

역사를 배우기 이전에 신화를 가르쳐야 한다

초등학교 5학년 교육과정에서는 단순히 역사적 사실, 즉 개념을 배우는 것에 한정되어 있다. 개념 중심 교육보다는 감성이 밑거름이 된 내용으로 다가가야 역사적 사실들을 제대로 배울 수 있다. 그렇게 하기 위해서 신화를 알아야 한다. 창조 신화, 홍수 신화, 그 민족이 어떻게 만들어지게 되었는지에 대한 신화적인 접근이 되어야 학년이 올라가면서 사실적인 현상들을 받아들일 수 있다.

그러기 위해서는 앞에서 자주 이야기한 것처럼 교과끼리 연계 과정이 필요하다. 국어과 수업에서 '신화' 관련 수업을 하면 어느 정도 사회 교과에서 부족한 부분을 채울 수가 있다. 따라서 교과끼리 연계성은 결코 어렵지 않다. 처음 교육과정 뼈대를 세울 때 각 교과별로 학교 현장의 의견을 최대한 모아서 그것을 제대로 반영하면 된다. 기초가 튼튼하면 불필요하게 중간 중간에 수정 보완할 필요가 없는 것이 역사 영역이다.

(1) 우리 역사의 시작과 발전

선사 시대의 생활과 문화를 파악하고, 고조선 성립의 의미를 이해한다. 고구려 · 백제 · 신라, 통일 신라와 발해의 역사와 문화를 인물 이야기 및 유물과 유적을 중심으로 파악한다.

(가) 선사 시대 사람들의 생활 모습을 대표적인 유물과 유적을 통해 파악한다.

(나) 단군의 건국 이야기를 알고, 고조선이 우리 역사상 최초의 국가임을 이해한다.

(다) 역사 지도와 인물 이야기를 통해 고구려, 백제, 신라의 발전 과정을 파악한다.

(라) 선덕여왕, 김춘추, 김유신, 계백, 을지문덕, 대조영 등을 중심으로 삼국의 통일 과정과 발해의 건국을 이해한다.

(마) 유물과 유적을 통해 삼국, 통일 신라와 발해 시기의 사람들의 생활 모습을 파악한다.

-5학년 사회과 학습 내용 성취 기준

초등학교 수업에서 가장 경계해야 할 것이 바로 개념 중심(지식) 수업이다. 목표 제시를 보면 단순히 현상 중심의 내용을 제시했다. 교사나 학생들이 역사 수업을 하면서 가장 부담스럽게 생각하고 있는 것 가운데 하나가 '연대' 외우기다. 사회 교과서를 단순히 암기 과목으로 생각하게 하는 주된 요인이 되는 사례다.

더구나 방대한 내용에 대해서 평가하는 것이 쉽지 않다. 그러다 보니 문제 출제도 중요 시건 중심으로 되어 그 당시 시대상이나 내용을 반영하여 끌어내는 것이 치밀한 교재 연구 없이는 힘들다. 요즘 들어 서술형 평가 방식을 도입하여 실시하고 있지만 교과서 내용을 벗어나지 못하고 교과서 내용에 대한 단순히 서답식 유형이 대부분이다.

선생님들이 교과서 진도 나가기 바쁜 상황에서 전체 내용을 자세히 다루는 것은 보통의 노력이 없이는 불가능하다. 그런데도 초등학교 교사들의 능력을 과대평가한 것인지 아니면 초등학교 5학년 아이들의 지적 수준이 무척 높다고 생각해서 그렇게 편성했는지 아무튼 현행 사회과 5학년 역사 단원이나 2015년부터라도 새로 적용할 2009 개정 교육과정을 아무런 개선책 없이 아이들에게 가르치는 것은 아이들 교육에 별 도움이 되지 않는다. 아이들 발달단계에 맞는 제대로 된 역사 관련 교육과정을 세우는 작업을 해야 한다. 2015학년부터 5, 6학년 2009 개정 교육과정이 시작되기 때문에 수정 작업을 지금이라도 시작한다면 얼마든지 가능하다. 다 만들고 나서 다시 뜯어 고치는 것은 시간적으로나 인력, 예산적인 면에서 많은 손해다.

수업을 이렇게 해보면 어떨까?

2009 개정 교육과정 사회과 해설 내용 체계(초등학교 3-4학년)

1) 우리가 살아가는 곳

이 단원은 우리가 살고 있는 지역의 위치, 자연적 특성, 그리고 그 이용 모습을 살펴보고, 우리 지역의 자연환경과 생활과의 관계를 파악하며, 우리 지역에 살고 있는 사람들의 생활이 서로 다르다는 것을 이해하기 위해 설정하였다. 자연과 그 이용에 대해서는 특징적인 지형, 기후, 토지 이용 등을 중심으로 다룬다. 또한 지도의 요소를 알고, 그것을 통해 우리 지역의 모습을 지도를 통해 나타낼 수 있도록 한다.

가) 우리가 살고 있는 곳의 위치를 지도, 인터넷 등을 이용하여 찾아보고, 우리나라에서 어디에 위치하고 있는지 말할 수 있다.

나) 지도는 방위, 기호 등으로 구성됨을 알고, 우리가 살고 있는 동네를 그림 지도로 나타낼 수 있다.

다) 우리 지역의 산, 강, 들, 바다의 모습을 살펴보고, 그와 같은 환경과 더불어 살아가는 사람들의 서로 다른 생활 모습을 이해할 수 있다.

라) 우리 지역의 주요한 산업을 사례로 우리 지역의 변화에 대해 이해할 수 있다.

3학년 아이들에게 위 내용을 단순히 인터넷에서 찾아보고 알아오라는 것이지만 이렇게 단순히 개념으로 전달되어서는 안 된다. 더구나 이 시기 아이들은 아직도 자기가 살고 있는 세상에 대해서 신화적인 상상을 지니고 있는데, 그 상상을 한꺼번에 깨뜨리는 행위를 멈추어야 한다. 아무리 정보화 시대라고 해도 아이들에게 제대로 가르쳐야 할 것이 있고 그렇지 않은 것이 있다.

지식만 가득 채워준다고 교육을 다하는 것이 아니다. 아이들이 이 세상을 어떻게 바라보고 어떻게 살아갈지에 대한 지혜를 주는 것이 필요하다. 자기가 살고 있는 동네에 대한 특별한 것을 일깨워 주어야 한다. 그것이 진실한 가르침이고 배움이다.

위에서 소개하는 방법을 이렇게 풀어 보면 어떨까? 물론 재구성이라는 수업 방법에 차이는 얼마든지 있다.

아이들과 수업 시간에 집에서 학교로 오는 길이 어땠는지 이야기해 보라고 한다. 학교 공부가 끝나고 집에까지 가는 시간은 걸어서 어느 정도 걸릴지, 집에 가는데 여기저기 들러서 가면 얼마나 걸릴지, 직접 가지 않고 돌아서 가는 길로 가면 집까지 가는 시간은 얼마나 걸릴지, 아이들이 집에까지 가는 길 가운데 가장 좋아하는 길, 어느 지점에서 가장 놀고 싶은지를 알아보게 한다. 또 위험한 곳은 어딘지, 가는 도중에 어떤 가게나 사무실이 있는지, 가게에 들어가서 물건을 살 수 있다면 어떤 물건을 사고 싶은지, 아니면 가는 도중에 일하는 분들을 볼 수 있는지, 그 사람들은 어떤 일들을 하고 있는지, 도와줄 수 있는 일도 있는지 따위도 알아보게 한다.

물론 학교 앞에 학원 차가 있어서 바로 학원으로 가는 경우는 힘들다. 그렇지만 학원 차에서 볼 수 있는 것, 즉 지나치는 거리 풍경을 이야기해 보는 것도 좋다. 이러한 질문은 아이 자신의 움직임을 느끼게 하고, 그 공간에 대해 일깨워 주게 한다. 다음날에는 학교 오는 도중에 어떠한 냄새를 맡았는지, 눈을 감고 학교에 오는 길을 냄새로만 올 수도 있겠는지, 아니면 집이나 건물 모양이나 나무 모양만 보고도 학교까지 오는 길을 이야기할 수 있도록 해야 한다. 물론 아스팔트나 보도 블록, 돌멩이나 풀밭의 길을 만나게 되는데 이에 대해서도 자세히 표현해 보도록 하는 것이 중요하다.

여기서는 감각 교육, 즉 공간에 대한 공부를 하게 되는 것이다. 자기가 살고 있는 동네에 대한 공간을 느끼게 하는 수업, 그런 다음 그 과정을 공책에 그리거나 정리하도록 하는 수업이다. 물론 교실에서만 묻고 답하기로만 진행하기보다는 나중에는 아이들과 함께 학교 밖으로 나와 실제로 걸어 보면서 이전에 아이들과 나누었던 내용들을 하나하나씩 알아가는 수업 속에 아이들은 특별함을 느낀다.

3학년 동네학 수업

3학년 사회는 '나'를 중심으로 해서 세상으로 조금씩 나가는 단계다. 아이가 가장 먼저 만나는 것이 자기가 살고 있는 동네인데, 우리 동네가 어떻게 생겼고, 옛날에는 어떤 사람과 동식물들이 살았는지를 알아본다. 먼저 집에서 학교, 학교에서 집까지 여러 내용들을 이야기들을 나눈 다음, 아이들과 직접 돌아본다.

우리 동네 살펴보기

동네를 알아보고 난 것을 칠판에 그린다(교사).

아이들 각자가 에포크 공책에 그린다.

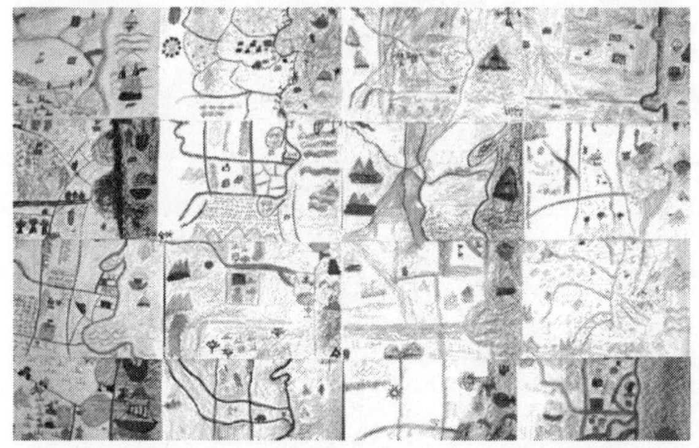

아이들이 그린 그림들을 모아 보면 우리가 살고 있는 동네가 어떤 모습인지 한눈에 볼 수 있다.

3학년 집짓기 수업

이 수업은 4주 동안 집중에서 아이들이 직접 느끼고 경험할 수 있게 수업 내용을 재구성해서 운영한 것이다.

이 나이의 아이들이 각 고장에 대해 이해하는 것은 쉽지 않다.《사회과

부도》를 참고한다고 하나 도표와 자료 제시일 뿐 이렇게 넓고, 강과 산이 여기에 있구나, 하고 알기가 쉽지 않다. 그래서 4학년 아이들을 위해 한눈에 쉽게 볼 수 있고, 아이들이 직접 체험할 수 있는 모형을 만들어서 수업을 해보았다.

직사각형 모양으로 만든 큰 나무 상자 안에 모래를 이용해서 땅을 만들

3, 4학년 자연학 수업 모습(촌락의 형성과 생활 모습)

4학년 우리 고장 수업 모습

어 백두대간(산맥)은 찰흙으로, 바다는 파랑색 한지를 이용했다. 물론 이 모든 과정을 아이들과 이야기하면서 하나씩 만들었다.

5학년 수업 시간에는 우리나라 지도를 특별한 종이죽으로 입체 모형으로 만들었다. 기간은 6개월 동안인데, 수업 시간에만 이 작업을 한 것이 아니라, 자투리 시간을 이용해서 하기도 했다. '호남평야'를 배울 때는 그 부분을 작업하고, 미술 시간에 '회화'를 배울 때는 지도 모형을 색칠하는 것으로 대신했다.

시간을 두고 만들어 가는 과정 속에 하루하루 자신들이 만든 것들이 서서히 드러나는 것을 보면서 아이들은 성취감을 느낀다. 또한 집중을 필요로 하는 작업이라 학습 능력 향상에도 많은 효과가 있었다.

6학년 세계 여러 나라 수업

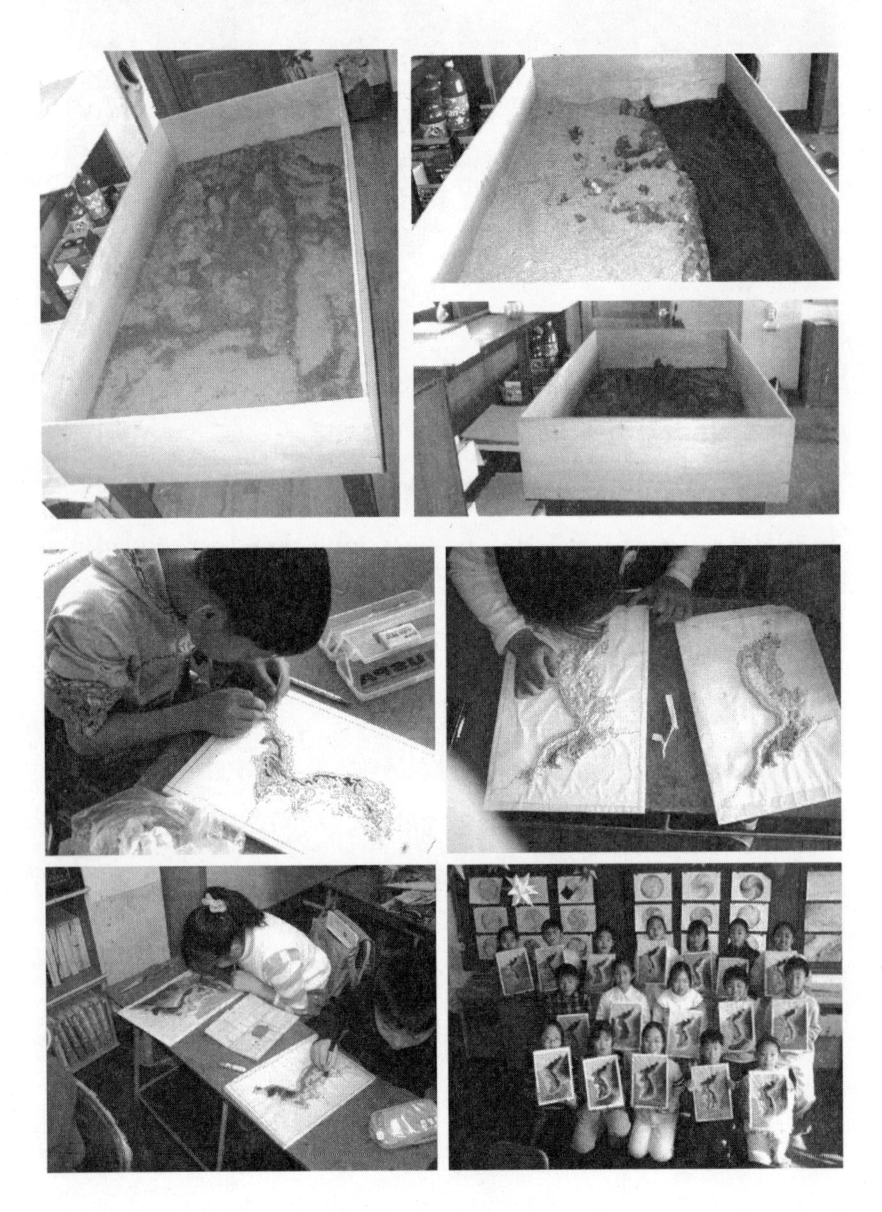

사회 교육과정의 기본 핵심이 '나에서 시작해서 넓은 세상'을 배워나가는 나선형 틀로 짜여 있다. 내 경우에는 3학년에서는 동네학을 배우고 4학년 때는 우리 시도(강원도)를 모형 작업을 하면서 자세히 배우게 하고, 그리고 5학년 때는 우리나라 전체에 대해서 배웠는데, 이때 아이들 각자 지도 모형 작업을 하면서 평야, 산, 강, 기후, 어떻게 사람이 살게 되었는지에 대해, 자연환경들에 대해 배웠다.

6학년 과정에서는 세계 여러 나라를 배우는데, 3학년 때부터 6학년 때까지 단순히 지식을 이야기하기보다는 사람을 중심으로 해서 자연환경과 동식물들이 어떻게 함께 살게 되었는지를 들려주었다. 세계 여러 나라를 배우는 과정에서도 단순한 지식 나열이 아닌 나라마다 그 특성과 이야기를 들려주었다.

예를 들어 동남아시아 경우 태국이나 라오스 고산족 이야기를 해주면서 그곳 사람들의 생활 모습이 우리와 비슷한 점(고구려 유민 이야기), 인도 이야기를 하면서 후추가 금보다 비쌌던 시대(콜럼버스의 신대륙 발견 이야기) 따위들을 이야기해 주면서 아이들의 호기심을 이끌어냈다.

아이들 각자가 만든 세계지도 모형도는 12월에 각 나라 수도에 구멍을 뚫고 꼬마전구(나무에 장식하는 전구)를 끼워서 전원을 넣으면 전구에 불이 들어오도록 처음에는 계획을 세웠다. 물론 이 과정은 과학과 실과 수업에 하는 전기에 관련된 내용을 연계해서 자연스럽게 마무리할 생각이었다. 지금 생각하면 융합인재교육을 앞서서 했는지도 모른다. 나중에 완성품은 학급 전시를 끝내고 아이들 각자가 집에 가지고 가서 자기 방이나 거실에 장식하게끔 계획을 했다.

이미 5학년에서 이러한 과정을 배웠기 때문에 6학년에서는 자연스럽게 진행되었다. 기간은 6개월 동안 진행되었다.

살아 있는 역사 수업

아이들이 사회 시간에 '역사'를 배울 때는 에포크 공책에다 칠판 그림을 그리게 했다. 내용은 교실에서 이야기를 들려주고 아이들은 그것을 잘 듣고 집에 가서 정리한 것이다. 그러다 보니 아이들이 교과서보다 더 풍부한 살아 있는 교과서를 직접 만들었다. 지식(외우기)보다는 실제 삶을 느끼는 감성 중심의 수업을 진행한 결과다.

일반사회는 초등 영역이 아니다

사회과 내용 체계에서 '일반사회' 영역을 보면 다음과 같다.

- 우리 경제의 성장
- 우리나라의 민주 정치
- 우리 사회의 과제와 문화의 발전
- 정보화, 세계화 속의 우리

이런 내용들을 이 시기의 아이들이 이해하는 것이 쉽지 않다. 소비, 생산, 유통, 정치, 민주화 단어를 안다고 하나, 이것들이 실제 아이들 삶과 크게 관련이 적기 때문에 단순히 지식으로 받아들이고 시험(평가)에 나오니 외우는 것으로 대신한다. 교사들의 경우는 가르쳐야 할 내용이 방만하고 개념들이 추상적인 것이라 실제 수업 시간에 끌어내는 것이 쉽지 않다. 그러다 보니 교과서 내용을 단순히 읽고 이해하는 수준에서 가르치고 있다. 이 내용은 초등학교보다는 중학교 2학년 이상에서 편성해서 가르치는 것이 더 낫다.

백화점식으로 모두 나열하다 보니 단순 암기식 교육이 될 수밖에 없는 것이 사회 과목이다. 차라리 사회 과목 특성에 맞게 꼭 필요한 내용만 선정해서 교육과정에 편성해 놓는 것이 더 효과적이다.

발달단계를 무시한 교육과정은 결국 아이들이나 교사 모두에게 도움을 주지 못한다. 경제생활을 이야기한다면 차라리 수학 시간에 돈을 가지고 셈하기, 직접 시장에 나가서 물건을 사는 과정을 진행하는 것이 더 나을 수도 있다.

08
음악
살아 있는 소리를 깨우쳐주라

인지적, 기능적 영역에 치우친 교육 내용

'즐거운 생활'과는 초등학교 1, 2학년 학생이 창의적인 표현 능력을 지닌 건강한 사람으로 자라도록 돕는 표현 활동 중심의 교과이다. 이를 위해서 '즐거운 생활'과 교육과정은 다양한 감각, 아름다움, 즐거움을 놀이와 표현 활동으로 다룰 수 있는 학습 주제를 선정하였다.

구체적으로 '즐거운 생활'과 교육과정에서는 '학교와 나' '봄' '가족' '여름' '이웃' '가을' '우리나라' '겨울'의 8개 대주제를 선정하였다. 이는 초등학교 1, 2학년 학생들이 생활하는 장소(공간적 기준)와 시간(시간적 기준)에 따라 배열한 것으로 '바른 생활'과와 '슬기로운 생활과'와의 연계 및 통합을 고려한 것이다. 여기에는 최근 국가 · 사회적으로

요청되는 창의 · 인성교육, 국가 정체성 교육, 녹색 성장 교육, 그리고 미래지향적인 핵심 역량, 아동 권리 교육 등의 내용을 전반적으로 반영하였다.

– 2009 개정 교육과정 초등학교 '즐거운 생활'과의 성격

초등학교 1, 2학년군 즐거운 생활에서 음악 관련 내용을 보면 1학년 아이들에 대한 배려가 제대로 없다. 다양한 감각, 아름다움, 즐거운 놀이를 표현할 수 있다고 하나, 실제 내용에서는 꼭 다루거나 배워야 할 내용이 빠져 있다.

음악은 어린이의 영혼에 꼭 필요하다. 그렇지만 우리 음악 교육 학습 목표는 음악의 인지적, 심동적, 표현적, 정의적 영역에 치중하고 있다. 음악 활동을 통해서 음악을 잘할 수 있도록 하는 행동적인 사실에 목표를 두고 있다.

초등학교에서 음악은 따로 분리되어서 가르치는 것이 아니라 통합적으로 접근해야 한다. 국어 수업에서 옛이야기를 들려줄 때 음악적인 요소가 필요하면 그때 활용하게 한다. 체육이나 미술, 과학, 수학 따위의 다른 교과들도 다 마찬가지다. 음악을 잘할 수 있도록 하기보다는 음악으로 인간성을 만드는 것에 중점을 두어야 한다. 음악은 아이들의 영혼을 자극하여 사람답게 잘 자랄 수 있게 한다.

아이들은 음(소리)을 통해서 감각을 열어 자신의 내면을 안정시킬 수 있다. 이러한 안정은 곧 주의 집중으로 이어지게 되는데, 이것은 영혼을 위해 아주 바람직하다. 영혼을 자극하는 음악적인 요소는 음, 리듬, 소리의 울림 따위다. 따라서 음악 교육은 음악을 위한 교육이라기보다는 음악으로 참다운 사람(어른)을 만들어 가는 것에 중점을 두어야 하는데 현 교과서 내용은

너무 인지적 학습과 기능에 치우쳐 있다.

2009 개정 교육과정 음악과 내용 체계

	내용 체계	3~4학년
표현	1-1 바른 자세로 표현하기	1. 바른 자세로 노래 부를 수 있다. 2. 바른 자세와 주법으로 악기를 연주할 수 있다.
	1-2 악곡의 특징을 살려 표현하기	1. 3~4학년 수준의 음악 요소 및 개념을 이해하며 노래 부르거나 악기로 연주할 수 있다. 2. 악곡에 어울리는 신체표현을 할 수 있다. 3. 악곡을 외워서 혼자 또는 여럿이 노래 부르거나 악기로 연주할 수 있다. 4. 동요나 민요를 듣고 부르거나 보고 부를 수 있다.
	1-3 창의적으로 음악 만들어 표현하기	1. 상황이나 이야기를 여러 가지 소리로 표현할 수 있다. 2. 제재곡의 노랫말을 바꾸거나 노랫말에 맞는 말붙임새로 만들 수 있다. 3. 제재곡의 리듬꼴이나 장단꼴을 바꾸어 표현할 수 있다.
감상	2-1 음악의 요소 및 개념 이해하기	1. 3~4학년 수준의 음악 요소 및 개념에 대해 구별할 수 있다.
	2-2 악공의 특징을 이해하며 감상하기	1. 표제음악 등을 듣고 음악의 특징에 대해 이야기할 수 있다. 2. 노동요, 농요, 춤곡, 행진곡 등을 듣고 음악의 쓰임에 대해 이야기할 수 있다.
생활화	3-1 음악을 즐기는 태도 갖기	1. 생활 속에서 음악을 활용하며 즐길 수 있다.
	3-2 우리 음악의 가치 인식하기	1. 생활 속에서 우리의 음악을 찾아 볼 수 있다.

제재곡이 너무 많다

인지적, 기능적 요소를 강조하다 보니 각 단원마다 제재곡(어떤 음악적 목적을 달성하기 위해 특정 주제에 대해 소재로 채택된 곡들)이 너무 많다. 그러다 보니 단위 시간 내에 가르쳐야 할 내용이 더 많아졌다. 초등학교의 목표로 "음악의 기초 기능을 익혀 창의적으로 표현하고, 악곡의 특징을 이해하며 감상한다"고 하였다.

악곡의 특징을 이해한다는 뜻은 인지적 요소를 너무 강조하는 것을 보여준다. 교육과정에 제시되어 있는 초등학교 음악과 목표처럼 음악 교과는 음악의 아름다움을 경험하게 해야 한다. 그러나 실상은 그렇지 못하다.

한 제재곡에서 요구하는 활동이 너무 많은 까닭이다. 그래서 제재곡의 노랫말조차 낯선 상태에서 악상을 살려 노래를 하는 상황이 된다. 악곡 수를 줄여 한 곡을 충분히 느낄 수 있는 시간을 주고 그 곡으로 다양한 활동이 이루어지게 할 수 있게 해야 한다.

음악을 느끼지 못해도 이해할 수 있게 하는 것이 음악 교육을 하는 목적이다(이경순, 2001). 또한 아이들이 흥미도가 떨어지고 제대로 알지 못하는 제재곡을 익히는 것이 쉽지 않다. 교사용 지도서에 왜 이 제재곡이 교과서에 실렸는지 선정 기준도 정확히 제시되어 있지 않다. 요즘 아이들이 좋아하는 곡을 선정해서 교과서에 실리는 것도 아이들이 음악에 대해서 흥미를 느낄 수 있는 방법 가운데 하나다. 교과서 속에 음악으로 머물기보다는 아이들 생활 속에 다가갈 수 있는 음악(노래) 수업이 되어야 한다.

왜 1, 2학년 수업에 5음계 펜타토닉 악기를 쓰지 않을까?

1, 2학년 음악 수업에서 아이들에게 가장 필요한 활동이 펜타토닉[1]악기다. 하지만 우리 교육과정에서는 과거에도 현재에도 이에 대한 소개는 없다. 3학년에 가서야 리코더 운지법에 대해서 소개하고 있는데, 5음계 펜타토닉

악기는 7음계 리코더를 쓰기 위한 준비 단계라고 볼 수 있다.

교육대학교 관련 학과에서조차 이러한 것을 소개하지 않고 있다. 동서양 아이들이 보편적인 발달단계를 거쳐 오는 것이기에 단지 악기에서 조금 차이가 있을 뿐 발달단계에 따라 배우는 악기는 비슷하다. 단지 우리에게 이 악기가 낯설 뿐이다. 1, 2학년 교실에 타악기나 몇몇 화음 악기 정도로 음악 수업을 하는 현실이다. 이 시기에 아이들이 깊게 호흡할 수 있는 대안적인 음악 수업이 필요한 것이다. 펜타토닉은 9살이 될 때까지 자신들 몸에서 충분히 느끼도록 하기 위해 모든 노래에 5음계로 된 곡을 쓴다는 것이 특징이다.

그렇다면 지금 현재 1, 2학년 즐거운 생활 교과서에 소개하고 있는 노래가 대부분이 5음계 곡으로 구성된 것이 아니라면 이것은 발달단계를 전혀 생각하지 않은 교육과정 운영이라는 것이다. 그러다 보니 아이들도 예전에 비해 음악을 배우고 익히는 것에 큰 흥미를 못 느낀다. 내면화가 되지 못하기 때문이다.

펜타토닉 악기가 단지 3학년부터 쓰기 시작하는 7음계 리코더 준비 단계라고 하지만 7음계는 음악적으로 처음과 끝을 명확하게 한 완결성을 가진 음계다. 하지만 8, 9살 아이들은 아직 완전한 존재가 아니다.

다른 교과에서 그림 그리기 작업이나, 국어 수업에서 옛이야기나 수학에서 전체에서 부분, 체육 시간에는 균형 감각 활동에 중점을 두는 것처럼, 음악에서도 전체에서 부분으로 진행되어야 한다. 세분화된 음을 배우는 것이 아니라 느낌 그 자체를 배우게 하는 것이다. 13세기 이전 중세에는 '음유시인'들의 즉흥곡들이 많았다. 그러다가 6음 음계의 계명창이 널리 퍼지기 시각하면서 악보도 조금씩 발달하였다. 우리나라 경우 조선시대 세종 임금

때 박연이《정간보》를 처음 만들어 낸 것을 보면 음악사의 흐름을 이해할 수 있다.

이런 발달단계를 지니고 있는데 아무런 준비 작업 없이 이 시기 아이들에게 7음계 노래를 들려주거나 부르게 하는 것은 아이들을 힘들게 하는 것이다. 지금은 좋아보일지 모르지만 어른이 되었을 때 오는 마음과 몸의 병적 증후군은 누가 책임질 것인가에 대해서 생각해 봐야 한다. 그런 면에서

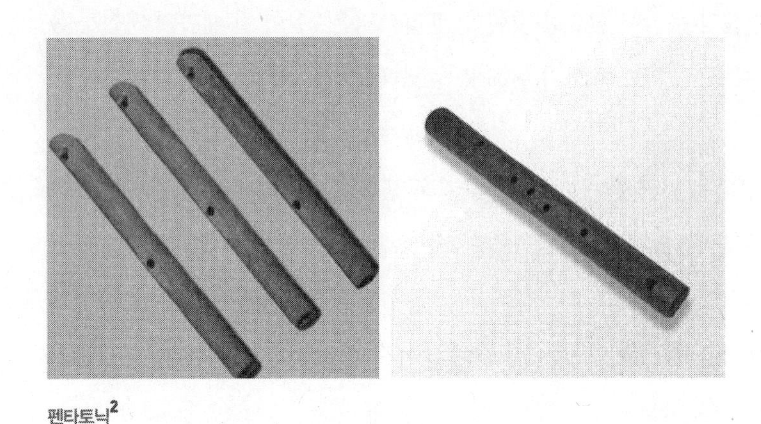

펜타토닉[2]

펜타토닉 리코더 운지표

〈일반적인 운지표〉 – 1, 2학년 아이들에게 알맞음!

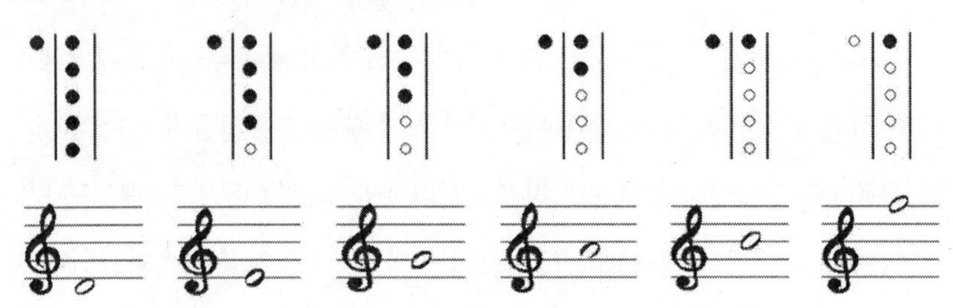

5음계 악보

펜타토닉 악기를 이용한 수업은 5음계 안에서는 어떠한 음을 연주해도 틀렸다는 느낌이 없다.

펜타토닉 악기는 음계 안에서 아래쪽, 위쪽으로 열린 상태의 위치에 있기 때문에 시작 음과 끝 음이 똑같이 되풀이된다. 이러한 음 체계는 바로 9살까지 아직 완전하지 않은 아동의 내적 상태와 일치하기 때문이다. 이것이 3학년(10살)이 되면 차츰 나누어지기 시작하는데 이때부터 7음계 리코더를 다루기 시작하고 익히는 것이다.

음악사에서 성가가 중세 사람들의 영혼에 가장 잘 맞았듯이, 르네상스를 거치면서 옥타브, 장조, 단조가 사람에게 받아들여지게 되었듯이 나이에 가장 알맞은 펜타토닉을 음악 체험으로서 충분히 거쳐야 한다는 것이다.

따라서 올바른 운지법은 원래 운지표를 아이들 스스로 찾게 하는 것이 좋다. 교사는 수업 시간에 따라서 하라고 가르쳐줄 뿐 절대로 여러 음을 동시에 가르쳐주지 않아야 한다. 그것은 아이들이 운지를 보고 처음부터 익히면 소리에 민감하게 귀를 기울이지 않을 수 있기 때문이다.

'리코더'란 악기의 특성상 다른 목관악기랑은 달라서 자기가 음정을 자기 숨결로 만들어가면서 익혀 제대로 된 리코더 음색과 음정을 낼 수 있어야 한다. 다른 악기들은 운지표 대로 손을 짚으면 처음에 소리 내기가 까다롭고 힘이 들어서 그렇지 거의 100퍼센트 정확한 음정이 난다.

리코더는 사람이 내는 숨결의 강약에 따라서 같은 운지라도 원래 음보다 높거나 낮은 음이 날 수도 있고, 고른 숨을 내는 것을 익혀야 하니까 처음부터 운지를 보고 연습을 시키지는 말아야 한다. 올바르게 리코더를 불기 위해서는 아이들이 어느 정도 운지를 익혔을 때 그리고 악보를 보고 연주할 수 있게 되었을 때 나누어주는 것이 더 도움이 된다. 그것이 아이들의 감성을 발달시키는 데 더 도움이 많이 된다. 리코더를 가르치는데 처음부터 운지표를 쓰는 것은 다시 생각해 봐야 한다.

2009 개정 교육과정 음악과 목표

'음악'은 다양한 음악 활동을 통하여 음악의 아름다움을 경험하고, 음악성과 창의성, 음악의 역할과 가치에 대한 안목을 키움으로써 음악을 삶 속에서 즐길 수 있도록 하는 교과이다. 음악 교과는 음악적 정서와 표현력을 계발하고, 문화의 다원적 가치를 인식하여 타인을 존중하고 배려하는 창의적 인재 육성을 목표로 한다. 이를 통해 우리 문화 발전에 기여하고 세계 시민으로서 문화적 소양을 지닌 전인적 인간이 되는 데 기여한다.

무엇을 어떻게 왜 가르쳐야 하는 분명한 목표가 있어야 한다. 단계를 차근히 밟아가는 교육 내용이 있어야 아이들도 제대로 성장을 할 수 있다. 처음 과정에 대한 아무런 배려나 준비 없이 중간 과정에서 무조건 가르치고 배운다고 해서 음악적인 소양이 길러지지 않는다. 물론 그 가운데 음악적 재능이 있는 아이들은 예외겠지만 예술이라는 것은 한순간에 뚝딱 이루어지는 것이 아니라 시간을 두고 천천히 배워 나가야 우리가 기대하는 온전한 사람으로 성장할 수 있다. 교육 목표만 그럴싸하게 제시하고 내용은 아이들 발달단계를 전혀 생각하지 않는 교육과정 편성과 교과서 내용이라면 지금이라도 다시 수정 보완을 해야 한다.

전인적 인간은 말과 글로 다 되는 것이 아니다. 무엇을 어떻게 왜 가르쳐야 하는지에 대한 분명한 목적의식과 이를 뒷받침할 실천 요소가 있을 때 가능한 것이다.

호흡 · 리듬과 관련 있는 악곡 선정

1, 2학년 아이들에게 삶의 리듬을 자연스럽게 몸에 체득하도록 하는 것이 중요하다. 그렇다면 사람이 가지는 자연 발생적 리듬인 호흡과 맥박을 중요시하여 교육을 해야 한다. 하지만 우리 교과서에서는 이러한 친절한 배려가 없다.

학교에서 가장 시급하게 가르쳐야 하는 것이 '올바르게 호흡하는 것'이다. 그렇기 때문에 저학년에서 쓰는 노래(곡)은 말하기와 일치하는 리듬을 가진 것을 수업에 활용해야 한다. 무턱대고 아무 노래나 가져다 쓴다고 음악 수업을 즐겁게 한 것은 아니다. 무턱대고 어른들 음악(유행가)들을 들려주거나 부르게 해서는 안 된다.

규칙적인 박자로 노래하기보다는 호흡과 일치하는 박자를 중심으로 노래를 불러야 한다. 여기에 바로 들숨과 날숨에 대한 원칙이 있다. 우리가 들숨과 날숨을 일정한 간격(어른의 경우 1분에 18분 정도, 나이가 어릴수록 횟수가 더 많음)으로 규칙적으로 하는 것처럼 이 호흡법에 맞추어서 1, 2학년 때는 이렇게 노래를 가르치고 부르도록 해야 한다. 이것이 아이들의 발달단계를 최대한 생각하는 교수 방법이다.

요즘 대부분 음악 수업은 컴퓨터를 이용해서 커다란 프로젝션 화면을 보여주거나, 시디플레이어나 디지털 피아노를 이용한다. 하지만 이 모든 것들은 음악이 지닌 가장 본질적인 순수성이 이러한 전자 매체를 거치는 동안 그 원래의 것을 잃어버리기 때문에 아이들에게는 좋지 않는 영향을 끼친다. 본성보다는 기계음에 맞추어서 노래를 부르다 보니 결국 기계에 의존하게 되고, 이보다도 곡(노래) 자체가 아이들 발달단계에 맞지 않는 것이라 좋은 수업을 하는 것이라 볼 수 없다.

음악은 '예술'이 되어야 한다. 기능과 인지적인 학습보다는 가르치는 교사나 배우는 아이들 모두가 그야말로 신나고 즐거운 수업이 되는 내용으로 다시 틀을 짜야 한다. 더구나 음악은 느낌 교육이다. 느낀 대로 표현해낼 수 있도록 학년 수준에 맞는 기본 지침만 제시하고 나머지는 교사들 역량에 맞게 할 수 있도록 열어 놓아야 한다.

처음부터 끝까지 모든 것을 완전하게 제공해 주어야 한다. 음악은 음식을 만드는 '레시피'처럼 정해진 방법대로 한다고 되는 것이 아니라 아이들의 감성을 이끌어내는 교육이다. 만약 아이들 발달단계와 거리가 먼 것이라면 지금이라도 다시 틀을 짜야 한다. 노래는 있되 음악은 없는 교육이라면 늦더라도 지금 다시 시작하는 것이 아이들의 감성을 되살릴 수 있다.

잠깐만요!

음악에서 호흡의 중요성(임성화, 2001)

호흡은 음악의 멜로디와 본질적으로 깊은 관련을 가지고 있는 리듬이다. 만일 멜로디를 박자나 화성의 영향 없이 체험하게 될 때 그 멜로디는 호흡의 운동성 자체에 지나지 않는 것을 발견하게 되는데 그것은 호흡과 멜로디와의 관계를 증명해주는 한 예이다. 또한 맥박을 통하여 음악의 규칙적인 박자와 속도감, 즉 '천천히' 그리고 '빠르게'의 감각을 무의식적으로 가질 수 있게 되는데 이것은 맥박 역시 음악의 근원적 기초가 되는 것을 보여준다.

어릴 때는 아이의 호흡과 맥박과의 관계가 중요하다. 맥박과 호흡을 조화시키기 위해서는 그것들과 깊은 관련성이 있는 음악이 최상의 도움이 된다. 이 시기에 지식을 너무 강제로 주입하거나 아이의 의식을 너무 많이 소모시키면 호흡과 심장의 관계는 아이에 맞게 건전한 발달을 이룰 수 없다.

따라서 가장 이상적인 호흡과 심장 박동과 관계를 가지는 9~12살 아이들에게 음악은 아주 중요하다. 음악은 호흡 조절의 요소가 되고 또 호흡은 피 순환에 영향을 준다. 바로 이 나이의 어린이는 호흡의 리듬과 맥박의 규칙성을 동시에 경험하기 때문에 이때에는 규칙 있는 박자의 노래를 지도하여도 된다.

노래의 기본은 맥박이기 때문에 노래의 빠르기, 호흡의 조절, 노래의 흐름을 통해 맥박의 리듬을 느끼는 것이 아주 중요하다. 그것은 생명의 리듬이기 때문이다. 이와 같이 루돌프 슈타이너는 음악을 의지가 잘 발현되도록 도와주는 매개체라 하였다(조경선, 2000).

음악 교과서가 꼭 필요할까?

초등 교과서의 경우, 학년 간 연계와 위계성 유지를 위해 학년별 집필자가 아닌 영역별, 주제별, 또는 공동 집필이 이뤄져야 하며, 같은 학년에서도 같은 영역의 지도 내용 · 방법인 경우 연계성과 위계성이 함께 고려돼야 한다. 특히 기악 수업이 심각한데 가야금 연주법을 보면 기초 단계의 교수법이 빠지고 갑자기 민요 연주법의 단계로 익히게 하는 등 연계성이 전혀 없어 일선 교사들의 지도 방법에 매우 애로점이 있다.[3]

음악 시간에 정해진 내용들을 배우기보다는 3학년부터는 음악 시간에 리코더 연주를 하거나, 4학년에서는 학교 특성에 맞게 사물놀이, 국악 관현악단, 서양 관현악단을 구성해서 시간 내내 연주 활동을 해야 한다. 그렇다고 음악의 요소를 배우지 않는 것도 아니고, 곡을 이해하는 능력, 즉 감상 능력이 떨어지는 것도 아니다. 다른 친구들이 연주하는 모습이나 영역을 알게 하는 활동이 필요하다.

연주를 함께 하면서 교사는 사전에 곡에 대한 설명과 어떻게 연주를 하면 좋은 곡을 느낄 수 있다고 이야기할 수 있으며, 기타에 재능이 있는 교사는 기타를 이용해서 음악 시간 내내 아이들과 좋은 노래를 부르게 하거나, 하모니카나 아코디언에 재능 있는 교사도 마찬가지고, 피아노에 재능 있는 선생님도 피아노 연주를 하면서 아이들과 시간 내내 좋은 노래를 함께 불러 보는 것도 좋은 음악 수업의 하나다.

꼭 정해진 악보를 이해하고 그 속에 있는 계이름, 화음 따위들을 분석해서 이해할 필요는 없다. 예술은 느낌 그대로 듣고, 보고, 말하면 되는 것이 아닐까? 인지적 학습을 먼저 생각하기 때문에 현 음악 수업이 아이들에게 흥미를 일으키지 못하고 있다. 노래 부르기는 꼭 음악 시간에 할 필요도 없다. 아침 수업 시작 전에 함께 불러도 되고, 수업 중에 관련된 내용이 있으면 아이들과 불러도 된다.

교과서 안에 있는 것만 배워야 한다는 고정관념은 이제 버려야 한다. 생활 속에서 음악이 살아 있게 하는 것, 그것이 진정한 음악 수업이다.

형식을 버리고 내용을 담는 음악 교과서여야 한다. 학년별로 다루어야 할 내용만 제시해 주고 나머지는 교사와 아이들이 채워 나가는 교과서를 만들어야 한다. 정해진 제재곡을 아이들 대부분 좋아하지 않는 게 현실이다. 아이들의 흥미와 요구를 적극 반영한 워크북 형태의 교과서가 있으면 어떨까? 교사와 아이들이 부르고 싶은 노래를 담을 수 있도록 재량권을 주는 교육과정 편성이 필요하다. 더구나 교과서가 검정 교과서이기 때문에 얼마든지 가능하다.

초등학교 아이들이 학년별로 배울 수 있는 자료집(CD, 교육 관련 홈페이지)을 제공함으로써 교사와 아이들이 원하는 제재곡을 골라 교수 학습 활동을 맘껏 할 수 있도록 지원해 주는 교육 지원 방식도 필요하다. 요즘은 스마트폰이나 인터넷에만 들어가면 엄청난 양의 지식과 정보가 있다. 자료를 잘 활용할 수 있는 지침서를 제공함으로써 음악 수업에 대한 효과를 높이는 것도 대안이 될 수 있다.

살아 있는 소리를 듣게 하자

오디오나 스피커에서 흘러나오는 소리는 제아무리 훌륭한 노래라고 할지라도 우리들의 귀는 즐겁지 않다. 물론 엉뚱한 이야기를 한다고 생각할지 모르지만 이미 그것들은 살아 있는 소리가 아닌 죽은 소리에 불과하다. 더구나 기계 힘으로 들려주기 때문에 엄밀한 뜻에서는 좋지 않은 소리다. 그렇다면 가장 좋은 방법은 무엇일까? 바로 살아 있는 음악을 들려주는 것이다. 뱃속에 있는 아이에게 태교를 위해 오디오 음악을 들려주거나 학교 음악 시간에 노래 테이프나 시디를 이용해서 수업을 하는 것은 바람직하지 못하다. 가능하면 뱃속에 있는 아이는 열 달 동안 어머니의 살아 있는 노래 소리를 들려주는 것이 좋다. 아이는 열 달 동안 따뜻한 목소리와 리듬을 자연스럽게 익히면서 자라게 된다.

유치원(어린이집)이나 초등학교 음악 수업에서도 가능하면 기계음을 멀리해야 한다. 편리함 때문에 노래 테이프나 시디를 들려주면서 음악 수업을 하는 것은 결국 아이들의 청각을 더 망가뜨리게 된다. 뱃속에 있는 아이라 어린 아이들이 아무것도 하지 않고 있다고 생각할지 모르나 그렇지 않다. 마음속 느낌으로 어머니의 아름다운 움직임과 말들을 따라 하고 있다. 그래서 아주 듣기 싫은 소리를 내거나, 화를 버럭 내거나, 아니면 째지는 소리로 말을 하거나 아니면 아주 부드러운 소리로 말을 하는가는 이 아이들에게 커다란 차이가 있다. 더구나 이런 일들이 꾸준히 일어난다면 뱃속에 있는 아이에게는 좋지 못한 영향을 주며, 학급 아이들에게도 나쁜 영향을 미치게 된다.

따라서 청각을 키우는 것은 음악에서는 각각의 소리가 아니라 음악 같은 예술 작품과 운동 감각, 균형 감각을 체험하게 하는 것이다. 그렇지만 오디오나, 텔레비전, 카세트 같은 기계 힘을 빌려 나오는 사람의 목소리와 음악으로는 살아 있는 청각을 바로 키울 수 없다. 요즘 아이들 생활 태도를 보면 시끄러운 소리에는 잘 적응하나 조용한 소리에는 오히려 쉽게 적응하지 못하고 오히려 불안하고 산만한 행동을 더 한다. 또한 작은 소리를 듣지 못하는 난청에 시달리고 있다.

학교에서도 전교생이 모이는 행사에서 스피커 힘을 빌리기보다는 살아 있는 목소리로 직접 말을 해야 한다. 물론 큰소리를 고래고래 지르라는 것이 아니다. 평소에 말하듯이 이야기하면 아이들은 무슨 소리일까, 하고 귀를 기울이고 뒤쪽에 있는 아이들도 관심을 가지고 들을 수가 있다. 물론 처음에는 여기에 익숙하지 않기 때문에 힘들지 모르나 차츰 여기에 익숙하면 작은 소리를 가지고도 충분히 이야기를 할 수 있다. 교실에서도 마찬가지다. 아이들이 떠든다고 교사도 큰 소리로 말하면 교실은 더욱 시끄러워진다. 이와 반대로 아이들이 큰소리로 떠들더라도 교사가 작은 목소리로 차분히 말한다면 아이들은 교사의 목소리를 듣기 위해서 자신들의 소리를 줄이고 교사의 목소리에 귀를 기울인다. 아마 이런 경우를 교사라면 한두 번 경험해서 그 효과를 잘 알 것이다.

우리들은 습관처럼 되어 버린 기계 소리에 대한 생각을 이제는 달리 해야 한다. 무지함이 결국 감각을 하나둘씩 없애고 있는 것이다. 에드윈 피셔(Edwin Fischer)는 루체른의 음악가 과정 개막식에서 이에 대해 경고했다. "여러분(교사)은 스피커에 의해 잘게 쪼개진 전기로 내는 소리와 사람의 음성이나 첼로가 내는 직접적인 소리의 차이점을 듣는 것을 배워야 하며 다른 사람들이 들을 수 있도록 가르쳐야 합니다."

그렇기 때문에 부모는 물론이거니와 교사는 아이들의 살아 있는 청각을 되살리기 위해서는 그 책임감을 중요하게 깨달아야 한다. 한번 상처를 입은 아이들의 영혼은 되살리기가 쉽지 않다.

기질에 맞는 음악 교육

아이들에게 기질에 맞는 음악(악기)을 제공하는 것이 중요하다. 아이들 스스로가 자기 자신에게 맞는 악기의 특성을 찾도록 연결시켜주는 것이 필요하다. 악기가 지닌 특성과 잘 조화를 이룰 수 있어야 올바른 음악 교육이라고 할 수 있다.

예를 들어 베토벤 음악은 초등학교 아이들에게는 적합하지 않다. 물론 감상을 위해서 〈운명 교향곡〉을 들을 수 있겠으나, 아이들 내면에 제대로 느낌이 전달되지 않는다. 사춘기가 시작되거나 진행되고 있는 중학교 아이들에게 알맞다. 초등학교 아이들에게는 모차르트 음악같이 발랄하고 경쾌한 노래들이 어울린다. 다혈질 성향을 많이 담고 있다. 슈베르트 음악은 낭만적인 요소를 담고 있기에 고등학생들에게 알맞다. 악기 역시 기질과 깊은 관련이 있다. 기질에 관한 이야기는 제2부에서 자세히 다루겠다.

담즙질: 타악기

점액질: 피아노(건반악기)

우울질: 현악기

다혈질: 목관악기, 합창

예를 들어 교내에 합창단을 운영하고자 한다면 다혈질 성향을 지닌 아이들을 중심으로 하는 것이 좋고, 사물놀이는 답즙질 성향을 지닌 아이들로 구성하는 것이 좋다. 어린 시절에 음감을 길러준다고 무조건 피아노 학원에 다 보내는 것은 다시 생각해 봐야 한다. 내 아이의 기질이 무엇이냐에 따라 음악적인 재능도 다르기 때문에 남들이 한다고 내 아이도 무조건 시키는 것은 결국 아이들을 힘들게 할 뿐이다.

청각을 제대로 살리는 악기

다음 쪽 사진 속에 있는 실로폰 악기는 둘 다 같은 음계의 소리를 내는 것은 같지만 아이들의 청각을 강화시키는 것에는 큰 차이가 있다. 색깔마다 지닌 고유의 밀도가 다르기 때문이다. 모든 색깔들이 다 같은 무게가 아니라는 것이다.

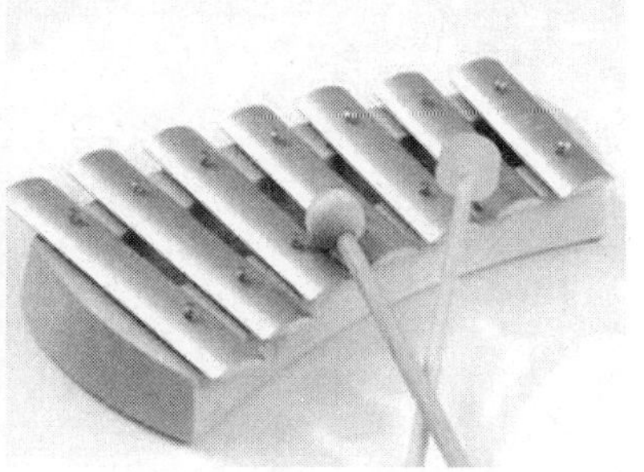

색깔별로 7음을 만들어 실로폰을 연주한다고 했을 때 음들이 제대로 소리 난다고 하겠지만, 색깔이 지닌 밀도 때문에 정확한 음을 내는 것이 아니다. 유아기부터 왼쪽 사진에 있는 색깔 실로폰을 가지고 논다면(아이 스스로가 선택한 것이 아니고 어른(부모)이 제공한 것이다) 아이의 본디 타고난 뛰어난 청각 기능은 많이 무뎌지게 된다.

수업 시간에 어떤 교구를 어떻게 다루어야 하는지에 대해서 신중성 기해야 한다. 플라스틱 리코더나 단소를 쓰는 것도 다시 생각해야 한다. 플라스틱을 간접적(대체 수단)으로 이용하는 것은 어느 정도 아이들이 덜 피해가 가지만 직접 입으로 부는 악기를 쓰는 것이 아이들에게 나쁜 영향을 끼치기 때문이다. 좋은 교구를 선택할 줄 아는 지혜가 필요하다.

색상에 따른 체감 무게(릴리안 베르너 본즈, 2008)

색깔	무게(kg)
흰색	1.4(실제 무게와 같음)
노랑	1.6
초록	1.9
파랑	2.1
회색	2.2
빨강	2.21
검정	2.6

09
미술
꿈을 그리게 하라

환상을 버려라

다음 쪽에 있는 2009년 개정 교육과정 초등 3, 4학년군 교과용 도서 미술과 활용 자료대로 척척 가르치면 마치 훌륭한 예술가를 양성할 것 같은 환상을 심어주는데 실제는 그렇지 못하다. "미적 감수성과 직관으로 대상을 이해하고 삶을 창의적으로 향유하며 미술 문화를 계승, 발전시킬 수 있는 전인적 인간을 육성하는 데 있다"고 하나 오히려 아이들의 상상력을 가로막고 있다.

그 이유를 살펴보면 다음과 같다. 첫째, 교육과정에서 목표로 잡고 있는 의미 부여에 일관성이 없다. 국가 수준의 공통적인 기본 틀로 제시되어 다양성을 추구하기가 힘들다. 또한 목표의 진술이 추상적이고 내용을 측정할 객관적인 표준이 없다.

구분	초등학교	
	3~4학년군	5~6학년군
체험	• 지각 주변 대상을 탐색하여 느낌과 생각을 다양한 방법으로 나타내기 • 소통 생활 속에서 시각 문화를 찾아보고 탐색하기	• 지각 주변 대상이나 현상, 자신의 특징을 발견하고 다양한 방법으로 나타내기 • 소통 시각 문화의 소통 방식을 이해하고 활용하기
표현	• 주제 표현 다양한 주제를 탐색하여 자유롭게 표현하기 • 표현 방법 기본적인 재료와 용구, 표현 방법을 탐색하여 표현하기 • 조형 요소와 원리 조형 요소와 원리를 탐색하여 표현하기	• 주제 표현 체계적인 발상을 통하여 주제의 특징과 느낌을 효과적으로 표현하기 • 표현 방법 다양한 표현 방법의 특징을 이해하고 효과적으로 표현하기 • 조형 요소와 원리 조형 요소와 원리의 특징을 이해하고 효과적으로 표현하기
감상	• 미술사 미술의 시대적, 지역적 배경에 흥미와 관심 갖기 • 미술 비평 미술 작품에 흥미와 관심 갖기	• 미술사 미술의 시대적, 지역적 특징을 알아보고 문화적 전통을 이해하기 • 미술 비평 미술 비평 활동의 과정과 방법을 익히기

- 2009 개정 교육과정 초등 3-4학년군 교과용 도서 미술과 활용 자료

둘째, 교육과정의 내용과 방법이 아이들의 발달단계를 전혀 생각하지 않았다. 예를 들어 1학년 때 그림을 그릴 때 어떤 색을 중심으로 써야 하는지, 그림의 형태는 어떻게 되고 6학년(사춘기) 과정에서는 주로 어떤 색들을 써야 하는지에 대한 정확한 제시가 없다. 셋째, 표현 기능 위주의 창의성 중심 교육에 머물고 있다. 넷째, 미술 교육을 위한 여건이 제대로 갖추어져 있지 않고 있다. 다섯째, 교육과정을 실천할 수 있게 도와주는 교과서에서 자유롭지 못하다. 여섯째, 교육과정의 운영을 위한 편성이 개방되어 있지 않

고 자유롭지 않다.

따라서 제대로 된 교육과정을 운영하기 위해서는 교육 내용이 발달단계에 맞게 제대로 구성되어야 한다. 그래야만 아이들의 자유로운 내면을 만들기 위한 것으로 이루어지고 교육 방법도 시간 운영, 환경 여건에 이르기까지 그 리듬에 따라 색다르게 이루어질 수 있다.

또한 미술 교과는 개별성보다는 다른 교과를 뒷받침해 주는 통합적 접근 교과다. 다른 교과와 통합이나 개념의 통합으로 현재의 부족한 부분을 채워나갈 수 있다. 그렇게 하기 위해서는 선행 작업으로 교과 간 관련성 있는 내용으로 편성되어야 한다. 단순히 미술 교과는 미술 작업만 하는 것이 아닌 다른 교과와 깊은 관계 속에서 내면화해 주는 교과가 되어야 한다.

미술 작업은 기능이 아니다

교과서 예시 자료로 소개한 조소 작업을 보면 사람이나 나무나 모두 조립해서 작품을 완성하도록 보여주고 있다. 사람이 어머니 뱃속에서 열 달 동안 건강하게 지내다가, 태어나서도 세상을 향해서 안에서 밖으로 모든 힘을 쏟아 자라게 된다.

하지만 지금의 교과서 내용을 보면 안에서 바깥이 아닌, 바깥에서 안으로 되어 있다. 우리의 팔, 다리, 머리가 로봇처럼 조립해서 만들어졌는가? 그렇지 않다면 이것은 아주 잘못된 방식이다. 이것을 아이들에게 그대로 따라 하라고 소개하고 지금까지 이에 대해 어느 누구도 문제 제기를 하지 않았다는 것이 문제다. 또한 예술 교육이 제대로 이루어지기 위해서는 초등학교 과정에서 미술 교육 내용은 회화나 조소가 중심을 이루고 6학년 이상 상급 학교(중 · 고등학교)에서 소묘(데생)을 배우게 해야 한다.

미술 활동별 적정 학년

치료	형상	육체	영혼	정신	학년
· 소묘	· 머리	· 신경-감각 계통	· 사고	· 깨어 있음	· 6학년 이상
· 회화	· 가슴	· 순환기 계통	· 감정	· 꿈	· 초1학년부터
· 조소	· 하복부	· 신진대사-사지 계통	· 의지	· 수면	· 초1학년

초등학교 3, 4학년 미술 교과서(《초등학교 미술 3-4학년》, 천재교육)에 나와 있는 찰흙으로 동물 만들기를 보면 아래 그림과 같이 되어 있다.

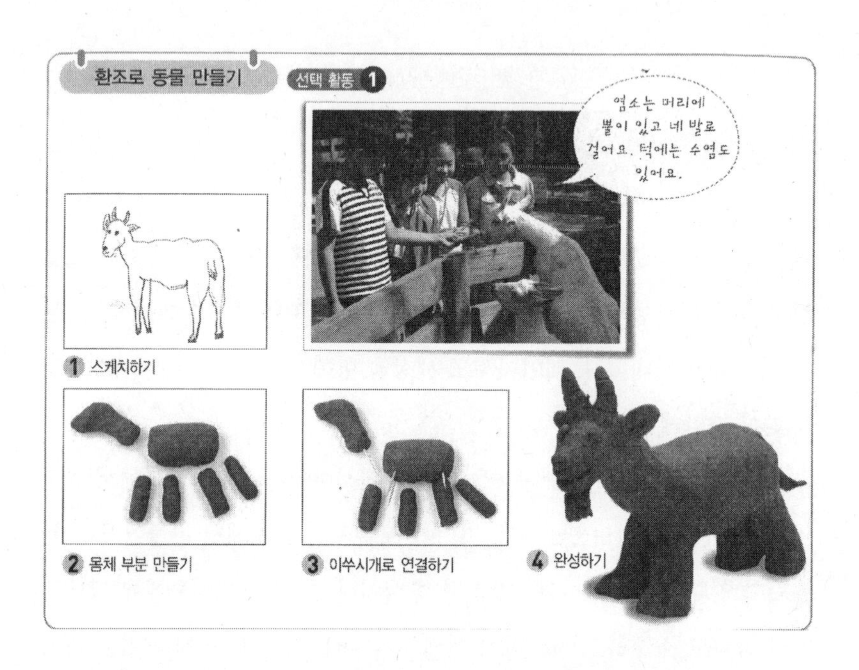

사람이나 동물의 경우 수정체에서 시작된다(40쪽 수정체 발달단계 사진 참

조). 둥근 원에서 팔, 다리가 나오면서 점차 자란다. 하지만 옆의 그림의 경우는 마치 로봇처럼 조립하는 형태로 예시를 보여주고 있다. 안에서부터 시작해서 바깥으로 나가야 하는데 이러한 과정을 전혀 생각하지 않고 있다.

어린 아이들 몸이 시간이 지나면서 점차 자라는 것이 바깥에서 이미 다 만들어 갖다 붙여서 머리, 몸, 팔. 다리가 커지고 늘어나지 않았다. 우리 눈으로 직접 볼 수 없지만 분명 어린 아이는 하루하루 바깥세상을 향해 자라고 있다는 것을 알고 있다.

찰흙을 가지고 동물 만드는 작업을 이렇게 하면 어떨까?

찰흙 작업 과정(Anke-Usche Clausen und Martin Riedel, 1995)

먼저 원 모양으로 만든다. 그런 다음 달걀 모양으로 변형시킨다.

손을 이용해서 앞부분을 위로 살짝 치켜세우고 나서 코끼리 머리 작업을 한다.

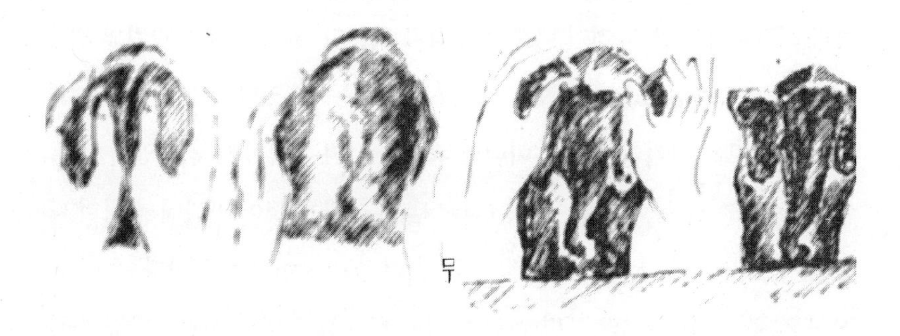

엉덩이 부분을 작업할 때 다리가 안쪽으로 들어가게 하고, 위는 삼각형 모양으로 한다.

다듬기 단계에서 섬세하게 마무리한다. 중요한 것은 바깥쪽에서 안으로 갖다 붙이는 것이 아니고 안쪽에서 바깥쪽으로 뻗어 나오게 해야 한다. 어린 아이들이 자랄 때 팔, 다리를 나이별로 크기에 맞게 갖다 붙이지 않는 것처럼, 식물의 경우도 싹이 트고 밑에서부터 위를 향해서 자라나는 것처럼 찰흙 작업이나, 칠판 그림, 습식수채화, 크레용 그림 작업을 할 때도 다듬기 단계에서 섬세하게 마무리한다. 중요한 것은 바깥쪽에서 안쪽에서 바깥으로 뻗어나가는 형태로 작업을 해야 하고 그렇게 하도록 가르쳐야 한다. 이래야만 사물에 대해서 올바른 인식을 할 수 있다.

코끼리를 만들고 있는 아이들 모습

다른 교과와 관련성

미술 교과는 다른 교과와 관련성이 깊게 다루어야 한다. 과학 수업의 경우 과학적인 사실이나 개념에서 출발하지 않고 자연에 대한 이야기, 자연에서 얻는 감동, 감홍, 분위기를 이야기하면서 시작되어야 하는 것처럼 올바른 자연 세계와 관계를 만들 목적으로 하여 씨 뿌리고, 식물을 키워 수확하는 과정 중심 프로젝트 수업을 해야 한다.

세계적인 대안 교육의 중심인 발도르프학교에서 예술 교육을 중요시 여기는 것은 바로 영혼을 교육하는 것이기 때문이다. 발도르프학교의 전체적이고 종합적인 교육의 시점은 교육을 예술화하는 것으로부터 수업을 시작한다고 하는 것이다. 그리고 교육 실천 전반에 걸쳐서 예술적 요소를 스며들게 하고 있다. 예를 들면, 1학년 첫날부터 직선, 둥근 선, 나선 같은 기본적인 선을 1센티미터 두께로 칠해 나간다든지, 국어 시간에도 문자의 연습은 색을 구분해서 그림을 그리면서 수업에 들어가고 있고, 기하학의 도형이나 수학의 구구법 따위들은 먼저 그림을 그리는 것으로부터 수업을 시작하고 있다.

이와 같이 예술에 젖어들면서 문자가 탄생하고 숫자의 비밀이 드러난다. 그러므로 그림을 그린다고 하는 행위는 어린이들의 학습 범위 전체에 걸쳐서 기본이 되고 있으며 일상생활 속에서도 자발적인 자기표현의 수단으로서 어린이들의 삶 속에 응용되어지고 있다. 이와 같이 미술 교육은 분명하게 어린이의 영혼의 성장에 기본이 되며 전체의 수업에 생명감을 불어넣어주고 있다. 따라서 교육의 원천으로 그림을 잘 그린다는 것이 목적이 아니라 좀 더 폭넓게 인간의 종합성을 염두에 둔 것이다.

'감상'에 대해서

교수 · 학습 방법

–감상

· 다양한 감상 관점을 활용하여 종합적인 안목을 형성하도록 함

· 비교 감상을 하고 문화적 다양성과 차이를 이해하도록 함

· 미술 용어와 비평 방법을 알고 글쓰기와 토론에 활용하도록 함

· 미술사 영역에서 작품 선정은 학습자 수준을 고려하여 선정함

· 박물관, 미술관, 전시장 관람을 학기당 1회 이상 관람함

· 전통 미술 이해를 위해 전통 미술 자료와 문화 공간을 활용함

–2009 개정 교육과정 초등3–4학년군 교과용 도서 미술과 활용 자료

3, 4학년 아이들에게 '감상'이라는 것이 가능할까? 국어사전을 보면 감상을 "주로 예술 작품을 이해하여 즐기고 평가함"이라고 했다. 그렇다면 3, 4학년 아이들의 지적 발달이 어느 정도이기에 자기 그림이나 다른 사람의 그림을 보고 자기 생각을 자유롭게 말할 수 있을까? 작품을 보고 한두 마디는 할 수 있다. 하지만 '감상'이라는 단계까지 가기 위해서는 경험이 필요하다.

어른이 미술 전시회에 가서 여러 그림들을 보고 느끼고 이야기를 나눌 수 있는 것은 그만큼 살아온 경험과 체험이 있기에 가능하다. 물론 미술 작품에 대해서 관심을 가지게 하려고 하는 생각은 좋으나 어떻게 그림에 대한 시작을 해야 하는지에 초등학교 1학년 과정부터 자세히 소개되지 않았다.

그림은 그냥 그리면 되고, 소질은 개별적인 것이라 생각하는 것은 오로지 교과서를 만든 사람들의 생각이지 아이들의 처지를 전혀 반영하지 못한 것이다. 소질이라는 것이 타고날 수도 있지만 끊임없는 연습으로 만들어 갈 수 있다. 어떤 방법으로 어떻게 이끌어내느냐에 따라서 달라질 수 있다는 것이다.

같은 재료라도 요리사에 따라 아주 색다른 음식이 만들어지는 것과 같다. 어른의 처지에서 생각하는 것이 아니라 아이들 발달단계에 맞는 교육 내용을 제시해야 한다. 따라서 감상은 '느낌'에 충실해야 한다.

어떻게 느끼고 있는가에 대해 아이들의 충분한 생각을 끌어내는 것이 중요하다. 단순히 작업(회화, 조소, 조작물)을 하는 것으로 끝내지 말고, 결과물을 가지고 이에 대해서 이야기를 나누어야 한다. 이렇게 하기 위해서는 무엇보다도 교사의 사전 준비가 필요하다. 먼저 그려 보거나, 만들어 보면서 아이들이 어떻게 느낄 것인가를 알고 이에 대해서 이야기를 풀어 가면 아이들을 느낌 나누기로 풍부한 예술적 감각을 키울 수 있다.

학년 발달단계에 맞는 그리기(회화) 수업 내용 소개

1 · 2학년, 3 · 4학년, 5 · 6학년군으로 묶어서 2년 동안 공부하는 것은 학년 구분이 명확치 않다. 그러다 보니 학교 상황이나 교사 역량에 따라 제각각이다. 기초와 심화 영역을 나눈 것이라 하지만 학년교사가 연속으로 담임을 맡아서 가르치지 않는 이상, 같은 것을 되풀이해서 가르치거나, 아니면 가르치지 않아 배우지 못하고 넘어가는 경우가 생길 수 있다(정윤성, 2013).

1학년 때부터 무엇을 어떻게 왜 배워야 하는지에 대한 분명한 교육 목표가 제시되어야 한다. 단순히 요소들만 백화점식으로 즐비하게 나열되어 있을 뿐 각 학년에 맞는 요소들을 어떻게 가르쳐야 하는지에 대한 구체적인 내용 제시가 없다.

예를 들어 1학년에서 회화를 해야 하는 이유, 6학년에서는 사춘기 때 걸맞은 내용을 중심으로 수업 내용을 구성하도록 하는 친절한 안내가 없다. 단순히 단위 시간에 어떤 내용을 얼마큼 배웠는가에 대한 기능적인 요소만을 강조하고 있다.

또한 미술 영역에서 다루고자 하는 회화, 조소, 소묘에 대한 사전 이해를 돕고, 그것이 아이들 발달단계에 어떤 영향을 미치는지에 대한 설명이 있어야 한다.

한 예로 1학년에 알맞은 습식수채화 수업의 경우, 1학년에서 습식수채화 색은 3원색(빨강, 노랑, 파랑)을 중심으로 한다. 단색에 대한 느낌을 먼저 경험하게 하는데 도화지(머메이드지)에 빨간색을 다 칠하고, 그 다음 파랑색, 노란색을 칠한다. 물론 차례가 있는 것은 아니다.

기본 3원색을 다 다루는데, 중요한 것은 습식수채화 시간이 1주일에 1시간 정도라는 점이다. 가능하면 금요일에 습식수채화 시간을 정해서 정규적으로 수업하는 것이 좋다.

1년 52주면 여름과 겨울방학을 빼고 실질적으로 습식수채화 수업을 진행할 횟수는 대략 30회 정도다. 30회 정도를 다 꽉 채우면 대단한 수업을 진행한 것인데, 이에 맞는 교육과정을 빠짐없이 작성해야 한다. 더구나 학교 행사가 금요일에 있다면 빠지기 쉬운데, 그렇다고 그냥 넘어가기보다는 놓친 부분은 꼭 보충하도록 해서 아이들이 습식수채화에 대한 예술 감성을 충분히 느끼게 해주어야 한다.

기존 수채화와의 차이점은 단순히 보기 그림을 따라 그리는 것이 아니라 물론 고학년에 가서 풍경을 그대로 그리기도 하지만 1학년에서는 동화(옛이야기)와 덧붙여서 습식수채화 수업이 진행된다. 단순히 혼자서 그림을 그리기보다는 이야기 수업을 통해서 들은 것을 표현하는 것이다.

1학년 습식수채화

루돌프 슈타이너 박사는 수채화 물감의 쓰임에 대해서 특별히 강조했다.

> "우리는 특별히 아이들이 물감 통에서 곧장 물감을 꺼내 쓰도록 허락해서는 안 된다. 그것은 심지어 예술적 그림에서도 잘못된 것이다. 사람들은 이미 물 또는 다른 유동성 액체와 혼합된 물감이 담긴 접시를 이용해 그림을 그려야 한다. 여러분은 물론 아이들도 마땅히 색에 내적으로 친밀한 관계를 발달시켜야 하며 여러분이 팔레트를 이용해 그림을 그릴 때 색상에 그러한 친밀감을 갖지는 않는다. 그러나 접시에 용해된 색으로 그림을 그릴 때 이 내적 친밀 관계를 발달시킨다."(루돌프 슈타이너, 2000)

이렇듯 수채화는 종이에 물이 칠해진 상태에서 쓰느냐 그렇지 않느냐의 여부에 따른 방법적인 면에서 건식수채화와 습식수채화로 구별된다. 건식수채화는 수정이 거의 불가능하기 때문에 아주 연하게 해야 하며 너무 오래 하기보다는 짧은 시간에 그리는 것이 좋다. 엷은 큰 붓질이 좋으며 색깔의 분위기가 빨리 나타난다.

습식수채화의 목적은 느낌을 표현하는 것으로 팔레트에서 색을 섞는 것이 아니라 젖은 종이 위에서 자연스럽게 색이 섞여진다. 마치 흐르는 물에 떠다니는 듯한 느낌으로 영혼이 헤엄치는 것처럼 자유로움을 체험하게 된다. 이때 부드럽게 신비로운 분위기가 만들어진다. 습식수채화는 젖은 상태의 종이를 쓰며 스펀지에 물을 소량만 묻힌 상태에서 도화지 전면에 물을 발라준다. 이때 종이가 처지지 않고 적당한 물기를 빨아들기 위해서 일반 도화지보다 약간 두꺼운 머메이드지를 써야 한다.

1학년에서는 주로 색의 특성과 상호작용을 의인화하여 소개하는데 주로 우화, 전설, 옛이야기들이 주 소재가 된다. 또한 색의 기본색은 노랑, 빨강, 파랑색을 주로 쓴다.

첫 시간은 빨강, 노랑, 파랑에 대해서 다룬다. 한 시간에 한 가지색만 다루고 나머지는 차례로 다룬다. 단색을 그려보고 이에 대한 느낌을 이야기 한다.

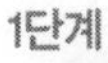

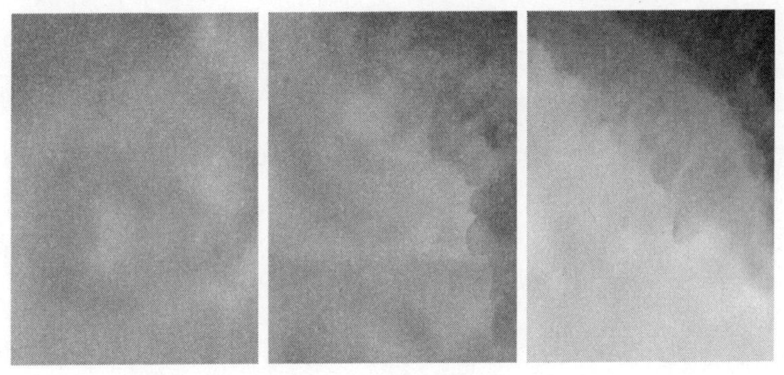

"노랑이가 혼자서 놀고 있는데 저 멀리서 파랑이가 같이 놀자고 오고 있네요. 하지만 노랑이는 해야 할 일이 있어서 함께 놀지 못하고 집에 들어가야 되었네요."

2단계

빨강을 이렇게, 노랑을 칠한 다음 파랑색을 색칠하라고 말하기보다는 색을 의인화하여 마치 도화지 위에서 색들이 살아 움직이는 느낌으로 색칠을 하게 한다. 그런 다음 이에 대해서 아이들 각자 그린 그림을 가지고 어떤

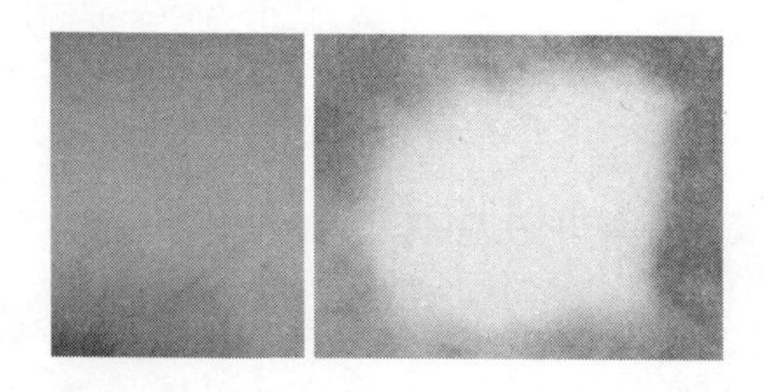

느낌이고, 어떤 그림은 어떻다는 식 따위의 이야기를 나눈다.

2학년 습식수채화

2학년에서 습식수채화는 빨강, 노랑, 파랑 세 가지 색이 서로 조화를 이루는 과정을 배우게 한다. 세 가지 색들이 각자 어떻게 만나고 어떻게 상대 색들을 파악하고 알아 가는지에 대한 느낌을 배운다.

· 특징이 있는 색(빨강과 노랑, 노랑과 파랑, 파랑과 빨강 따위)
· 특징이 없는 색(노랑과 주황, 주황과 빨강 따위)
· 보색(빨강과 노랑, 노랑과 보라, 주황과 파랑)

1단계

"파랑이와 노랑이가 놀이터에서 놀고 있는데 빨강이가 같이 놀자고 오네요!"

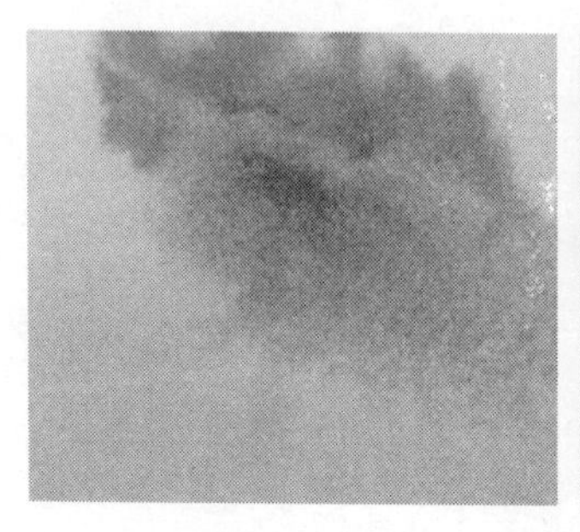

2단계

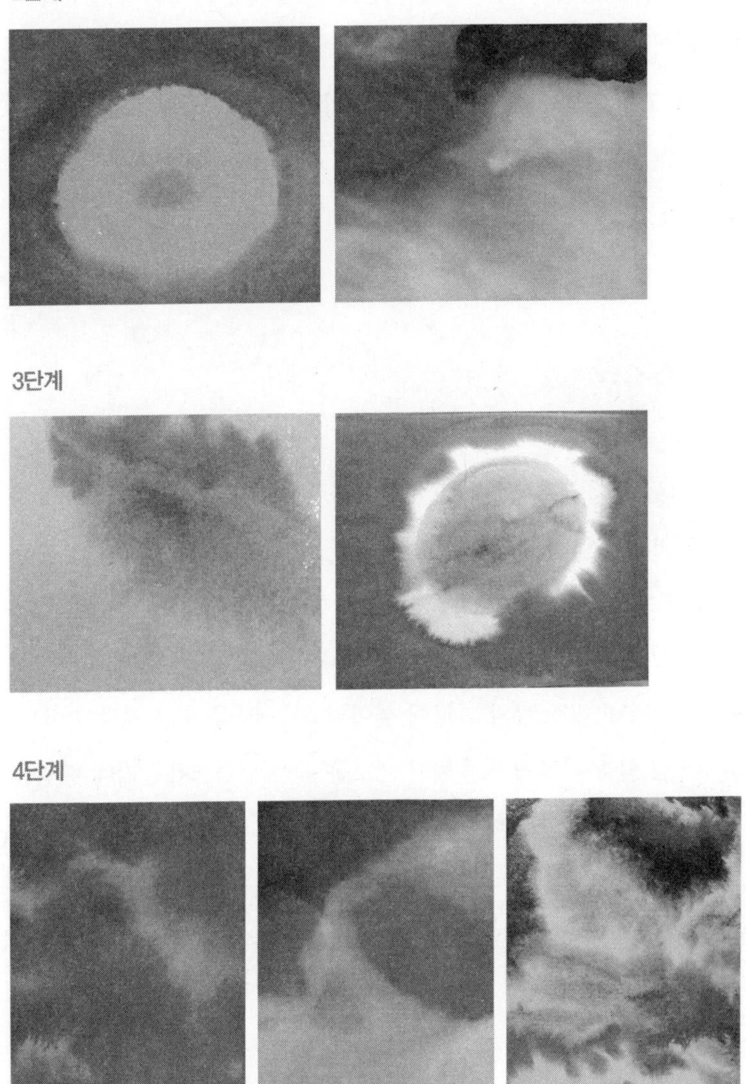

2학년 단계에서는 세 가지 색이 처음에는 개별적으로 어울렸으나 시간이 지나면서 친해지는 과정을 거치고, 나중에는 깊숙하게 어울리는 단계까

지 간다. 이 과정에서 다른 교과 시간에 배운 내용을 그리기도 한다. 예를 들어 국어 시간에 '우화'에 대해서 공부했으면 아이들이 동물을 그리고 싶어 하면 그려 보기도 한다. 그러면서 아이들은 차츰 색이 서로 만나고 그러다가 어떻게 다른 색(노랑과 파랑이 서로 어울려서 만나다가 자연스레 '초록색'을 만들어냄)이 만들어지는지를 알게 된다.

3학년 습식수채화

3학년에서 습식수채화는 빨강, 노랑, 파랑색들이 서로 섞여서 새로운 색을 만들어내는 작업을 한다. 이것은 다른 교과하고도 연계된 내용으로 창조(빛의 창조, 빛과 어두움의 대비, 위와 아래의 창조, 지구와 물, 식물과 동물의 창조)와 관련이 있다. 예를 들어 초록을 만들어내는 과정, 보라나, 주황을 만들어내는 것이 단순히 노랑과 파랑이 섞여서 되는 지식(개념) 전달이 아닌, 색채가 지닌 힘을 어떻게 작용해서 새로운 색을 만들어내는가에 중점을 두고 지도한다. 예를 들면 다음과 같다.

"추운 파랑나라에 어느 날 저 멀리서 따뜻한 바람(노랑)이 조금씩 불어오기 시작했어요. 아무것도 살 수 없었던 파랑 나라에 노랑 바람이 살랑살랑 불어오기 시작하니까 아주 작은 초록생명들이 돋아나기 시작했어요. 노랑 바람이 더 불어오면 불어올수록 초록 생명들이 점점 많아지기 시작했어요."

1단계

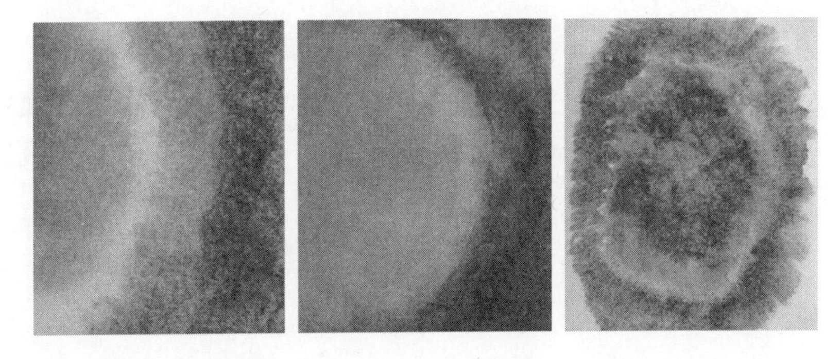

2단계

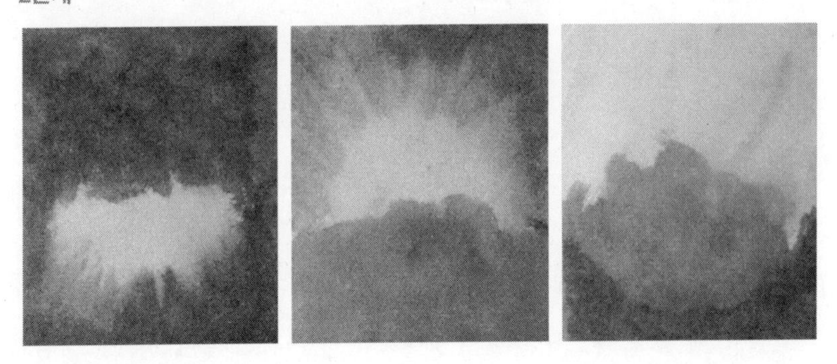

미술 수업을 내실 있게 하기 위해서는 교사는 각 색채가 지닌 특성을 알아야 한다. 그래야만 아이들에게 풍부한 감성과 상상력을 제공할 수 있다. 괴테는 색마다 도덕적 효과가 있다고 하였다(괴테, 2003).

"노란색은 빛에 가장 가까운 색이다. 반투명한 선홍색에 의한 또는 흰 표현으로부터의 희미한 반사에 의한 빛의 가장 가벼운 완화에서 나타난다. 프리즘 실험에서 노란색은 빛의 공간에서 그 자체가 폭넓게 팽창하고, 한편 두 양극은 변함없이 서로 분리되어 있다. 그리고 초록색을 생성하기 위해 파란색과 병합되기 전 가장 순수하고 아름다운 색으로 보여진다. 만약 특히 회색빛 겨울날 노란 유리를 통해 경치를 본다면, 이 따뜻한 색의 표현은 생생한 방법으로 실험될 수도 있다. 눈은 환희로 가득 차고, 심장은 팽창되어 흥분되고 곧 열정과 행복이 우리를 향해 호흡해 오는 것 같다.

빨강색은 이 색의 효과는 그 본질만큼 독특하다. 이 색은 진지함(중력)과 위엄을 표현함과 동시에 우아함과 매혹적인 인상을 자아낸다. 어둡고 깊이 있는 상태에서는 전자의 인상을 드러내고 밝은 색조로 희석된 상태에서는 후자의 느낌을 준다. 그리고 나이에서 오는 위엄과 젊음의 귀여운 이미지는 동일한 색조의 정도로 꾸밀 수 있다.

붉은 색 유리는 경외감(공포)의 감정을 일으키기 위해 위협적인 색조로 밝은 경관을 나타낸다."

또한 괴테의 《색채론》에서는 '충동의지에 차례로 생기는 감정에 대한 색의 관계'를 보여주며. 시각장애자도 역시 색의 도덕적 효과를 경험한다고 하였다 한다. 헬렌 켈러는 "정상인들이 맹인들은 모든 색의 아름다움으로부터 배척되어 있다고 생각한다면 그들은 잘못이다"라고 썼다. 그리고 맹인 여류작가 어술라 버크하드(Ursula Burkhard)는 동화에 관하여 자신이 색의 다양한 개념을 만들 수 있었던 방법과 색의 본질을 내적으로 경험한 학습 방법을 소개하기도 했다.

1, 2학년에서 이야기(옛이야기, 우화, 전설) 수업을 할 때는 아이들이 그 이야기 속의 여러 색들을 충분히 경험하고 그것에 의해 색과 깊은 관계를 맺게 해주는 것이 아이들의 감성을 풍부하게 해주는 것이기 때문에 단순히

교과서에 있는 내용을 그대로 따라 그리게 하는 기능만 강조하는 것은 결국 아이들의 맑은 영혼을 메마르게 하는 것이다.

4학년 습식수채화

4학년에서는 주로 동물학이나 신화에 대한 내용을 주요 내용으로 다루어서 그림 작업을 한다.

4학년 습식수채화

5학년 습식수채화

지리학과 신화, 식물학에 대한 내용을 주로 다룬다.

5학년 습식수채화

6학년 습식수채화

사춘기가 시작되는 시기라 주로 목탄이나 먹, 펜을 이용한 흑과 백의 느낌을 많이 경험하도록 한다. 6학년 말쯤에는 광물학과 지질학을 다루어서 초등 과정을 마무리한다.

6학년 습식수채화

자연물을 이용한 미술 활동: 모빌 만들기

이것은 계절 책상과 함께 가을 분위기를 물씬 느낄 수 있는 활동으로, 아이들과 함께 해볼 수 있는 쉬운 활동이다.

만드는 방법

- 준비물 : 넝쿨 식물과 나무와 열매, 가을꽃, 철사나 끈 따위들
- 대상 : 3학년 이상
- 재료는 주말을 이용해서 가까운 산이나 들에서 구할 수 있음
- 효과 : 자연물이기 때문에 아이들 정서와 감성에 좋고, 계절(가을) 분위기를 물씬 느낄 수 있는 것임.
- 방법 : ① 먼저 넝쿨식물과 나무와 열매를 준비하고, 여기에 가을꽃

들을 준비한다. 그런 다음 이것을 지름 20~25cm 정도 원을 만든다. 원이 풀리지 않게 미리 준비한 철사나 끈으로 묶는다. 그런 다음 덩굴식물이 풀리지 않도록 가지들을 서로 꼬아 놓고, 가을꽃이나 열매들을 중간 중간 끼워놓는다.

② 또 다른 방법으로 두께 1~1.5cm 정도 되는 철사를 지름 20~25cm 정도 원을 만들다. 그런 다음 준비한 넝쿨식물들을 철사를 따라가면서 감는다. 원이 완성이 되면 가을꽃이나 열매를 중간에 끼워 놓는다. 또 다른 방법이 있으리라 보는데 편리한 방법을 택해서 하면 된다.

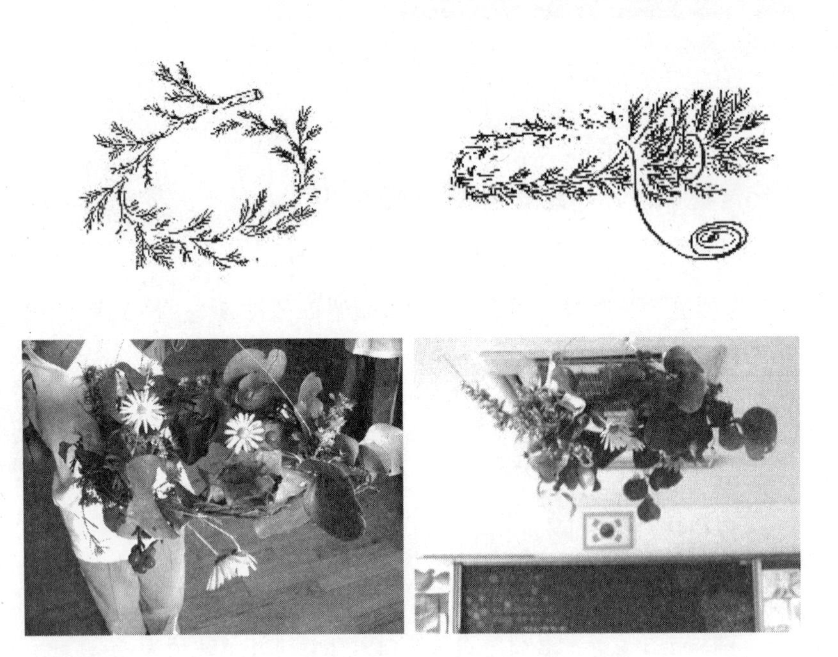

거미집 모빌 만들기

- 대상 : 초등학교 5학년 이상
- 준비물 : 대바늘 3개, 털실 색깔별(7색깔 정도), 알밤(지름 4cm 정도), 송곳
- 방법 : ① 알밤에 아래 그림처럼 구멍을 뚫고 대바늘을 끼운다.

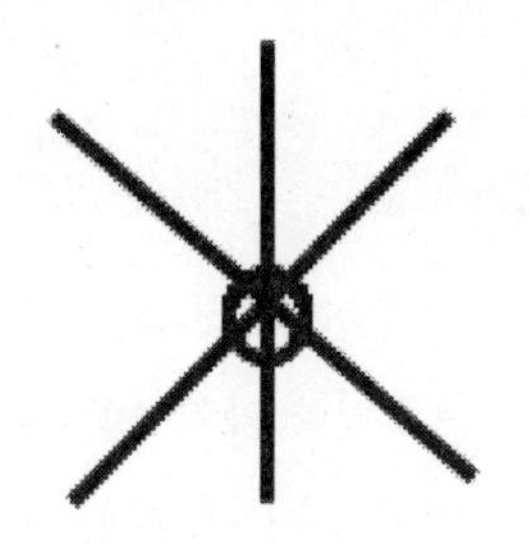

② 털실을 알밤 중심에 묶고 돌린다. 이때 실을 위 그림처럼 대바늘을 중심으로 해서 한 번 돌려서 연결한다. 그냥하면 실이 풀리기 때문에 한 번 돌릴 때 단단하게 하면 층이 생겨서 실들이 밀려나지 않는다. 어느 정도 실을 돌렸으면 다른 실을 바꾸어 가면서 돌린다.

③ 완성되었으면 교실이나 거실, 아이들 방에 매달아두면 좋다. 색깔이 그대로 살아 있기 때문에 자연스러움을 더해 준다.

④ 너무 힘을 주면 실들이 안쪽으로 밀리기 때문에 털실 간격을 잘 맞추어서 엮어 나간다. 여름철은 간격을 두고 겨울철에는 빽빽하게 한다(다음 쪽 사진 참조).

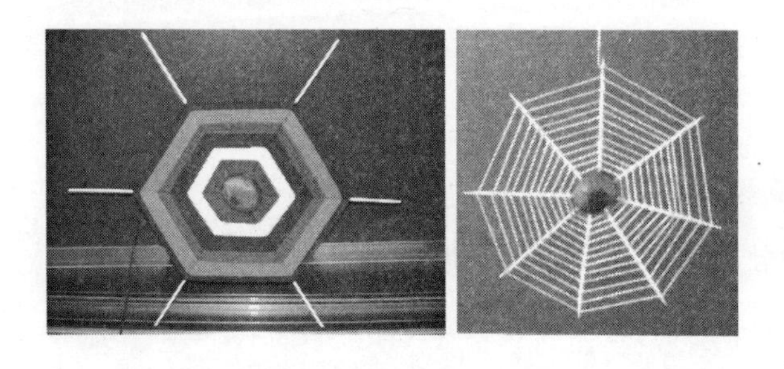

사춘기를 겪고 있는 아이들에게 맞는 작업

초등학교 6학년 미술 교과서는 사춘기가 시작되는 아이들을 위한 수업 내용과 방법들이 적다. 다른 학년과 달리 6학년에 와서 전혀 새로운 작업들을 하고 있는 것이 있다. 바로 사춘기 아이들이 겪고 있는 내면적인 작업들을 여러 가지 예술 작업으로 표현하는 것이다. 그래서 예술 시간에 목탄을 이용한 나무 그리기 작업, 유리구슬 공예를 이용한 작업(2학기에도 이어짐), 그리고 검은 도화지를 이용한 스텐실 작업, 또한 목공예 시간에는 내면적인 작업에 도움이 되는 파내기 작업들을 주로 하고 있다.

이 가운데 유리구슬 공예는 다른 분들은 어떻게 생각할지 모르나 이것을 이용한 작업은 상당한 집중력이 필요하다. 또한 속으로 깊이 호흡을 하기 때문에 6학년 우리 아이들에게는 좋다.

발도르프교육 홈페이지(www.waldorf.co.kr)에 소개하고 있고 검은 도화지를 이용한 스텐실 작업 결과물들은, 우선 색깔이 검은색이기 때문에 사춘기 아이들에게 알맞다. 또한 작업 내용들이 상당히 집중을 요구하기 때문에 자신도 모르게 집중력이 생긴다고 본다. 또한 어려운 과제를 무난히 소화함으로써 성취 능력이 좋아진다. 물론 이것이 작업의 목표는 아니지만 말이다.

사춘기 아이들에게 가장 알맞은 작업에는 무엇이 있을까 고민하다가 가장 도움이 될 수 있는 내용들을 골라서 아이들과 함께 해나가고 있는 것이다. 여기 소개하는 사진 자료는 2003년에 6학년 담임을 맡았을 때 했던 검은 도화지를 이용한 스텐실 작업이다. 그림 내용이 상당히 복잡하고 선에 여유가 없기 때문에 아이들 스스로가 여기에 푹 빠져 작업을 했다.

이처럼 흑과 백을 이용한 작업들을 충분히 한다면 그야말로 사춘기를 훌륭하게 소화해낼 수 있다고 할 수 있다. 그만큼 사춘기에 어떠한 내용으로 어떻게 하느냐가 전체 삶에 많은 영향을 미치기 때문에 아이들이 제대로 사춘기 과정을 지날 수 있도록 도와주는 것이 중요하다. 아이들의 작품들은 완성된 다음에 교실 창문에 장식해 놓으면 좋다.

10

체육 바른 움직임을 가르쳐라

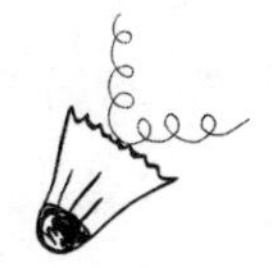

체육과는 신체 활동 가치의 내면화와 실천을 통한 전인 교육을 목표로 한다. 즉 신체 활동을 통하여 활기차고 건강한 삶에 필요한 지식과 실천 능력, 자신의 미래를 계발하는 데 필요한 도전 능력과 창의적 사고력, 공동체 생활에 필요한 선의의 경쟁과 협동 능력과 같은 바람직한 인성을 함양하는 것을 목표로 한다.

초등학교 체육(3-4학년, 5-6학년)에서는 '신체 활동 가치에 관한 기초 교육'의 시기로 건강, 도전, 경쟁, 표현, 여가 활동의 이해 · 수행 · 감상 활동을 하게 된다. 초등학교 체육은 공교육에서 체육 교육이 이루어지는 시작 단계이므로 건강한 생활 습관 형성, 기초 체력 증진, 기초 운동 수행 능력 및 표현 능력, 운동 규범 습득, 여가 생활 태도 발달

등을 목표로 한다. 특히 초등학교 3-4학년은 신체 활동의 다섯 가지 가치를 실천할 수 있는 태도 형성에 중점을 둔다. 초등학교 5-6학년은 신체 활동의 가치를 실천할 수 있는 태도를 바탕으로 신체 활동의 기본 실천 능력을 기르는 것을 강조한다.

–2009 개정 교육과정 체육과 해설집(체육과 목표)

체육 수업은 전인 교육을 목표로 한다. 온전한 사람으로 아이들이 자라기 위해서는 아이들의 다양한 면을 자극하고 경험하게 해야 한다. 그러기 위해서 교사는 교육과정을 재구성해야 한다. 그러나 실제로 체육 교과서의 대부분은 운동(스포츠) 영역 그리고 과학적 지식에 많이 치우쳐져 있다. 교사가 활용할 수 있는 운동 영역 이외의 영역에 더 많은 내용을 소개해야 한다. 단편적인 내용을 짧게 소개하기보다는 풍부한 지식을 가지고 가르칠 수 있는 자료 제공이 필요하다.

교사나 아이들에게 흥미가 일어나도록 해주는 교과서라고 한다면 배움은 자연스럽게 일어난다. 하지만 현재의 교과서 구성 형태는 대부분 특성과 가치, 매우 간략한 역사, 운동 기능의 설명, 경기 전략, 경기 규칙으로 이루어져 있다. 체육 교육이 활성화되기 위해서는 다양한 스포츠별 역사와 발전 과정을 소개하는 것도 필요하다.

초등 5학년 과정에서는 사회과 역사 영역과 연계해서 고대 부족들이나 삼국시대 때의 경기(또는 고대 그리스 올림픽)의 유래와 그 당시 경기를 재현해 보는 수업 활동을 하는데, 역사적 사실들은 학생들과 교사의 흥미를 불러일으키기에 충분한 소재다. 여기에다 체육 관련 인물의 역경을 담은 이야기를 소개하는 것도 필요하다.

초등 1학년 아이들에게는 균형 감각과 고유운동 감각, 생명 감각, 촉각들을 키워주는 것이 아주 중요하다. 오늘날 문명은 아이들 발달에 그리 좋은 영향을 주지 못하기 때문이다. 태어나는 순간부터 시청각 매체에 너무 많이 노출되어 온전하게 영유아기를 보낸 아이들이 그리 많지 않을 것이다.

점점 세상이 문명화되면 될수록 몸과 많이 병들어가는 아이들은 점점 더 늘어나고 있는 것이 현실이다. 요즘 들어 소아자폐증이나 난독증 아이들이 늘어나는 것을 보면 이를 알 수 있다. 따라서 학교 교육이 해야 할 일은 체육 수업에서 할 수 있는 것은 아이들 몸의 여러 온전한 감각들을 되살리게 해주는 것이다.

더구나 요즘 아이들은 컴퓨터, 게임기, 스마트폰, 로봇 장난감 따위의 움직임에 빠져들어 의지 감각이 많이 병들었다.[1]

따라서 체육 수업은 유해한 환경에 의해 나약하고 병들게 된 아이들을 수업으로 건강하게 되돌려야 한다. 그렇기 때문에 체육 수업은 다른 교과에 비해 상당히 중요하다. 수업 시수를 늘린다고 하나 중요한 것은 내용이다. 수업 시수만 많다고 체육수업을 제대로 하는 것이 아니라 어떤 내용을 어떻게 담아내느냐가 중요하다.

초등학교 1, 2학년에서 체육 수업, 즉 통합 교과 시간에 주로 해야 할 활동이 '전래 놀이'다. 전래 놀이를 강조하는 것은 컴퓨터, 게임기, 스마트폰, 로봇 장난감 따위의 좋지 않은 영향을 극복할 수 있기 때문이다. 또한 다른 교과와 관련성을 생각할 때 상당히 깊은 관계가 있다. 국어 시간에 '전래 동화'를 배우고, 수학 시간에는 '전체에서 부분으로', 미술이나 음악 시간에도 전체와 온음을 배운다. 그렇다면 통합 교과 '즐거운 시간(체육)'에는 당연히 이와 관련성이 깊은 전래 놀이를 가르치거나 배우게 한다.

예를 들어 '줄넘기'의 경우 아주 단순한 운동이라고 생각할지 모르나 아이들은 줄넘기를 하면서 대단한 행복감을 느낀다. 그렇다고 이 시기 아이들에게 음악 줄넘기를 권하는 것은 아니다. 줄넘기를 시작하는 전에 아이들은 내적인 마음가짐을 몸 전체에서 차분히 다듬고, 줄을 넘기 시작하면 공중에서 잠시 무게가 없는 무중력 순간을 경험하고, 다시 땅으로 내딛는 순간 균형을 잡으며 또다시 뛰어오를 준비를 한다. 이렇게 줄넘기를 하면서 아이들은 만족감, 즐거움, 자유로운 느낌과 심리적 안정을 강하게 느낀다.

그렇지만 줄넘기를 제대로 할 때 유의해야 할 점은 플라스틱 줄넘기보다는 줄이 넘어갈 때 무게감을 느낄 수 있는 줄을 가지고 해야 한다는 것이다. 플라스틱 줄넘기는 가볍기 때문에 줄이 넘어갈 때 무게감을 느끼지 못한다. 이 시기에 아이들이 플라스틱 교구를 가지고 노는 것은 멀리 해야 한다는 뜻도 있다.

더구나 전래 놀이를 보면, 누군가 그 놀이에 숨겨진 비밀을 알고 아이들에게 위대한 선물을 준 것 같다는 생각이 든다. 어른 세대, 지금의 아이들, 다음 세대 아이들 모두에게 전래 놀이는 소중하다.

예전에는 컴퓨터, 게임기, 스마트폰, 로봇 장난감, 전자 매체들이 발달되지 않아, 아이들은 지금보다는 건강한 여러 감각들을 발달시킨 뒤에 학교에 들어왔다. 학교에서 특별히 체육 수업을 하지 않아도, 노는 시간이나 점심시간을 이용해 아이들은 운동장이나 교실에서 전래 놀이를 스스로 했다. 하지만 요즘은 이런 모습을 기대하기 힘들다. 교사가 전래 놀이에 관심이 없으면 그렇게 노는 모습조차 경험하기가 힘든 것이 현실이다. 그러다 보니 점점 갈수록 아이다운 운동성을 잃어버린 아이들이 많다.

그래서 요즘 아이들에게는 '리듬'이 들어 있는 특별한 움직임이 필요하다. 내적인 충족을 주는 움직임이나 형태가 있는 움직임을 하도록 해주는 수업이 필요하다. 아이들은 체육을 통하여 자신을 공간에 맞추기, 균형 잡기, 세우기 따위를 해본다. 눕혀진 나무 기둥이나 평균대에서 걷기를 통해 우리(교사, 부모)는 아이들이 스스로 의지 감각을 움직임으로 실험하고 있음을 자연스럽게 발견할 수 있다.

하지만 운동 경기 활동은 오히려 그 억압적인 특성 때문에 이 시기 아이들의 의지 감각을 발달시키기보다는 없어지게 한다. 또한 컴퓨터 마우스 클릭으로 대신하는 수업은 아이들을 더 병들게 하기 때문에 절대 보여주어서도, 해서도 안 된다. 기계가 아이들의 성장을 대신해줄 수 없다. 아이들은 교사가 함께할 때 제대로 성장할 수 있는 것이다.

아이들에게 꼭 필요한 움직임교육

교사나 부모에게 12감각[2]은 상당히 중요하다. 아이들의 행동 불안은 태어날 때부터 가지고 태어나는 것이 아니라 생후 6개월 내지 12개월에 생긴다. 이 기간 동안 부모가 아이에게 어떤 영향을 주느냐에 따라 이후 삶에 큰 영향을 준다.

행동 과다 현상은 남자아이에게만 해당되지 않고 여자아이에게도 나타난다. 생후 6개월 후에 나타나는 행동 불안과 행동 과다증은 태어날 때부터 이미 가지고 태어나는 것보다 훨씬 많이 나타나고 있으며, 점차 늘어나고 있다. 이러한 아이들은 자신이 관심을 가지고 있는 일에만 참여를 하며, 관심이 없는 일에는 꼭 어른의 개별적인 지도를 필요로 한다.

아이 자신의 의지에 의해 다른 사람들을 사랑하는 마음으로 자신을 통제하거나 포기할 수 있는 사회성이 덜 발달되어 있어 집단생활이 어려우나, 때로는 연령에 맞지 않게 사회성이 너무 지나치게 발달할 수도 있다. 그래서 부모는 아이의 움직임에 대한 충동에 근본적으로 균형을 맞추어 주는 것이 아니라, 아이가 원래 의도하지 않았던 또 다른 충동에 의해 오히려 자극되기 쉽다.

많은 부모들이 아이의 불안정을 못 이겨 외면하는 방법으로 진정시키거나 달래기 위해서 음료수나 과자, 텔레비전, 게임기를 주거나 핸드폰 게임을 하게 하는 경우가 있다. 이러한 음식과 음료는 아이의 공허한 행위로 이끌게 되는데, 배고프거나 목마르지도 않는데, 그것을 제공받기 때문이다. 문제는 이러한 행동 과다증이 현재 제3세계 나라, 예를 들어 아프리카나 중남미, 아시아(티베트, 태국, 필리핀, 캄보디아 등) 고산족과 예전의 우리 삶에서는 잘 나타나지 않았다는 것이다. '행동 과다증'은 분명 문명의 질병이다. 급격하게 변한 오늘날 삶의 환경에서 인간의 성장이 따라가지 못하는 스트레스이기도 하다.

1970년대 행동 과다증과 유사한 병으로 유행한 것이 독서 곤란증, 글씨 쓰기 장애 현상이었고, 이후 급격히 늘어나고 있다. 이러한 장애 현상을 감각의 측면에서 보면 '문명 이기(문화 기술) 능력의 장애'라고 할 수 있다. 어른들조차 컴퓨터 글쇠(자판)에 익숙해져서, 짧은 글일지라도 펜을 가지고 종이에 쓰라고 하면 쉽게 써내려가지 못한다. 어느 순간부터 글씨를 쓰는 것이 익숙하지 않게 된 것이다.

아이들 경우는 더 심각한 문제다. 학교에서 글씨를 쓰는 경우가 점점 더 드물어지고, 대부분 수업이 눈으로만 보는 화상 수업을 하고 있으니 손동작에서 운동 감각이 부족해질 수밖에 없다.

이를 위해서는 글쓰기(일기, 작문)와 손동작을 활발하게 해주는 수공예 수업이 필요하다. 교사의 확고한 신념과 철학만 있다면 얼마든지 재량 시간을 이용해서 수업을 진행할 수 있다. 핀란드의 교육과정에서 초등 1학년부터 어떤 과목들이 있는지를 한번 보자.

핀란드 반 프이스토 기초학교의 커리큘럼(후쿠타 세이지, 2008)

과목	학년									합계	국가 수준의 커리큘럼과의 비교
	1	2	3	4	5	6	7	8	9		
핀란드어	7	7	6	6	4	5	3	3	3	44	3~5학년에 +2
영어 (외국어 A1언어)			2	2	2	2	2	3	3	16	
프랑스어 (외국어 A2언어)				2	2	2	2	2	2	12	선택 과목, 자유 선택(A언어) 상당. 자유 과목에는 −1
스웨덴어 (외국어 B언어)								2	2	4	−2
수학	4	4	4	4	4	4	3	3	4	34	1~2학년에 +2
자연 과학	2	2	3	2	1	1	2	2	3	30	환경이 명칭 변경 생물 · 지리 해체 1
물리 · 화학							2	2	2		물리 · 화학 3
요리							3				요리 신설 +3
건강 교육							0.5	2	0.5		

종교/윤리	1	1	1	1	2	2	1	1	1	11	
역사					1	2	2	2	3	10	역사 · 사회가 명칭 변경
	26				36(*6선택)					62	5~9학년에 +6
미술	1.5	1.5	2	2	3	3	2	*	*		
음악	1	1	1	1	2	2	1	*	*		
수공	1.5	1.5	2	2	2	2	3	*	*		
체육	2	2	2	2	2	2	2	2	2		
가정과										0	–3 자연 과학란에 요리로 변경
상담							0.5	0.5	2	3	+1 직업 가이던스가 명칭 변경
최소 수업 시간 수	20	20	23	24	25	27	29	**		226	+4
국가 수준의 커리큘럼과의 비교	+1	+1		+1	+1	+3	–1	–2			

공현진초등학교에서는 아이들의 균형 감각을 제대로 키우기 위해서 월요일과 금요일에 1블록(주요 과목) 시간이 지나고 10시 30분부터 11시까지 30분 동안 전교생이 체육관에 모여서 움직임교육을 한다. 학년별로 움직임교육은 다음과 같다.

유치원	1학년	2학년	3학년	4학년	5학년	6학년
짐볼, 훌라후프	평균대, 줄넘기, 훌라후프, 술래잡기,	제기 차기, 균형 감각기(원형, 원반, 원통) 죽마	접시 돌리기, 죽마	디아볼로, 죽마, 링	스카프 저글링, 외발 자전거	저글링, 외발 자전거

이것은 단순히 신체 활동을 위한 체육 요소의 하나가 아니고, 전체 교

육과정의 밑거름으로 보면 된다. 우리 교육과정에서 균형 감각을 키운다고 한다면, 먼저 체육 수업을 떠올리기 마련인데, 왜 체육 교과서에 저글링, 디아볼로, 접시돌리기, 스카프저글링, 원 돌리기, 외발자전거, 짐볼 굴리기 같은 균형 잡기 운동이 없을까? 아이들에게 도움이 되지 않아서인가? 기껏 서커스 공연에서만 보는 동작일까? 움직임 활동이 아이들 성장에 좋은 영향을 끼친다는 것을 알고 있는 어른들은 과연 얼마나 될까?

교과서 지식만 배우는 게 교육이 아니다. 아이들에게 중요한 것은 살아 있는 교육을 배우게끔 하는 것이다. 지금이라도 늦지 않았다. 일반 학교들이 하지 않는다면 혁신 학교에서 교육과정 재구성 차원에서 얼마든지 해볼 수 있다. 어차피 교육과정은 담임교사가 재구성하기 때문에 교과 시간에 할 수 없다면 창의적 체험 활동 시간에 하면 된다. 창의적 체험 활동 시간에 ICT, 한문, 영어, 독서 따위들을 하는 것보다 균형 잡기 체육 활동을 하는 것이 훨씬 효과가 크다. 우선 아이들이 신나게 배운다. 담임교사가 그런 활동에 소질이 없다고 해도, 요즘은 학교 현장에서 스포츠 강사를 지원해 주기 때문에 충분히 가능하다. 중요한 것은 학교나 교사들이 하고자 하는 의지와 열의다.

움직임교육은 다음과 같은 효과가 있다(공현진초등학교, 2013).

"곡예(탑 쌓기, 인간 피라미드)를 함으로써 아이들은 즐거움, 몸에 대한 통제력, 용기, 사회적 기술들(인간 탑, 피라미드), 구성적 창조력를 키우며, 저글링의 경우는 보통 3, 4학년 이후부터 시작한다. 4학년 이하에서 할 경우는 이보다 쉬운 스카프 저글링 연습을 하면서 느낌과 리듬을 익힌다. 저글링은 아이들에게 지구력, 리듬, 질서, 집중력, 부드러운 조정 능력을 강화시키는 데 효과가 있다. 접시돌리기는 자신감 증진, 집중력, 침묵, 고요, 위엄을 가지게 하며, 마술은 용기, 데빌스틱(긴 막대 3~5개를 가지고 저글링처럼 재주를 부리는 것)은 집중력을 강화시키는 데 좋은 프로그램이며, 디아볼로(서양 팽이로 공중에서 도는 팽이) 활동은 민첩성을 길러준다. 외발 자전거는 반응, 모든 방향에 대한 균형과 조화를 이루게 해주며, 원통 균형대(속이 빈 원통 위에 판을 놓고 그 위에 올라서서 균형 잡기)은 질서, 죽마(다리를 연장해 거인이 된 것처럼 철(나무) 막대 위에 두 발을 올리고 서서 하는 것)는 용기와 균형, 집중력을 키운다. 또한 줄타기 춤은 자기 억제력을 길러주며, 큰 공 위에서 걷는 활동은 사회적 활동을 잘하는 데 큰 도움을 준다."

학교(교장)와 교사가 이를 위해 허용적 분위기와 안전을 보장하고 아이들이 자유롭게 활동할 수 있도록 환경을 구성해야 한다. 움직임교육 방법은 그 자체가 목적으로서도 중요하다. 이를테면 저글링은 지독하게 많은 연습을 필요로 한다. 그래서 쉽게 포기하는 아이들도 생길 것이다. 그러나 한번 아이들이 성취가 주는 환상적인 느낌을 갖게 된다면 자신을 신뢰하고 자신감을 가질 수 있게 된다. 만약 안절부절 못하거나 균형에 맞지 않는 행동을 하는 아이들이 있다면 저글링을 통해 치유할 수 있다. 저글링은 아이 안에 있는 내적인 질서와 건강한 리듬을 필요로 하기 때문이다.

움직임교육을 하는 순간마다 아이는 내부의 균형 안으로 자기 스스로 밀고나가는 것을 묵묵히 연습하게 될 것이다. 이것이 아이들이 전인적인 인간으로 자라는 데 필요한 가장 기본적인 요소가 된다. 아울러 요즘 학교폭력이 사회 문제가 되고 있는 상황에서 움직임교육은 가장 실질적인 학교폭력 예방 프로그램이다. 체육 시간을 이용해도 좋고, 중간 놀이 시간을 이용해도 된다. 학생 수가 많은 학교는 요일을 정해서(예를 들어 월요일은 1학년, 화요일은 2학년…) 운영하면 된다. 교사의 남다른 재능을 요구하는 것이 아니라 아이들 스스로가 해결할 과제이기 때문에 부담을 가질 필요가 없다. 중요한 것은 하고자 하는 마음과 의지다.

공현진초등학교의 움직임교육 모습

1, 2학년 즐거운 생활 시간에 꼭 필요한 놀이

줄넘기

플라스틱 줄넘기가 아닌 천연 소재 줄을 이용한다. 또한 음악이 나오는 줄넘기는 절대 하지 않는다.

도깨비 머리

2명이 하는 놀이. 눈가리개를 하고 한 손을 서로 잡는다. 그러고는 서로 반대 방향으로 10미터 떨어진 끝에 도달하려고 시도한다.

다리를 건너서

양 끝에 악어가 있는 상상의 다리를 표시한다. 아이들은 각자 다리를 건너야 한다.

중심을 놀라게 하기

아이들이 둥근 원의 형태로 앉는다. 한 아이는 중심에 눈을 감고 앉아 있다. 둘러앉은 아이 중 한 아이가 원 안으로 기어가 중심에 앉아 있는 아이를 만진다. 중심에 앉아 있는 아이는 자기를 만진 아이의 자리를 지적한다. 맞으면 그곳에 가 앉고, 만진 아이는 중심에 앉는다.

솔방울 집기

한쪽에 3개의 바구니에 솔방울이 가득 담겨 있다. 그리고 스무 걸음 정도 떨어진 곳에 3개의 텅 빈 바구니가 있다. 3명의 아이가 각자 한 바구니에서 다른 바구니로 손에 솔방울을 들고 운반해야 한다. 도중에 솔방울을 떨어뜨린 사람은 그것을 곧장 주워야 한다.

접시를 잡아라

한 원 안에 약 8명의 아이들이 앉아 있고, 아이들은 각각 동물을 대표한다. 교사는 팽이처럼 접시를 돌리고 그 동물의 이름을 말한다. 돌아가는 접시가 멈추기 전에 호명된 동물은(아이는) 그 접시를 잡으러 뛰는 것이다. 접시를 잡은 아이는 차례로 다시 접시를 돌리고 다른 동물의 이름을 크게 부른다.

여우

한 아이가 여우가 되고, 다른 한 아이는 암탉이 된다. 대여섯 명의 아이들이 병아리가 되고 암탉 뒤에서 줄을 형성한다. 그리고 여우 굴로 전진하여 시간을 묻는다. 여우가 밤 12시라고 말할 때까지 계속 질문을 반복한다. 밤 12시라고 말하면 여우는 암탉과 병아리를 쫓아간다. 암탉은 여우를 잽싸게 피하면서 마지막 병아리가 여우에게 잡히지 않도록 암탉과 병아리들은 즉시 뛰어 도망가야 한다. 모든 병아리가 잡혔을 때 놀이는 끝이 난다.

11

실과
머리, 가슴, 손을 연결하라

백화점식 나열보다 한 가지를 심층적으로

다음 쪽의 표에서 볼 수 있듯이 실과 교과서 내용을 살펴보면 이전 교육과정과 별 차이가 없고, 실과 교육이 지닌 특색 있는 내용이 거의 없다. 차라리 독립된 내용으로 과목이 편성되는 것이 더 바람직하다. 5, 6학년 때 백화점식 나열로 여러 가지를 배우는데, 차라리 한 주제를 제대로 깊이 있게 배우는 것이 더 바람직하다.

2009 개정 교육과정 해설 내용 체계(5~6학년)

가정생활	기술의 세계
○ 나와 가정생활 · 나의 성장과 가족 · 가정일과 가족원의 역할 ○ 나의 균형 잡힌 식생활 · 나의 영양과 식사 · 건강 간식 만들기 ○ 나의 자립적인 의생활 · 건강하고 안전한 옷차림 · 스스로 하는 옷 관리 ○ 쾌적한 주거와 생활 자원 관리 · 주거 공간과 생활 자원 관리 · 용돈과 시간 관리 ○ 건강한 식생활의 실천 · 건강하고 안전한 식사 · 음식 만들기와 식사 예절 ○ 창의적인 의생활의 실천 · 생활 속 헝겊 용품 만들기 · 환경과 나눔의 생활 용품 만들기	○ 생활과 기술 · 기술과 발명의 기초 · 창의적인 제품 만들기 ○ 생활 속의 동 · 식물 · 인간 생활과 동 · 식물 · 동 · 식물 자원과 환경 ○ 생활과 정보 · 정보 기기와 사이버 공간 · 멀티미디어 자료 만들기와 이용 ○ 생활과 전기 · 전자 · 전기 · 전자의 이용 · 로봇의 이해 ○ 생활 속의 동 · 식물 이용 · 생활 속의 식물 가꾸기 · 생활 속의 동물 돌보기 ○ 나의 진로 · 일과 직업의 세계 · 진로 탐색과 진로 설계

예를 들어, 목공예, 수공예, 원예학, 영양학, 기계학 따위로 세분화하고 이것들을 초등 1학년 과정부터 편성해 놓는 것이 더 바람직하다.

수공예 경우 초등 1학년 때부터 시작하는데, 6학년에서는 바느질부터 시작해 중학교 1~3학년에서 바느질(재봉틀), 고등학교 1~3학년 때는 옷감을 제단하고 디자인해 아이들 스스로가 옷감 만들어 보는 과정으로 진행하는 교육과정을 설계하는 것이 좋다.

초등학교에서 실과를 배우고 중학교에서 기술 · 가정을 배운 다음에 인문계 고등학교로 진학하면 실과 관련 수업은 아예 하지 않고, 실업계 특성화 고등학교에서나 경험해야 한다. 그런데도 대학 진학 상황을 보면 인문계 출신자들이 의상디자인학과, 의류 관련 학과에 진학한다. "인류의 생활 속에서 철재나 플라스틱 문명의 발달 속에서도 학생들의 정서에 긍정적인 영향을 미칠 수 있는 소재"인 목재로 "학생들이 쉽게 생활 도구를 제작하는 과정을 통해 손놀림 노작 활동의 기회를 제공"하는(류청산, 2007) 목공 수업도 5학년이나 6학년에서 한두 번 해보는 것이 전부다. 학교에서는 아예 전공 교사가 아니면 교과서 내용을 암기하는 것으로 대체하는 것이 오늘 교육의 현실이다.

일하는 즐거움을 느끼게 하는 노작 교육

노작(일하기) 교육은 아이들이 세상을 살아가는 데 가장 필요한 교육이다. 하지만 점점 갈수록 노작 교육은 필수이기보다는 일회성 체험 교육으로 변해가고 있다. 노작 교육은 단순히 신체적 활동의 수준에서 머무는 활동인 일하기가 아니라 정신을 함께 이끌어내며, 창조성을 개발할 수 있는 실천적 일하기 활동을 가르치는 것이다.

노작 교육은 창조적 접근에 기초하여 기존의 것을 그대로 답습하는 것이 아니라 기술성의 본질적 특성인 새로운 것을 창출하는 데 큰 뜻을 지니고 있다.

발도르프교육의 창시자 슈타이너 박사는 인류가 쌓아 놓은 모든 문명은 인간의 노동에 따른 결과이므로 노작 활동을 통해서 그 노동에 대한 진정한 이해가 가능하며 이 세상에 존재하는 모든 물질들은 신의 창조물이므로 사람은 수공 활동으로 비로소 세상과 소통할 수 있다고 하였다. 따라서 아이들에게 가장 깨어 있는 부분은 손과 발이며 이것을 가지고 바깥 세계 사물과 상호작용 하는 것은 영혼과 정신을 일깨우는 데 있어서 중요하다. 그래서 발도르프학교에서는 예술 교육과 더불어 교육 내용에서 노작 교육을 중요하게 다룬다. 또한 슈타이너 박사는 자신의 양말조차도 꿰맬 줄 모르는 사람은 진정한 철학자가 될 수 없다고 하였다.

그리고 일하기라는 몸 활동이 영혼과 정신을 일깨워 줄 수 있기 때문에 단순한 몸 활동이 아니라 정신적 깨우침의 과정이라고 하였다. 또한 일하기는 주관적 활동으로 내면세계와 바깥 세계를 연결시키게 된다고도 하였다.

아래는 핀란드와 우리나라 실과를 핀란드 교육과정과 비교한 표다(정남용, 2009a, 44쪽).

구분	교과명	특징
한국	실과	5~6학년에서 운영됨
핀란드	공예	5~6학년의 실과 7~10학년의 기술 · 가정을 포함한 국민 공통 기본 교과
		1~12학년에서 운영됨 (주당 1.5시간)

핀란드 스트론베리 초등학교의 커리큘럼(후쿠타 세이지, 2008)

과목	학년									합계	국가 수준의 커리큘럼과의 비교
	1	2	3	4	5	6	7	8	9		
핀란드어	7	7	6	5	4	5		9		43	3~5학년에 +1
외국어 A1언어			2	2	2	2		8		16	
자유 선택 A2언어				2	2	2		6		12	
외국어 B언어								6		6	
수학	3	3	4	4	4	4		10		32	
자연 환경	2	2	3	3							
생물 · 지리					2	1		7		32	
물리 · 화학					1	1		7			+1
건강 교육								3			
종교/윤리	1	1	1	1	2	2		3		11	
역사 · 사회					1	2		7		10	

음악	1	1	1	1	2	2		1		56	
미술	2	2	2	2	2	3		2			
수공	1	1	2	2	2	2		3			
체육	2	2	2	2	2	2		6			
가정과								3		3	
직업 가이던스								2		2	
최소 수업 시간 수	19	19	23	23	24	26	30	30	30	224	+2
국가 수준의 커리큘럼과의 비교						+2					

바젤 · 루돌프 · 슈타이너 학교 제16차 교육과정

	저학년 · 중학년(8년 담임)								고학년			
학년	1	2	3	4	5	6	7	8	9	10	11	12
국어							문체론, 연구 발표를 가함		문체론, 문법, 연구 보고의 발전			
국어	시구, 시, 놀이 읽기 쓰기		수업의 정리, 작문, 보고, 편지, -문법-낭송, 시					연극의 연습		니벨룽겐	파르티발	문학사, 파우스트연극
이야기	동화	우화와 전설	성서 이야기	북구 신화	그리스 신화	타 민족의 이야기와 전기			유머와 비극, 괴테와 실러의 전기			
역사					고대 민족과 문화	로마와 중세	근대 전기	현대까지의 역사		현대까지의 역사 (계속)	전기로부터 현대까지의 역사 새 시대와 제문화의 고찰, 전체적 전망	

미학, 미술사								조형예술	시론	음악	건축
수학	정수의 계산	필산, 양 개념	분수	소수 계산	삼각정리, 지수 와 이자 계산, 최초의 기하학	대수학, 평면 기하학	방정식, 입체 기하학	연립 방정식, 정수론, 조합론	2차방정식, 수열과 급수, 대수, 상사, 삼각비	아핀공간과 사영기하학, 원추곡선, 해석기하 천문학	함수론, 미적분
지리학			향토	스위스	유럽과 다른 지리권	별, 기상학		지질학	전체로서의 지구		
자연학			인간과 동물	식물	광물	건강과 영양	해부학	운동, 감각기관	내부기관	식물학일반	동물학 일반
물리학					소리, 광, 열, 자력	전기와 역학		열론, 전기학	역학	전기와 방사선	광학
화학						연소와 염, 형성	생체의 화학	생체화학 (발전)	산,알칼리, 염,광물학	정량화학의 기초	생화학
불어 · 독어	시구, 노래, 간단한 회화		문자로서의 말에의 이행, 문법, 간단한 읽을거리, 회화					어학의 기초를 몸에 익히고 , 확실하게 하다, 문학			
라틴어						선택된 문헌의 문체나 형식에 관하여					
오이리트미	이야기에 합쳐서 간단한 소리, 폼과 리듬, 크빈드의 분위기		문법적인 폼 시구를 사용한 봉의 연습, 문화기		봉연습, 음계, 음정	극적 이야기, 장조 단조, 기하학적인 형태화		유머시, 간단한 푸가	운의 폼, 정도와 소리	디오니소스적인 폼,로망파의 음악, 현대의 시와 음악	
노래	클래스에 의한 합창									상급생의 합창	
기악	리코더, (라이어)		또한 다룰 악기, 클래스의 오케스트라						상급생의 오케스트라		
회화	수채화, 색채 체험, 물건의 묘화, 분위기의 연습								다양한 양식		
선묘	포르멘 선묘			프리핸드의 기하학과 간단한 제도				기하학 적 · 도학적 제도			
	이야기나 그 밖의 과목을 소재로 한 묘화				그늘, 관입, 원근법			흑백 선묘와 프리핸드의 선묘			
손의 일	대바늘, 열쇠 바늘의 편물, 자수		편물, 인형이나 동물 만들기			재봉틀 꿰매기, 의복			재봉,가방짜기,실뽑기, 직물,판지 세공, 제본		
공방 작업	에포크 수업과 관련하여 한 간단한 작업				목조, 원예			목공, 금속 가공, 점토, 조리			
체조	놀기	최초의 체조, 손재주 연습, 구기				경체조, 기계 체조, 스포츠					

기술		4) 경작, 수공업, 집짓기		12)공업의 구조, 에너지 · 환경문제, 미디어, 정보학		
실습				농업	측량	공업
졸업 제작				12)학문적, 공예적, 예술적 분야의 자력의 졸업 제작		
종교	신교, 가톨릭, 기독교 공동체, 자유 종교 수업이 교내에서 행해지고 있다.					

초등학교 교육은 지적인 것을 주입하는 것이 아닌, 감성을 살찌우게 하는 교육 프로그램이어야 하는데 우리 교육과정은 머리 발달만 강요하고 있다. 팔다리(의지)가 발달되고, 그 다음 가슴(감정), 그러고 나서 머리(사고)인데, 중간 단계를 쏙 빼고 머리 중심 교육에만 몰두하고 있는 것이 우리 교육이다. 그러니 우리 아이들은 온전한 인간으로 자라날 수 없다.

균형이 맞지 않는 인간을 길러내는 것이 요즘 우리 시대 교육이다. 초등학교 1학년도 안 된 아이들에게 문자를 익히게 하는 것도 가슴보다는 머리 중심의 개념부터 보여주면서 외우기를 강요하고 있다. 문자 하나하나에 철학이 있고, 리듬이 있는 것인데도 말이다.

더구나 예술 교육을 멀리하는 교육은 결코 창의성이 풍부한 사람을 길러낼 수 없다. 한 예로 핀란드 초등학교 교육과정에 특색적인 것인 1학년부터 수공예 수업(뜨개질, 바느질)이 주당 평균 1.5시간씩 배정되어 있다는 것이다. 사지(의지) 발달과 함께 가슴(감성)까지 발달시킬 수 있는 교육과정이다.

아이들은 학년 단계에 따라 점점 십자수, 바느질, 재봉, 제단, 옷을 직접 만드는 단계로 나아가는 나선형 구조로 배워 나간다. 하지만 우리 초등학교 1학년 교육과정에 수공예 시간이 있는가? 있기는 있다. 다만 5, 6학년 실과 시간, 그것도 3, 4차시만 있다. 마지못해서 백화점식으로 끼워 놓은 교육 과정 운영이다. 우리 아이들에게 지금 중요한 것은 교과서 내용을 하나 더 가르치는 것이 아니라 실생활에 필요한 것이 무엇인가를 배우고 깨닫게 해 주는 것이다. 수공예 교실이나 목공예 교실을 만들 경우 여유 공간만 있다면 드는 비용이 컴퓨터 한두 대 값이면 충분히 가능하다. 컴퓨터는 한 대에 한 사람만 수용하지만 수공예나 목공예는 동시에 많은 아이들이 할 수 있는 것이다. 어떤 것이 아이들에게 효율적인 배움인가를 생각하면 쉽게 알 수 있다.

노작 교육, 머리보다 실천

노작교육은 눈으로만 보고 머리로 익히는 것이 아니다. "백문불여일행(百問不如一行)"이라고 했다. 백 번 질문하는 것이 한 번 실천하는 것보다 못하다. 직접 손과 가슴, 머리로 익힐 때 그 효과가 크다. 하지만 지금의 교육은 손과 발, 가슴을 움직이는 것보다는 단지 머리만 쓰는 것만 강요하다. 균형을 잃은 교육! 그러면서 우리는 전인 교육을 부르짖고 있다. 영혼이 없는 교육은 결국 오래가지 못한다는 것을 알아야 한다.

일하기(노작) 교육의 중요성은 굳이 말하지 않아도 다 알지만 실제 아이들 생활은 그렇지 못하다. 날마다 아이들은 학교에 가면 반 강제로 온종일 커다란 프로젝션 TV 화면을 쳐다보면서 공부를 하고 있다. 공부 방법도 언제부터인가 손-가슴-머리에서 눈-머리로 바뀌었다.

아이들이 보고 듣고 느끼는 것도 절차를 거치는 것인데, 그 중간 과정이

쏙 빠졌다. 가슴으로 느끼지 못하고 머리로만 이해시키는 교육에서 일하기 교육을 하는 것은 매우 힘들다.

물론 텃밭 가꾸기 따위가 일하기 교육의 전부는 아니다. 하지만 그런 것 하나도 하지 못하면서 아이들에게 창의성이 어떻다느니 상상력을 풍부하게 하는 교육이 어떻다느니 말하고 있는 것은 분명 앞뒤가 맞지 않다. 지금 우리 아이들이 무엇을 원하고 있는지를 제대로 알고, 이에 맞는 교육과정을 운영하는 것이 교육자의 책임과 의무다.

그렇기 때문에 우리 아이들을 감성이 풍부하고 지혜로운 사람으로 키

원예 수업(자연학) : 유치원에서 초등 6학년까지

우기 위해서는 지식 중심의 교육에서 벗어나야 한다. 머리만 쓴다고 올바르고 온전한 교육이 이루어지고, 아이들이 온전한 사람으로 자라는 것이 아니다. 새가 하늘을 맘껏 날 수 있는 것은 바로 균형 잡힌 날개가 있기 때문이다. 머리만 가지고 세상을 살아가기에는 모자람이 너무 많다. 온전하고 감성과 지혜가 풍부한 사람으로 잘 자라나게끔 하는 것이 진정한 교육의 목표다.

공현진초등학교에서 운영하고 있는 목공예 수업과 수공예, 집짓기 프로젝트, 숲속 교실 따위가 감성이 점점 메말라가는 요즘 아이들에게 참다운 대안으로 다가서고 있다. 그렇다고 이 프로그램들이 별난 것이 아니라 당연히 교육과정에서 해야 할 내용들을 담고 있다. 문제는 이러한 프로그램을 실천하느냐 안 하느냐 하는 것이다.

수공예 수업의 진정한 목적

수공예 교육의 목적은 기능 학습에 있는 것이 아니라 삶의 다양한 측면과 친해지는 데 있다. 즉 수공예 활동은 다양한 기술적 방법으로 학생의 창의적인 생각과 개성을 여러 가지 도구와 재료를 가지고 현실화시키는 데 그치는 것이 아니라 더 나아가서 세계를 이해하고 자신을 완성해 가는 과정이다.

- 1학년 : 뜨개질을 이용해서 리코더 주머니 만들기
- 2학년 : 뜨개질을 이용해서 신발주머니 만들기(겉에 모양을 스스로 꾸민

다.)

- 3학년 : 뜨개질을 이용해서 양말 만들기
- 4학년 : 십자수 방법을 이용해서 가방 만들기
- 5학년 : 뜨개질을 이용해서 장갑, 장난감 동물이나 인형 만들기
- 6학년 : 뜨개질과 바느질을 이용해서 장난감 인형이나 동물 만들기

목공예 수업

- 3학년 : 집짓기 프로젝트
- 4학년 : 간단한 작품 만들기(사포질과 나무껍질 벗기기 작업), 들숨과 날숨 작업
- 5학년 : 나무칼, 숟가락 만들기
- 6학년 : 움직이는 나무 놀잇감 만들기

"쓱싹 쓱싹…… 쿵땅땅 땅!" 강원도 공현진초등학교에서는 화요일과 목요일에 어김없이 왁자지껄 하는 소리와 함께 이런 소리가 되풀이해서 들린다. 목공예실에서 나는 소리다. 겉은 회색 컨테이너(세로 3미터, 가로 9미터, 높이 2미터)로 되어 있어 볼품이 없고, 그래서 학교를 찾아오는 낯선 사람들은 다들 창고라고 생각하지만, 이 컨테이너 문을 열고 들어서는 순간 안에는 놀라운 세계가 펼쳐진다.

3월에 처음 목공예 수업을 할 때 아이들은 모두 호기심과 궁금증이 가득한 얼굴을 했다. 그래서 이것저것 여러 가지 도구들에 대해, 이름은 무엇이고 어떻게 쓰는 것인지 질문을 쏟아내기도 했다. 예전에는 집이나 동네에서 흔히 볼 수 있는 도구들인데, 이제는 거의 볼 수 없게 된 물건들을 아

이들이 목공예실에서 마음껏 보고 다룰 수 있게 되어서 다행이다.

첫 목공예 수업을 시작하면서 요즘 아이들에게 나타나는 여러 가지 문제점들을 한꺼번에 경험했다. 우선 조급함과 집중하지 못하는 산만함이 나타났다. 작업을 시작하자마자 아이들 대부분이 하나같이 "선생님, 이거 어떻게 해요? 이렇게 하면 되나요?" 하고 묻는다. 다른 연장을 쓸 때도 마찬가지였다. 손으로 하는 것보다 입으로 내뱉는 말이 더 많다. 실패에 대한 두려움 때문일까? 아니면 불안해서 그럴까? 그럴 때마다 말해준다. "뭔데요? 꾸준히 해봐요! 무턱대고 막 한다고 되지 않지! 자! 톱질할 때 이렇게 하는 거야! 막 한다고 되는 것이 아니지. 그렇게 하면 힘만 들고 제대로 톱질이 안 되지. 앞으로 우리가 해야 할 작업들은 그 자리에서 금방 완성되는 것이 아니란다. 천천히 그러면서 조심스럽게 해야 해. 자! 잘할 수 있지?"

이렇게 3월 한 달이 지나가자 그런 질문은 점차 줄어들게 되었다. 5월에 들어서서 1차 작업을 마무리할 때가 되었을 때, 아이들이 자신들이 작업하고 있는 것을 가져오면 이렇게 말해주었다.

"자, 봐라! 왜 이쪽이 이렇게 기울어졌지?"

아이들에게 물으면 아이들은 이렇게 대답했다.

"수평이 아니예요."

"이쪽에 사포질을 하지 않아서요, 이쪽을 너무 팠어요."

이처럼 아이들 스스로가 그 문제점을 말하도록 했다. "이 부분이 안 되지? 여기는 이렇게 하는 거야!" 하고 해결 방법을 바로 일러주기보다는 아이들 스스로가 찾도록 한 것이다. 그랬더니 아이들이 작업 태도가 조금씩 달라졌다. 더구나 아이들 스스로가 자신이 작업하고 있는 내용물이 무엇이 문제인지를 정확히 파악하고 있으니 그것을 해결하는 과정은 쉽다.

이렇게 결론을 정해주지 않고 아이들 스스로 찾게 하는 수업으로 목공 수업을 진행하니 4학년이든 5, 6학년이든 아이들이 많이 신중해졌고 작업에 대한 집중력도 높아졌다.

목공예 수업을 하다 보면 선생님들이 평소에는 잘 들을 수 없는 아이들의 소리를 직접 들을 수 있다는 좋은 점이 있다. 목공예 수업(수공예 수업도 마찬가지)을 하면서 아이들이 작업을 하면서 옆 아이와 이야기하는 소리를 듣거나, 아니면 나한테 와서 누가 어떻고, 집에서 무슨 일이 있었다고 말을 듣는다. 나중에는 시시콜콜한 이야기도 다 듣게 된다. 자기 고민을 상담하는 아이들까지 있다.

물론 처음에는 듣고 싶어서 들은 것이 아니다. 아이들은 멍석을 깔아주면 잘 놀기 마련이고, 작업을 하는 데 조용히 하는 것도 아니고 손은 움직이지만 입은 열려 있으니 옆 동무들과 이야기를 나누는 것은 자연스러운 일이다. 나도 때때로 끼어들어 말을 거들거나 의견을 나누기도 한다. 그러다 보니 아이들 생각들을 읽을 수가 있었고, 때론 반 아이들끼리 문제가 있는 경우, 담임선생님께 살짝 귀띔해주는 일도 있다. 예전에 외국 발도르프 학교 목(수)공예 교사들의 경우에 담임교사보다 아이들 이야기들을 더 많이 알고 있다는 말을 들은 적이 있는데, 그것을 실제로 경험하게 된 것이다.

이래서 목공예 수업을 한다

우리 인류가 현재 머리 크기까지 올 수 있었던 것은 바로 손을 이용해서 도구를 썼기 때문이다. 오스트랄로피테쿠스는 그 당시 두발로 서서 다니는 생활을 했지만 두뇌는 침팬지보다 그리 크지 않았다. 하지만 손을 자유롭게 쓰면서 도구를 발명해서 썼기에 그 후손들의 두뇌가 세 배로 커졌고 훨씬 복잡해진 것이다. 어릴 때부터 손을 쓰는 일을 많이 하면 손 근육이 단단해지고 강해진다는 연구 결과도 있다.

하지만 언제부턴가 교실에서 연필로 글씨를 쓰는 모습을 쉽게 찾아볼 수가 없고, 그나마 아이들 글쓰기에 관심 있는 학급을 빼고는 아이들 곁에서 멀어져 가고 있다. 오로지 눈으로 커다란 컴퓨터 화면을 쳐다보고 틀에 박은 교과서에 간단히 몇 줄 적는 쓰기 공부가 전부다. 그러다 보니 아이들이 손 근육을 움직이는 활동이 점점 줄어들고 있다.

더구나 놀이 문화도 많이 달려져서 온몸으로 움직이면서 놀기보다는 손가락 한두 개를 꼼지락거리는 컴퓨터 게임이나, 스마트폰 만지기가 전부

다. 점점 움직이는 것을 싫어하는 아이들, 이런 현실에서 아이들이 교실이든 집이든 점점 더 손가락을 쓰지 않는다면 두뇌에 커다란 손실이다. 또한 아이들 스스로가 예술에서 창의적인 능력도 잃게 된다. 그런데도 우리 교육은 일하기 교육을 오히려 더 멀리하고 있다.

강원도 공현진초등학교에서는 2012년부터 공교육에서 발도르프교육들을 조금씩 적용 실천해 오고 있다. 2012년에는 주로 학교 시설과 교실 환경에, 2013년에는 교육 내용 적용에 중점을 두면서 교실 창 가리개, 수공예실과 목공예실을 만들었다. 농어촌 학교라 여유 교실이 없었기 때문에 수공예실과 목공예실을 만들기 위해 수차례 고민을 거듭한 끝에 수공예실은 3층으로 올라가는 계단을 활용해서 그럴듯하게 만들었고, 작업 소리가 옆 교실에 자칫 방해가 될 수 있기 때문에 목공예실은 학교 본관 건물에서 조금 떨어진 곳에 마련했다.

처음에는 창고에다 만들 생각을 했는데, 장소 크기가 마땅치 않아 다시 여러 차례 고민과 의논 끝에 컨테이너를 설치하기로 했다. 마침 학교 관사 옆에 빈터가 있어 그곳에 목공예실을 만들었다. 그 속에 채워 놓을 여러 종류의 연장과 도구들은 아이들 발달단계에 맞는 것들을 우선 구입해서 설치해 놓았다.

공현진초등학교의 교육에 관심이 많은 사람들은 말로만 듣던 발도르프교육 목공예실을 직접 보고 나서 놀랐다. 설마 했는데 그 정도로 갖추어 놓았을 줄은 몰랐다고들 한다.

공현진초등학교 목공예 수업은 다른 학교와 조금 다른데, 바로 아이들 발달단계에 맞게 수업을 진행한다는 점이다. 교과서 내용을 그대로 배우는 것이 아니라 발도르프교육 과정을 밑거름으로 삼고, 학년 교육과정과 연계

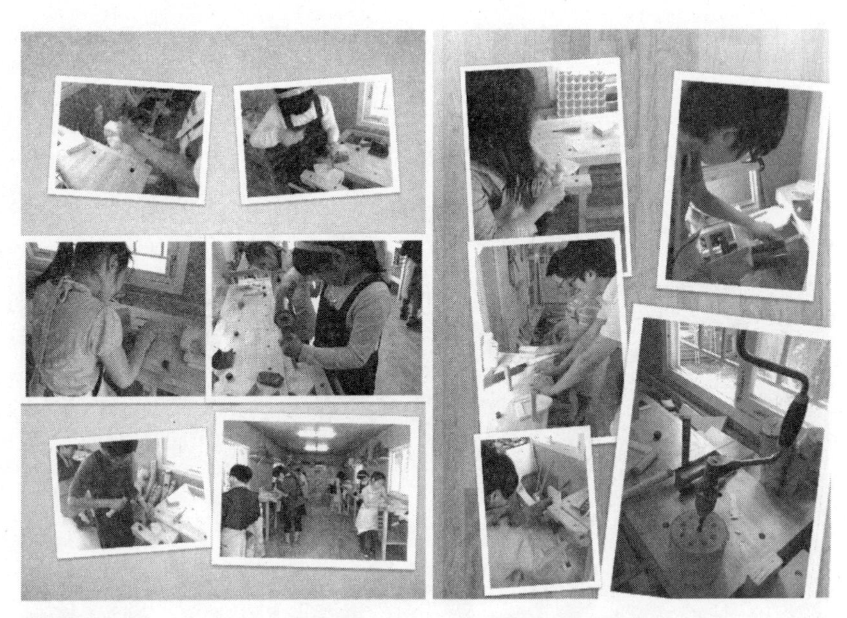

공현진초등학교에서 5학년 2학기부터 사춘기를 준비하는 내용으로 목공예 수업을 진행하고 있는 모습

해 담임선생님이 교과 수업에 지도한 주제를 목공예나 수공예에서도 똑같이 가르친다. 따로따로가 아닌 여러 분야에서 함께 가르치는 것이다(통합성의 원리). 예를 들어 4학년 아이들 경우 들숨과 날숨 과정이 중요한데, 교실 수업에서는 '신화' 공부에 '형태그리기'(포르멘)를 하고 목공예 수업에서는 같은 내용으로 들숨과 날숨을 이용한 '등나무 고리대 만들기', 수공예 수업에서는 한 학기 동안 십자수 기법으로 황마 천을, 뜨개질실을 이용해서 커다란 '줄가방'을 만든다. 머리-가슴-손이 함께 배우는 수업을 진행하는 것이다(〈개똥이네〉, 2013).

5학년 과정에서 필요한 줄가방 만들기

5학년 담임을 맡았을 때 1학기 뜨개질 과정은 코바늘뜨기를 이용한 가방 만들기였고, 2학기에는 줄가방 만들기였다.

먼저 필요한 준비물은 뜨개질실과 니틀포인트망, 바늘, 크레파스다. 먼저 아이들 각자가 준비한 니틀포인트망에다 자신들이 그리고 싶은 문양을

그린다(앞의 사진 참조).

그런 다음 그림이 완성되면 선을 따라 차례로 칸을 채워 나간다. 기간은 두 달 정도 걸린다. 물론 집에 가서 해오는 것이 아니고, 월요일 5교시 뜨개질 시간에만 작업을 한다. 또한 실은 사진에서 보는 것처럼 색깔별로 모아서 교실 옆에 잘 보관해 둔다. 아이들이 잘 뽑아 쓸 수 있도록 매듭 처리를 잘해두는 것이 필요하다.

실과 수업이 제자리를 찾으려면

현행 교육과정이나 교과서는 교과 간 연계성이 아주 부족하다. 국어 수업에서 어떤 내용을 가르칠 경우, 그것이 미술이나 실과와 관련이 있어야 하는데 전혀 그렇지 못하다. 그래서 요즘 융합인재교육(STEAM)이 나왔는지도 모른다. 그런 면에서 실과 수업의 경우, 음식 만들기는 과학에서 우리 몸 알기(소화, 영양 내용)에서, 원예학은 과학 동식물 단원, 나와 가정생활은 도덕이나 사회 과목, 진로 설계와 탐색은 국어, 과학 수업과 짝지어서 통합적인 관점에서 가르치는 것이 효과가 있다.

하지만 그렇게 하기 위해 준비하고 연구할 시간이 너무나 부족하다. 그것은 지금의 교육과정이 교과별로 개별화되어 있기 때문이다. 교육과정 편성 단계부터 과목끼리의 관련성을 생각해 편성하였다면 그만큼 수업하는데 큰 어려움이 줄게 된다. 교육과정과 교과서를 개발한 관계자들은, 소통이 되지 않은 내용들을 소통하도록 하게 하고 그것을 교사들이 억지로 엮어야 하는 교사들의 고충을 알아야 한다.

지적인 교과 중심의 교육은 지금은 당장 장밋빛 환상을 심어줄지 모르나 아이들이 미래를 살아가는 데 결코 도움이 되지 않는다. 어린 시절 의지와 관련된 활동을 하지 못하는 아이들은 어른이 되어서도 제대로 사회생활을 할 수가 없다. 지금 우리 아이들이 무엇을 원하는지, 이에 맞는 교육과정과 프로그램은 무엇인지를 알아야 한다. 그러기 위해서는 교육과정 재편성이 이루어져야 한다. 백화점식 나열과 일회성에 그치는 교육과정이 아니라 아이들의 성장과 발달에 맞는 깊이 있는 교육과정을 도입해야 한다.

가르치는 데 있어 깨달음이란 무엇을, 어떻게, 왜, 가르쳐야 할지, 또 아이들 발달단계에 따라 어떤 교육 내용을 가르쳐야 하는지에 대한 원론적인 자기 고민들을 새롭게 다시 해본다면 가르침이라는 것이 정말 어렵고 힘든 일이라는 것을 알게 된다.

이런 점에서 초등학교 아이들에게 DIY 수업을 하는 것은 다시 생각해봐야 한다. 개별적인 사물을 서로의 특성을 살려 조합하는 것이 초등학생들에게는 무리다. 이 시기의 아이들은 아직까지 생각이 분화되지 않기 때문에 DIY 수업은 상급 학교(중1, 중2)에서 시작하는 것이 좋다.

제 2 부

기질을 알면 아이들이 보인다

01

기질론이란 무엇인가?

기질론이 필요한 까닭

지금까지 우리 교육에서는 왜 기질에 대해 자세히 다루지 않았을까? 교육심리학이나 교육 방법론, 상담심리와 같은 교육학 과목들을 자세히 살펴봐도 기질론에 대해서는 자세하게 나와 있지 않다.

그나마 심리학자인 칼 융이 맛보기로 언급하고 있지만, 이것 또한 그 맥을 제대로 파악하지 못했다. 그렇다면 기질은 교육학에 적합하지 않은 학문이기 때문일까? 아니면 우리 한의학에서 쓰는 것이기 때문에 따로 언급할 필요가 없는 것일까? 아무튼 지금까지 나온 교육학 책에서는 기질에 대한 소개는 거의 다루고 있지 않다. 더구나 교육대학이나 사범대학 교육학 커리큘럼에도 지능에 관련된 내용은 있지만 기질에 관한 내용은 거의 없다.

사실 기질은 교육학에서 상당히 중요한 자리를 차지하고 있다. 기질을 알면 교육은 80퍼센트 성공한 것이나 다름없으며 아이들의 삶을 그만큼 훤히 알 수가 있다. 그렇다고 앞을 내다보는 심령학자는 아니지만 적어도 아이들의 생활 태도나 삶에 대해 조금이나마 방향을 제시해줄 수 있다는 것이다. 그래서 아이 기질에 맞는 재능을 살려주는 것도 중요하다. 예를 들어 내 아이의 기질에 대해서 조금만 알고 있어도, 남들이 다 하니까 우리 아이도 피아노를 가르쳐야 한다는 맹목적인 교육은 하지 않을 것이다.

아이들마다 기질에 따라 이 아이는 가락 악기가 적합하고 이 아이는 합창, 이 아이는 현악기, 이 아이는 타악기가 알맞다는 것을 알 수 있을 것이다. 뿐만 아니라 우리 생활 전반에 기질로 파악할 수 있는 것들이 수없이 널려 있다. 그만큼 아이의 기질을 알면 아이를 키우는 것이나 교육을 하는 것이 훨씬 쉽다는 것이다. 기껏 부모의 욕심 때문에 시작한 피아노 교육이 얼마 뒤에는 "우리 아이는 이 분야에 소질이 없나 봐요" 하면서 쉽게 포기하는 것을 자주 본다. 더구나 아이들이 그동안 얼마나 고통스러운 나날들을 보냈을까를 생각하면 더욱 기질의 중요함을 느낄 수가 있다. 학교 현장에서도 이와 비슷한 일들이 일어나기는 마찬가지다.

3월 초 우리들은 새 학년 새 아이들을 맞이한다. 그러면서 학급에서 자리를 새로 배치하게 되는데 이때 대부분 번호대로 앉게 한다. 그 가운데 눈이 나쁜 아이나 키가 큰 아이가 있으면 자리를 옮겨서 앉게 한다. 하지만 나머지 아이들은 담임이 아이들 모습이 익숙해질 때까지 그 자리에 앉게 되고 그런 다음 얼마 지나서 다시 자리를 새로 바꾸게 된다. 이런 모습들이 지금까지 우리들이 익숙하게 보아 왔던 것들이다. 그렇지만 이것은 아이들

기질을 전혀 살리지 못하고 단순히 그 동안 해오던 관행에 의해서 이루어진 것이다.

기질을 제대로 알면 아이들을 자리에 앉게 하는 데도 나름대로 규칙이 있음을 알 수 있다. 그것은 물론 담임교사의 몫이다. 기질에 맞게 자리를 배치하고 같은 기질인 아이들끼리 앉게 하는 보이지 않는 교사의 힘이 있어야 한다. 그렇지만 그렇게 하려면 먼저 상담을 해서 정보를 얻는 적극성이 있어야 한다. 그렇지 않고서는 아무것도 얻을 수가 없다.

교사들은 '3월 한 달을 잘 잡아 놓으면 1년이 편하다'는 말을 쉽게 한다. 이것은 그야말로 교사의 편의주의에서 나오는 위험한 생각이다. 교사 자신이 편하고자 아이들 삶은 어떻게 되어도 상관이 없을까?

기질을 제대로 알고 이에 맞게 아이들을 지도한다면 위에 말한 것보다도 훨씬 쉽게 학급을 운영해 나갈 수 있다. 아이들 기질이 어떤지를 훤히 알고 있는데 무슨 문제가 생기겠는가. 예를 들어 학급에서 싸우는 아이들이 있다고 치자. 단순히 교사 처지에서 아이들을 대하기보다는 아이들 기질을 이용한 지도가 먼저 따라야 한다.

주로 싸움을 많이 하는 아이들은 담즙질이나 다혈질 아이들이다. 그렇다면 이 기질에 맞게 사전에 학급 환경이나 생활 지도를 하였다면 이런 모습들을 보기가 힘들 것이다. 또한 아이들이 싸움을 하는 것을 보면 다 그 이유가 있다. 그것은 그 아이가 어린 시절이나 현재 사랑이 부족하거나 자신에게 관심을 쏟아 달라는 욕구 불만인 것도 있다. 그렇기 때문에 기질은 부모뿐만 아니라 교사에게도 상당히 중요하다. 기질을 제대로 알지 못하고 교육을 한다는 것은 안개가 자욱한 어두운 밤거리를 걷는 것과 같다.

교육학에서 다루고 있지 않기 때문에 우리나라에 이런 학문이 없는 것은 아니다. 우리 옛 문헌을 보면 한의학에서는 '체질'로 일반인들에게는 소양인, 소음인, 태양인, 태음인으로 알려져 있다. 그렇다고 해서 앞에서 말한 기질과 체질이 서로 다른 것은 아니다.

이것은 분명 동서양 모두 사람에 대한 이해가 궁극적으로는 같기 때문이다. 서로 교류가 없으면서도 어떻게 같은 결과에 도달할 수가 있었을까? 여러 가지 상황으로 볼 때 우리 세대가 풀지 못하는 또 다른 신비스러움이 있다.

기질론의 뿌리

먼저 기질이 어떻게 시작했는지 출발부터 알아볼 필요가 있다. 서양에서는 의학의 아버지로 불리는 히포크라테스의 '4체액설'을 맨 처음으로 친다. 히포크라테스는 우주를 구성하는 '4대 기운', 즉 물[水], 불[火], 흙[地], 공기[風]의 기운이 사람 몸에서는 점액, 우울, 담즙, 다혈로 '4체액'이 되어서 우리의 몸을 이루고 있다고 하였다. 이 '4체액설'이 약 500년 뒤에 로마시대 갈렌에 의해 '4기질설'로 더욱 다듬어져서 16세기까지 서양 의학을 지배했다.

16세기 르네상스 이후 레오나르도 다 빈치의 인체 해부학 연구를 시작으로 세균과 항생제 발견, 마취와 수술 요법 발달 따위들로 서양 의학은 뜬구름 잡는 체질론에서 벗어나 기계론적 의학으로 바뀌었다. 결국 체질론은 의학에서 심리학 분야로 범위가 좁아졌고, 20세기 정신분석학자 융의 '4대 심리적 기질론'으로 그 맥을 잇게 되었지만 교육학에서는 그리 널리 알려지지 않았다.

그러다가 1919년 루돌프 슈타이너 박사가 발도르프학교를 처음 세우면서 기질론이 새롭게 소개되었고, 그 뒤로 발도르프학교에서 널리 알려지게 되었다. 우리나라에서는 1997년 발도르프교육이 소개되면서 기질론이 조금씩 일반인들에게 알려졌다.

사상의학의 경우는 우리나라에서는 다른 길을 걸어왔는데 '체질' 하면 이제마의《도의수세보원》을 떠올린다. 그렇지만 짧은 지식으로 여러 문헌을 살펴본 결과 중국에는 오랫동안 이어져온 '오행 의학' 또는 '내경 의학'이라고 하는 것이 있었지만 '체질 의학'은 없다. 이제마의 의학은 근본적으로 다른 사상들의 기초 위에서 전개되기 때문에 '사상의학'이라 할 수 있다.

우리나라 전통 의학의 줄기 위에 맹자의 진보적인 유학 사상과 서양의 과학 정신이 섞여서 이 땅에 맞는 한민족 고유의 독특한 학문을 만들어 낸 것이라 할 수 있다. 한의학에서 이야기하는 '4체질'(태양인, 소양인, 소음인, 태음인)론은 앞에서 말한 서양의 '4체액설'과 너무 비슷하다. 그러니까 따지고 보면 동서양 모두가 말만 약간 다를 뿐 모두가 같은 말을 하고 있음을 쉽게 알 수 있다. 이제마의 '사상 체질 의학'처럼 대단한 학문이 지금까지 제대로 소개되지 않은 것이 안타깝기만 하다.

물론 여러 사람들의 성격을 동서양이 모두 '넷'(4)이라는 울타리 안에 집어넣는다는 게 어쩌면 상식에 벗어나는 것처럼 보이기도 하지만, 요즘의 과학 이론이 뒷받침하면서 그 진가가 서서히 드러나고 있다. 기질에 대한 연구는 교육에 관계된 사람들에게는 더욱 필요하고 매력적이다.

교육에서 기질이 중요한 이유

기질은 무엇을 말해주는가? 이는 언뜻 보기와는 달리 그다지 쉬운 질문만은 아니다. 이제까지 우리 교육계가 미국 교육계 바람에 익숙한 것 때문에서일까? 아니면 그동안 기질이라는 것에 대해 그다지 신경을 쓰지 않았기 때문에 그것에 대해 정의를 내리거나 아니면 그것의 가치와 필요성에 대해서 이렇다 할 의견을 내놓을 만한 처지가 아니었을까?

물론 한의학에서 '체질'과 관련한 많은 책들이 나와 있는데도 교육학에서 이것을 다루고 있지 않은 것이 어찌 보면 이상할 정도다. 어떤 교육 이론보다도 '기질론'이 상당히 중요한데도 왜 사범대학이나 교육대학에서 다루지 않고 있는 걸까? 수많은 교육을 아무런 검증도 거치지 않고 그대로 옮겨와 쏟아 부었으면서도 왜 이것만은 소홀히 하고 있는지 아직도 의문이 풀리지 않는다. 몰라서 그럴까? 아니면 알면서도 어떻게 접근해야 할지 몰라서 그럴까? 한의학에서 '체질론'을 다루니까 교육에서는 다룰 필요가 없어서 그러는 것일까?

지금까지 학교 현장 경험을 해본 결과 어떤 교육 이론보다 기질론이 상당히 중요하다고 느꼈다. 그래서 슈타이너 박사의 이론을 중심으로 기질론을 소개하고자 한다.

4가지 기질 이야기

지금까지 여러 사람들이 기질에 대해서 이야기했지만 교육 측면에서 가장 가깝게 접근해서 문제를 풀어간 사람은 아마 슈타이너 박사밖에 없을 것이다.

앞에서 이야기한 것처럼 기질론은 고대까지 거슬러 올라간다. 즉 점액질, 우울질, 다혈질, 담즙질이라는 것은 고대로부터 행해져온 인간의 기질 분류법인데 근대에 와서 칸트와 분트에 의해 다시 거론되었을 때 많은 심리학자들은 기질 분류를 시대에 뒤진 것으로 간주했다. 그러나 슈타이너 박사의 기질론은 자신의 인간학의 기초 위에서 새로이 해석되어 어린이 교육에서 중요한 근거로 제시되고 있다. 슈타이너 박사의 4가지 기질론을 살펴보면 다음과 같다.

담즙질

담즙질은 보통 모험을 좋아한다. 기분이 강하고 뜨겁고 격하기 쉽다. 확고한 목표를 향하여 의지적으로 활동한다. 무엇을 할 것인지 즉석에서 결단, 반응할 수 있고 확신에 차 있다. 우울질이 에너지를 걱정, 근심 따위에 내면적으로 소모하는 데 비해 담즙질은 주로 실제적인 일에 쏟는다.

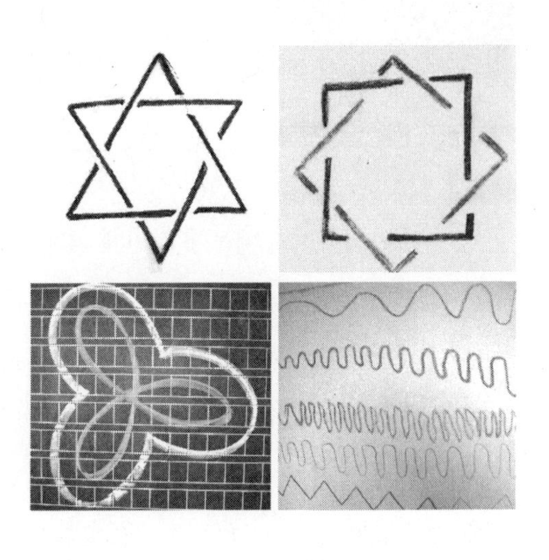

담즙질의 결점은 타인에 대한 상냥함, 인정이 결여되어 있다. 남의 마음의 상처 같은 것을 무의미한 것으로 여기기 일쑤다. 남에게 불평이나 변명을 하지 않고 역경에도 당황하지 않는 지구력과 남까지도 움직일 수 있는 인내력을 가지고 있는 반면 자기 나름의 정의감을 남에게 강요하는 횡포를 부리기도 한다.

점액질

점액질은 보통의 척도로 재었을 때 화를 내는 게 아주 당연한데도 모든 것을 침착하게 받아들인다. 즉 기분에 좌우됨이 적고 침착하고 마음을 편히 갖는다. 외계에 대해서 조화적이기는 하지만 냉정, 무관심하여 자기 속의 관심에만 계속 잠겨 있다. 쉽게 화내는 일이 없고 침착하기 때문에 타인에 의해 움직여지는 일이 적다.

위급할 때에는 냉정하게 반응하고 유머나 풍자를 말할 여유도 있다. 다만 자기 스스로 가벼운 기분으로 반응하지 않으므로 까다롭고 힘든 일을 싫어한다. 남에게 우호적이기는 해도 특별히 친절하게 뒤를 보아주는 것도 아니다. 또 동작이 느리고, 게으름뱅이가 되기 쉽다. 타인의 희로애락에 별로 좌우하지 않고 때로는 그것을 방관적으로 냉소하기도 한다. 그래서 무감동하고 심술궂은 사람으로 여길 수 있다.

우울질

우울질은 감상적으로 자아 중심(이기주의)이어서 자신의 운명과는 전혀 상관없는 비극적인 일에 빠져들게 되는 것을 자주 경험한다. 즉 우울질은 기분이 자기 내면으로 깊게 움직이며 여러 가지 인상을 자기에게 관련시켜서 생각한다. 낙천적이기보다는 조그만 일에도 마음을 쓰는 성질이다.

감수성과 내적 침작이 크므로 바깥에 대하여 한 발짝의 행동을 하는 데도 상당한 고민을 필요로 한다. 즉 완전주의에 치우치기 쉬워서 때로는 자기 자신의 작은 일로 시간을 소비해 버리고 즐거움이나 여유를 잃거나 주위까지 어두운 기분으로 가라앉게 만드는 일도 있다. 예상되는 곤란이나 부정적인 면을 너무 많이 생각한다. 그러나 의지는 강하고 이상이나 진실을 철저히 따르려 한다.

다혈질

다혈질은 대부분 인생을 너무 가볍게 생각한다. 기분이 가볍고 잘 변한다. 언제나 현재의 표정에 가장 크게 움직여지기 때문이다. 그때그때의 표정에 순수하게 반응하는 천진난만성과 낙천성이 있다. 생기 있는 말, 개방적인 태도가 주위까지도 즐겁게 해주고 편견이 없고 자유로운 느낌을 준

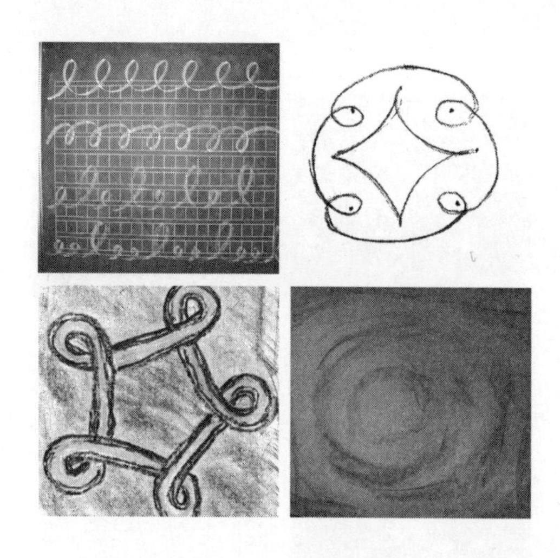

다. 그렇지만 다혈질의 단점은 내부에서 충분히 반성하거나 실행하거나 하지 않기 때문에 침착성이 없고 지속력이 없다. 누구에게나 친절하지만 한편으로는 친구에 대하여 변덕이 많거나 약속을 잊어버리거나 한다. 호기심이 아주 많아서 여러 가지 일에 손을 대지만 어느 것이나 완성하는 것은 서툴다. 만약 나이 단계별로 기질 상태를 생각해 본다면 다혈질은 어린 시기의 고유한 특징이다.

사람은 각자 인생 주기마다 특징적인 기질을 보인다. 모든 건강한 어린이에게 다혈질적 기질이, 청소년에게는 약간의 담즙질의 역동성이, 어른에게는 심각한 우울질의 흔적이 보이고, 노년층은 점액질의 명상에 젖어 있는 것이 특징이다.

그리고 기질은 신체 특징과도 결합할 수 있다. 담즙질은 땅딸막한 체격, 점액질은 둥글둥글하게 뚱뚱한 체형, 우울질은 길고 여윈 형태를 보인다.

그런데 대부분의 사람들에게는 일반적으로 가까이 있는 다양한 기질 성향들이 서로 섞여 있다. 예를 들어 담즙질이거나 점액질인 사람에게는 다혈질이거나 우울질적인 특성들이 가까이 있다. 하지만 확실한 점액질 속성과 담즙질 속성이 서로 만난다거나 두드러진 다혈질이 또한 우울질이기도 하는 일은 아주 드물다. 현실적으로 인간은 누구나 이 4가지의 기질을 겸하여 가지고 있다고도 말할 수 있으나 어느 하나로 완전히 분류할 수 있는 것은 아니다.

그렇다고 해서 4가지가 똑같이 나누어진 사람은 거의 생각할 수 없다. 반드시 두드러진 기질이 있다. 그러나 대부분의 경우 하나의 우세한 기질을 구별해 내는 것은 어렵다. 이 기질은 한편으로는 거의 사람의 본성 속에 고정되어 있다. 기질을 의식적으로 변화시키는 것은 사람의 가장 어려운 내적 과업들에 속한다.

그러나 4가지 기질이 실제로 존재한다는 것은 자의적인 주장이 아니라 교사가 날마다 새로이 확인할 수 있는 실천적 경험이라고 할 수 있다. 기질은 많은 경우에 있어 어린이의 가장 두드러진 일면성을 이해하고 다루기 위한 참된 열쇠다. 따라서 이제 기질을 보는 방법을 교사가 알아두는 것이 필수여야 한다. 교실에 들어올 때 이미 만들어져 있거나 점차로 표현되는 학생들의 기질을 교사가 올바르게 평가하고자 한다면 교육과 수업을 통해 아이들의 기질을 알고 도울 수 있어야 한다.

초등학교 1학년 신입생을 맞이하는 담임선생님은 여러 방법으로 각각 아이의 기질을 알아 낼 수 있다. 입학 전 면접에서 이미 교사는 똑똑하게 말하는 아이, 늘 창밖에 정신을 팔고 있는 아이, 어머니에게 붙어 있으면서 말을 하지 않는 아이 따위의 모습에서 기질을 판단하기 위한 제1단계 실마리를 얻는다.

1학년 아이들이 첫날 학교에 들어오면 날마다 아이의 일거수일투족을 관찰해 본다. “안녕하세요”라는 인사를 가벼운 기분으로 하고 악수를 청하는 아이, 우물쭈물하면서 내미는 손을 주저하는 아이, 학교생활의 진행과 더불어 남을 돕기를 좋아하는 아이, 곧잘 싸우는 아이, 친구와 잘 친해지지 못하는 아이 등이 있다는 것을 알게 된다. 공책을 주었을 때 받는 모습, 첫 장에 크레용으로 선을 그리게 하고 색깔을 쓰는 법, 손가락 끝에 힘을 주는 방법들을 관찰한다. 기질은 많은 경우에 있어서 색의 선택과 구성으로 표현할 수 있다. 색칠도 기질에 따라 다르다. 이런 모든 일들을 늘 새로운 자료로 참고하면서 교사는 아이들의 기질을 확인해 간다.

발도르프학교 교사들이 즐겨 쓰는 효과적인 수단은 고유한 기질에 따라 의식적으로 행동하는 것이다. 학생들의 기질에 따라서 교사는 자신도 그와 같은 기질인 것처럼 가장해서 대하는 일도 한다. 이는 루돌프 슈타이너에 의한 개발된 교육 방법의 핵심 가운데 하나다(고야스 미지코, 2002).

슈타이너 박사는 자리를 정할 때 같은 기질을 가진 아이들은 모둠별로 함께 앉히도록 권유하고 있다. 물론 이때 아이들이 이런 좌석 배치의 원칙을 알게 해서는 안 된다. 아이들이 섞이는 것이 쉽기 때문이다. 예를 들어, 그렇게 함으로써 우울질의 어린이는 화나게 하거나 때릴 수 있는 짝 옆에 앉을 필요가 없어진다. 그러면 한참 지나서 반드시 다혈질의 모둠 속에서 '여기는 말들을 많이 하니까 싫다'든가 점액질의 그룹에서는 '너무 심심하다'라든가 하는 불만들이 나온다. 다혈질들 사이에서는 수다가, 담즙질 사이에서는 싸움이 자주 생기지만, 경험에 의하면 그들을 서로 끊임없는 대결을 통해 그들의 일면성을 없애 버린다. 그때 그러면 어느 자리로 가고 싶은지 둘러보고 아이들이 자기와 다른 기질의 자리를 희망한다면 그 집단의 아이들이 흉내를 내보게 하거나 한다. 그렇게 시간이 지나면서 조금씩 어린이가 다른 형태의 인간을 관찰할 수 있는 안목을 길러주고 관심을 끌어낸다.

여기서 잊어서는 안 될 것은 기질 그 자체는 선도 아니고 악도 아니라는 근본 전제다. 그리고 가장 중요한 근본 원칙은 기질을 부정하여 그것을 없애거나 꺾으려는 것이 아니라 주의 깊게 조화시키고 변화시키려 하는 것이다. 어떤 기질일지라도 성급하게 그 단점을 고치기 전에 우선 있는 그대로를 받아들이는 것이 아이들의 생활에 안정감을 준다. 아이들이 자제하도록 함으로써 그들의 기질의 표출을 제거하려는 모든 것들이 아무런 소용이 없다. 여기서는 발산을 필요로 하는 그리고 아주 서서히 변화시켜 나갈 힘이 중요하다. 어떤 기질이 우세해지도록 아이들을 지도해 나가는 것이 중요하다.

중용과 기질

기질과 중용이 무슨 관계가 있겠느냐고 물을지 모르지만, 교사나 부모의 기질은 더더욱 중용의 참뜻과 같다고 할 수 있다. '중용'(中庸)의 뜻을 사전에 찾아보면 "극단을 배격, 중간점 찾기"라고 되어 있다. 과유불급(過猶不及), 즉 지나친 것은 부족한 것이나 다를 바 없다고 공자는 말했다. 너무 과하지도 않고 그렇다고 모자라지도 않은 상태, 그것을 중용이라 한다는 것이다.

중용은 일종의 조화, 또는 균형, 원만함을 뜻한다. 그래서 중국 사람들은 조화를 무척이나 중시한다고 한다. 인간과 자연의 조화에서 천인합일(天人合一) 사상이 나왔으며, 인간과 인간의 관계에서 중용이 나왔다고 하였다. 또한 중국인들은 조화를 찾으면서 극단을 배격하였다.

굳이 극단을 찾아야 할 필요가 있을 때 중국인들은 양단을 동시에 추구한다. 실제 중국의 전통 건축물은 모두가 좌우 대칭의 형태를 하고 있다. 뿐만 아니라 삼각형보다는 사각형을, 사각형보다는 원을 더 좋아하는 것은 중용 사상이 깃들여 있기 때문이다.

기질과 중용의 관계는, 아이들보다는 부모나 교사의 기질과 깊은 연관된다. 아이들 기질의 경우는 특정한 한 기질의 장점을 이끌어내도록 하면 되지만, 부모나 교사의 기질은 네 가지 모두를 마치 중용처럼 너무 과하지도 그렇다고 모자라지도 않게 지니고 있어야 한다는 것이다. 만약 이것이 균형을 이루지 못하고 있다면 그것은 결국 자녀나 학급 아이들에게 치명적인 상처를 준다. 또한 아이들이 어른이 되었을 때 겪게 되는 증후군들은 바로 이 시절 부모나 교사의 그릇된, 즉 편파적인 성향 때문이라고 하겠다.

한 예로 부모들 경우 요즘 호흡기 질환이나 신경계 질환 때문에 병원을 자주 찾는다고 하자. 주변 환경과 가족 유전 관계 아니면 개인 문제로 병치레를 할 수 있다고 하나, 어린 시절 내내 아이가 어떤 기질의 부모와 지냈는가, 학교생활에서 어떤 교사와 생활했느냐 하는 데서 그 원인을 찾을 수 있다. 따라서 부모나 교사의 기질은 아이들과 관계에서 중용의 역할을 할 수 있어야 한다. 그렇지 않고 어른의 처지에서만 교육을 생각한다면 그것은 결코 올바른 자녀 교육이나 학교 교육이 아니다.

담즙질 교사/부모

아이들에게 성급하고 폭력과 같은 행동을 하면 아이들은 당장 공포와 무서움을 겪을 뿐 아니라, 뒷날 아이들은 소화 계통과 신진대사 계통의 질환과 류머티즘에 걸리기가 쉽다. 그런 교사에게서 배운 아이들한테서 이런 증상들이 많이 나타나고 있다.

점액질 교사/부모

점액질은 냉담한 기질이기 때문에 교사가 이 기질을 제대로 다스리지 못하면, 무관심이 아이들과의 자유로운 사고와 감정의 교환을 가로막는다. 그로 인해 교사로부터 겪는 반응 결핍 때문에 일종의 마음속에 답답함(숨막힘)을 느끼게 된다. 이 결과 학생이 나이가 들었을 때 신경 질환에 걸리는 경우가 많다.

우울질 교사/부모

교사 자신의 감정 세계가 차가운 방법으로 아이들에게 해로운 영향을 준다. 아이들은 영혼의 세계를 표현하고 이와 비슷한 반응을 교사에게 기대하지 않고, 대신에 아이들 자신들이 감정을 억제하거나 감추고 자기 자신 속에 묻혀 버린다. 뒷날 우울질인 교사에게 배운 아이들은 호흡과 혈액순환, 심장 질환과 같은 여러 가지 불만증에 걸리게 되는 경우가 많다.

다혈질 교사/부모

교사가 완전히 다혈질적인 경우에 아이들은 짧은 시일 안에 교육과 개인의 차원에서 확고한 방향과 지도의 방향 감각에 대해 부족함을 겪게 되고, 결국에는 어려움에 맞닥뜨려 의지력과 인내심이 부족할 뿐만 아니라 삶에 대한 생명력과 열정을 잃게 된다. 뒷날 어른이 되어서도 이런 후유증이 나타난다(Gilbert Childs, 1991).

가장 좋은 방법은 교사는 네 가지 기질을 모두 지니는 것이다. 다혈질 아이에게는 다혈질로, 우울질 아이에게는 우울질로 대해 주어야 한다. 어느 한쪽에 치우치기보다는 더도 덜도 말고 '중용'의 자세로 아이들을 대해야 한다. 기질을 알고 나면 자신이 얼마나 아이들에게 큰 죄를 짓고 있는가를 반성하게 된다. 그만큼 아이들이 상처를 받지 않고 제대로 커나가는 일은 쉽지 않다. 따라서 아이들이 훗날 이러한 병적인 고통을 앓게 된다는 것을 알고, 지금부터라도 자녀나 아이들을 대할 때 '중용'의 자세로 행동한다면 우리 아이들은 그만큼 잘 이해할 수 있다. 결코 많은 돈과 시간이 필요한 것이 아니다. 이러한 것들만 가슴에 새긴다면 아이들이 새롭게 보일 것이다.

02

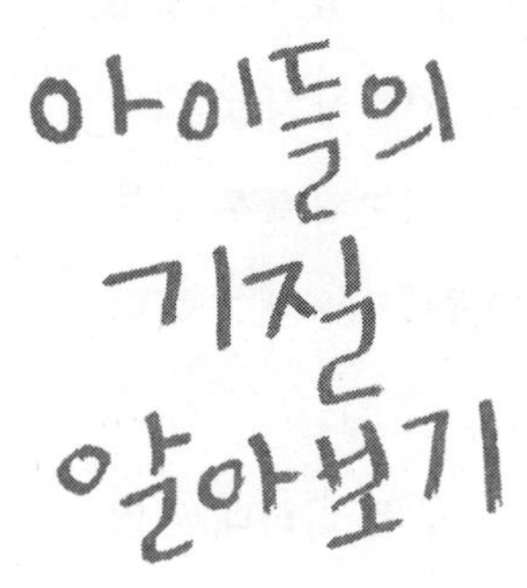

기질과 글쓰기

우리가 아는 동서양의 훌륭한 문장가들의 경우 쉽게 기질과 글쓰기의 관계를 알 수가 있다. 아이들은 기질에 따라 글쓰기를 받아들이는 것이 다르다. 그렇게 때문에 모두가 같은 방법으로 글쓰기 지도를 해서는 안 된다.

글쓰기 시간에 같은 글감을 가지고 반 아이들 모두가 써보도록 하자. 금방 몇 글자 적는 아이가 있는가 하면, 무슨 글을 써야 할지 이리저리 망설이는 아이가 있을 것이고, 꼼꼼히 어떻게 써야 할지를 깊이 생각하는 아이가 있을 것이다. 이것은 바로 아이들마다 가지고 있는 기질 특성이 다르게 때문에 각기 다르게 나타나는 반응이다.

예를 들어 다혈질 아이들에게 글쓰기 지도를 해보자. 아마 어떤 글감을 가지고 쓸 때 다른 기질에 비해 금방 써 내려가는 것을 볼 수 있다. 그렇지만 내용이 깊이가 없고 길이도 짧다. 우리들이 흔히 이야기하는 대로 대충 쓰고 만다. 그러고 나서 다 했으면 친구들이 무엇을 하고 있는지 주위에 또 다른 흥밋거리에 눈을 돌린다. 그렇지만 다혈질 아이들의 글을 보면 어디인가 글의 깊이가 없다.

물론 그렇지 않는 아이들도 있지만 대개는 이러한 모습을 나타내고 있다. 실제 아이들 글쓰기를 지도하면서 이러한 점들을 눈여겨보면 거의 비슷한 결과물이 나온다. 사물에 대한 느낌이나 경험을 대충 쓰다 보니 글 쓰는 것 역시 소홀히 할 수밖에 없다. 이런 아이들에게 꾸준하게 글을 쓰게 하기는 쉽지 않다. 그렇다면 어떻게 해야 할까? 물론 다혈질 아이들이 가지고 있는 본래 천성을 바꿀 수 없지만 이 아이들이 관심을 가질 수 있는 글감을 가지고 지도하거나 그런 글을 써보도록 하는 것이 좋다. 교실에 있는 모든 아이들에게 특성을 생각하지 않고 글쓰기 지도를 하면 좋은 결과를 기대하기가 어렵다. 옛 문인이나 소설가, 훌륭한 문장가를 봐도 다혈질에 속하는 이들이 드물다.

그렇지만 점액질이나 우울질 아이들의 경우는 이와 반대다. 글쓰기를 좋아하고 끝까지 마무리도 잘한다. 물론 그렇지 않는 경우도 있지만 대부분이 그렇게 나타나고 있다. 여러 문장가를 보면 여기에 속하는 이들이 많다. 이런 것을 밑거름으로 해서 글쓰기를 지도하면 좀 더 나은 결과를 볼 수 있을 것이다.

담즙질 : 짧은 문장을 주로 이용해서 쓴다. 동사를 많이 쓴다.

다혈질 : 문장이 끝이 없다. 길게 쓴다.

점액질 : 긴 문장을 이용해서 말을 한다.

우울질 : 형용사를 많이 쓴다(이런 기질의 예술가가 많다).

기질에 따른 교실 자리 배치

기질론은 인간 이해의 기초로서 교사가 알아야 할 필수적인 지식이며, 교사는 아이들 개개인의 기질을 파악하고 적절한 교육적 대응을 해야 한다. 현실적으로 사람은 누구나 4가지 기질을 모두 지니고 있으며, 어느 한 기질만으로 특징지을 수 있는 사람은 없다. 그렇다고 해서 이 4가지 기질이

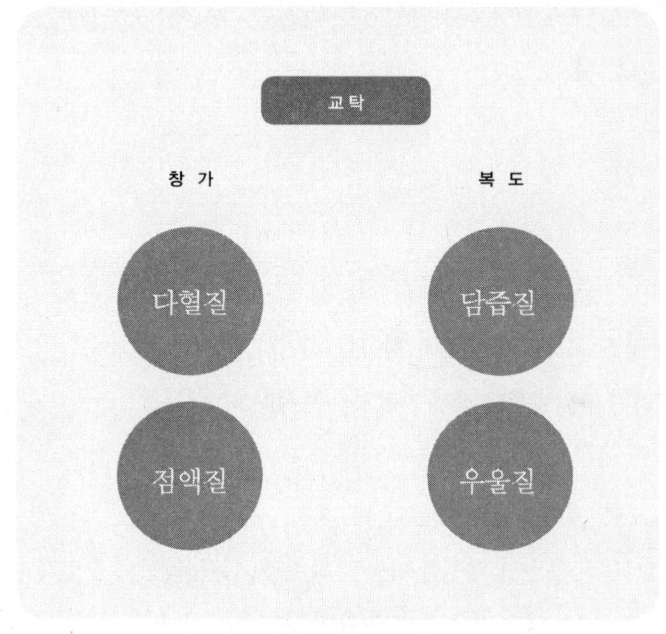

기질에 따른 교실 배치

균등하게 고르게 나타나는 것은 아니며, 반드시 우세한 기질이 있기 마련이다. 교사는 아이들의 기질을 잘 파악하고 인식해야 한다.

다른 기질의 아이들을 무작위로 섞어놓는 것보다 같은 기질의 아이들끼리 모으는 것이 더 효과적이다. 그러나 한 학급 전체를 같은 기질의 아이들로만 모아 놓는 것은 바람직하진 않다. 학급에서 아이들의 자리를 정할 때 처음에는 같은 기질을 가진 아이들과 함께 앉힌다. 그러면 같은 기질을 가진 아이들끼리 서로 끊임없는 대결(?)로 자신이 가지고 있는 기질의 일면성에 대한 문제의식을 스스로 느끼게 된다.

어떤 기질일지라도 성급하게 그 단점을 말하기 전에 있는 그대로를 받아들이는 것이 아이들의 생활에 안정감을 준다. 아이들이 자제하도록 함으로써 드러나는 기질을 없애려고 하는 것은 도움이 되지 않는다. 어떤 특정한 기질이 우세하도록 아이들을 인위적으로 지도해 나가는 것 역시 올바르지 않다.

기질과 목공예 수업

기질을 알면 교육은 80퍼센트 성공한 것이나 다름이 없다. 수학이나 색깔, 형태그리기 따위에서도 각기 기질별로 특성이 나타나듯이 목공예에서도 기질별로 그 차이가 있다. 기질을 무시한 목공예 수업보다는 기질에 따라 연장이나 도구를 제시해 주는 수업이 필요하다. 이렇게 할 수만 있다면 아이들 또한 자신들의 무한한 개성을 마음껏 펼칠 수 있다. 목공예 수업과 각 기질마다 나타나는 특성을 다음 쪽 표와 같이 정리해 보았다.

기질	도구	작업	행동	재료
담즙질 (○) 열	대패	면	밀고 당기는 동작	목재
	드릴	점	돌아가는 힘, 압력 동작	목재
	집게(디바이스)	선	잡아서 돌리기, 손잡이 돌리기	철
	망치	점	이끌어내기, 치는 것	철, 목재
	도끼	큰 면적	이끌어내기	철, 목재
다혈질 (△) 공기	정	면	목표를 향해서	돌
	작고 뾰족한 것 (선 그릴 때)	점	들어올리고, 떨어뜨리고	돌
	크고 뾰족한 것	면	올바르게 치는, 왼쪽에서 형태를 만들 듯이	돌
점액질 (-) 물	끌	면	껍데기를 잘라내고 찌르는 움직임	목재
	나무 조각칼	면	면에서 분리해서 퍼져 나가면서 하기, 오른쪽에서 치는 듯 누르면서 왼쪽 면을 이끌어냄	목재
	손으로 하는 조각칼	면	잡아당기고, 밀기	목재
우울질 (ㅁ) 흙	톱	선	당기고 찌르는 움직임	목재
	줄	면		목재
	잡아당기는 대패	면	잡아당기는 움직임, 누르는 움직임	목재
	손 조각도	면	앞으로 밀면서 찌르는 움직임	목재
	사포	자국	혼합, 리듬감 있게 왔다갔다 하는 움직임	목재

각 기질별 특성

	구성 요소	구성체	인간발달	수학 교육	기호	계절	색깔	글쓰기
담즙질	불	자아	청년기	÷	○	여름	빨강, 녹색	짧은 문장을 주로 이용하고, 동사를 많이 씀
다혈질	공기	영혼 육체	아동기 (사춘기 전까지)	×	△	봄	노랑	문장이 끝이 없고 길게 쓴다.
점액질	흙	생명 육체	노년기	+	⊤	겨울	초록	긴 문장을 이용하여 말을 한다.
우울질	물	육체	중년기	−	▫	가을	파랑	형용사를 많이 쓴다.

	교실 자리	포르멘	목공예	음식	신체 관계	음악	신체 구조	놀이
담즙질	복도 쪽 앞자리	각이 있는 형태	밀고 당기는 도구	향료가 많은 음식	혈액	타악기	목이 짧음. 작고 땅딸함	모둠대항 놀이, 몸싸움 놀이
다혈질	창가 쪽 앞자리	상하 좌우 연속선	작고 뾰족한 것	음식 준비에만 관심	신경	합창, 관악기	날씬하고 균형 잡힘	줄넘기, 구기, 체조
점액질	창가 쪽 뒷자리	대칭 구조	끌, 넙적 조각칼	무슨 음식이 든 잘 먹음	분비선 체계	피아노	뚱뚱한 편	구기
우울질	복도 쪽 뒷자리	기하학 형태	사포, 줄, 톱	까다롭고 편식	신체 (골격, 구조, 외향)	현악기	길고 마른 체형	공기, 바둑

제 3 부

모두가 꿈꾸는 학교

01

교육 변방에서 꿈꾸는 교육 혁신

IDEA!

아이들이 진정으로 꿈꾸는 학교는 어떤 학교일까? 아이들이 행복한 학교는 어떤 모습이고 어떤 상태일까? 경쟁과 대학입시를 최우선으로 하는 지금의 교육 상황에서 이런 학교들이 과연 존재하고 만들 수 있을까? 단지 교육학에서나 아니면 몇몇 북유럽 국가들의 사례로 대리 만족에 머무를 것인가? 우리 학교 현장은 아직은 시기상조일까? 누구나가 꿈꾸는 학교 그런 진정한 공정 교육의 대안은 없는 것일까? 이런 고민 속에서 '새로운 교육, 새로운 학교'를 만들기 위해 작지만 원칙에 중심을 두고 조심스럽게 도전장을 내밀어 본다.

교육 여건이나 학생 수에 비해 보잘 것 없는 강원도 작은 농어촌 지역인 고성의 공현진초등학교에서 교육 혁신을 꿈꾸면서 마침내 2012년 3월에 국내에서 처음으로 공립 초등학교에 발도르프교육을 적용했다. 단순히 혁신 학교 운동과 맞물린 것이라 생각할 수 있지만, 이미 이것은 10년 전부터 차근히 준비해 온 것이고, 앞으로 다가올 3, 4년 뒤에 있을 일을 미리 앞당긴 것이다. 농어촌의 작은 학교들이 없어지는 현실에서 아이들이 돌아오는 학교, 아이들이 행복한 학교를 만들어 보고자 하는 희망으로 과감하게 시작한 것이다.

다행히 강원도 교육청이 추진하는 강원도형 혁신 학교 '강원행복+학교' 공모에 선정되어 그 운영에 조금 탄력을 받을 수 있게 되었다. 물론 혁신 학교가 아니면 힘들지 않겠냐고 묻겠지만 중요한 것은 학교장과 교사의 의지와 열의다. 그래서 오늘을 위해 지난 10년을 조심스럽게 준비해 온 것이다. 물론 처음부터 완벽하게 출발하면 좋겠지만, 예정했던 시기보다 3, 4년 앞당기다 보니 몇 가지 부족한 부분을 안고 시작해야 했다. 우리가 날마다 먹는 밥도 금세 차려지는 것이 아닌 것처럼 밥물이 끓고, 뜸을 들이고 기다리다 보면 어느 새 맛좋은 밥을 먹을 수 있는 것처럼, 약간의 잡음이나 진통은 있기 마련이지만 이것을 거울삼아 지금은 작년에 비해 한층 안정되었을 뿐만 아니라 여러 모로 진화를 거듭해 나가고 있다. 그리고 내년, 후년에는 더 나아질 것으로 본다.

지금 가는 길이 아직은 미완성이지만 학교는 끊임없이 진화를 거듭해 나갈 것이다. 우리가 꿈꾸는 교육이 한순간에 이루어질 수 있다면 그것은 기적이지만, 고민과 준비가 되지 않는 상태에서 변화를 받아들이면 오래가지 못한다. 뿌리 깊지 않는 나무가 오래가지 못하는 것처럼, 수십 년 역사를 지닌 세계 여러 나라의 발도르프학교들도 처음에는 비슷한 과정을 겪었으리라 본다.

자유를 향한 교육, 흔들림 없는 신념

약 100년 전의 발도르프교육 관점이 지금도 유효하고, 세계 여러 나라에서 더 단단해지고 있는 것은 무엇 때문일까? 바로 그 속에 학생 발달단계에 맞는 교육과정이 뒷받침되고 있다는 것이다. 혁신 학교 흐름에 편승해서 우후죽순으로 대안인 것처럼 여기고 생겨나는 교육 내용이나 방법들은 분명 오래가지 못할 것이다. 게다가 이런 것에 현혹되어 이리저리 좇아다니는 교사들이 더 문제다. 진득하게 한 우물을 파 들어가도 제대로 될까 말까 하는 게 가르침과 배움이다.

교육은 자발성과 헌신성이 뒷받침되어야 꽃을 피울 수 있다. 단순히 유행에 따라 '창의 인성'이니, '창의 배움'이니, '배움 중심'이니, 이것저것 잠깐 흉내 내거나 따라 해보다가 아니다 싶으면 다시 다른 것을 찾기보다는 한 우물을 파야 그나마 나름대로 성과를 기대할 수 있는 것이다. 교육을 단순히 머리로만 하려는 것은 아이들에게도 교사 자신에게도 별 도움이 안 된다. 더구나 컴퓨터에 의존하는 수업일수록 이런 현상이 두드러진다.

무엇을 어떻게, 왜 가르쳐야 하는지에 대한 분명한 목적의식만 있다면 이곳저곳 얼굴을 내밀 필요가 없다. 교육은 유행이 아니다. 또한 잔머리가 아닌 온몸으로 가르쳐야 아이들이 제대로 설 수 있다. 흔들림 없이 굳건해야 우리 아이들이 들꽃처럼 자유롭고 건강하게 자랄 수 있다.

감동이 없는 교육은 교육이 아니다

'교육과정 특성화'라는 것이 과연 불가능에 가까운 과제인가? 그토록 험난한 것이기에 손쉽게 틀에 박힌 교과서에서 벗어나지 못하는 것일까? 아니면 만사가 귀찮아서 쉽게 포기하는 것인가? 창의적 체험 활동이 단순히 현장 체험 학습이라고만 생각하고 어디를 다녀와야 한다는 생각을 하는 것인가?

본질에 대한 접근이 필요하다. 특별한 것을 운영하는 것이 아니라 교육과정 속에 있는 것을 학교 현실과 여건에 맞게 재구성하는 것이라는 점을 알아야 한다. 음악이라면 편곡이고, 드라마나 연극이라면 각색이라고 할 수 있다. 선생님들이 잠시 시간을 내어 아이디어를 이끌어내고 관리자(교장, 교감)는 그것이 잘 운영될 수 있도록 지원해 주면 된다. 교육과정 특성화는 결코 어렵지 않다! 공현진초등학교에서도 교육과정과 연계한 프로그램을 작년에 이어서 올해에도 준비해서 운영해 나가고 있다. 아이들 발달단계에 맞는 교육과정을 제대로 운영하는 것이 교육과정 특성화가 아닐까 한다.

교장, 교감, 교사가 늘 깨어 있어야 아이들이 행복하고 학교가 즐겁다. 물론 학부모도 마찬가지다. 무엇을 어떻게 왜 가르쳐야 하는지에 분명한 목적의식을 소명으로 하는 가르침과 그 배움은 곧 즐거움이다. 감동이 없는 교육과정은 교육과정이 아니다. 메마른 지식만 전달할 뿐인 것이다. 더구나 획일화된 교과서 중심 수업과 평가, 컴퓨터에 의존하는 수업, 마우스 클릭 수업은 더더욱 아니다.

좋은 학교는 저절로 만들어지지 않는다. 관리자든 교사든 모두가 뼈를 깎는 듯한 자기 노력을 해야 가능하다. 안 된다고 하기보다는 한계를 극복의 대상으로 삼고 헤쳐 나가는 모습이 아름답다. 그래서 교육은 늘 새로운 도전이며 능력이다.

새로운 개념의 수업 지도안

근대 교육이 이 땅에 들어온 지 100년이 넘었다. 하지만 아직도 학교 현장에서 바뀌지 않고 쓰이고 있는 것 하나가 수업 지도안이다. 요즘 들어 나름대로 교실 여건에 맞게 독창적인 수업 지도안을 쓰고 있지만 그래도 대부분 교사들은 전통 수업 지도안을 고수하고 있다. 하지만 공현진초등학교에서는 발도르프교육을 추구하는 학교로서 과감한 시도를 교수 학습에서도 시작했다.

형식보다는 내용에 무게를 두었다. 그러다 보니 자연히 기존 수업 지도안이 지닌 문제점 때문에 수업 혁신을 하는 데는 한계가 있다는 것을 알았다. 발도르프교육의 방법과는 많이 차이가 있기에 과감하게 내려놓았다. 공현진초등학교 수업의 가장 큰 특징이 무엇이냐고 묻는다면 단연코 기존 수업 지도안을 쓰지 않는다는 것이라고 대답한다. 그 전제 조건은 교과서에서 벗어나야 한다는 것이다. 물론 교과서를 가지고 할 수 있지만 살아 있는 교육과정을 운영하는 데는 분명 한계가 있다. 한계를 한계로 보지 않고 더 나은 대안을 찾은 것이 기존 수업 지도안을 내려놓고 여건에 맞는 수업 지도안을 개발해 수업에 적용하는 것이었다.

수업 지도안의 핵심은 '감각 교육'이다. 12감각에 대한 중요성을 인지하고 이에 따라 교사가 수업 시간에 수업을 통해서 이번에 아이들에게 어떤 감각을 길러줄 것인가 하는 관점을 가지고 수업을 진행하도록 설계했다. 감각 교육에 대한 충분한 이해만 있다면 누구든지 가능한 방법이다. 물론 모든 교사들이 감각론에 따라 수업 지도안을 작성하는 것은 아니다. 부족한 부분에 대해서는 발도르프교육 직무 연수 따위로 채우면서 조금씩 적응해 나가고 있다.

물론 발도르프교육학에 대한 이해가 없다면 새로운 수업 지도안으로는 매우 힘들다. 개념 중심 수업이 될 뿐, 아이들의 감각을 제대로 이끌어내지 못한다. 국어, 수학, 과학, 사회, 외국어, 음악, 미술도 마찬가지다.

학교가 변하려면 연수와 혁신을

공교육에서, 그것도 학교 단위에서 독일에 있는 발도르프학교 교사를 초청해서 연수를 실시한다는 것이 가능할까? 교원 연수 기관인 각 시도 교육연수원에서도 엄두내지 못했던 연수를 공현진초등학교는 이미 4년 전부터 국내에서 최초로 추진해오고 있다. 학교 단위에서는 할 수 없을 것이라는 선입견을 과감하게 깼다. 의지를 행동으로 옮긴 것이고, 남이 가지 않았던 길을 가고자 했던 것이다. 이러한 밑거름이 있기에 오늘의 공현진초등학교에서 발도르프교육 모델을 만들어갈 수 있는 것이다.

물론 이러한 연수를 교육 연수원에서 해주면 얼마나 좋겠는가? 관심과 의지만 있다면 얼마든지 가능하다. 그런 날이 곧 오리라 본다. 2008년 장학사로 일하던 시절 '교실 수업 개선' 사업으로 5월에 1주일간 관내 선생님들을 대상으로 독일 발도르프학교 교사 초청을 추진한 적이 있는데, 장학사가 해야 할 과제 가운데 하나가 바로 이런 것들이 아닌가 한다.

학교 외부의 발도르프교육 관련 유사 단체에서 운영하는 발도르프교육 연수비는 70~80만 원이 넘는다. 주로 서울에서 하다 보니 지방의 선생님들은 숙박비까지 따지면 100만 원이 넘는 비용이 들기 때문에 연수 범위가 제한될 수밖에 없다. 그리고 학점으로도 인정받지 못한다.

하지만 공현진초등학교에서 운영하는 연수는 연수 학점 2학점을 인정하고, 연수비도 자율적 직무 연수로 각 학교에서 환급을 받기 때문에 무료라고 할 수 있다. 이것이 공교육이 가진 장점이 아닌가 한다.

왜 움직임교육인가?

공현진초등학교 1, 2학년 교실에 있는 책상과 방석은 다른 학교와 다르다. 움직임교육과 관련해 혁신적인 교실 환경을 만들었기 때문이다. 아이들의 정서와 인성, 지적 활동에서 놀라운 성과를 가져 온 것이 바로 '움직임교육'인데, 이를 위해 교실에 기존에 쓰던 것과 같은 걸상과 의자 대신 움직임 걸상과 방석을 두었다.

저학년 아이들이 온종일 딱딱한 의자에 앉아 있는 것은 힘든 일이다. 그런데도 우리는 거의 100년 넘게 이에 대해서 누구 하나 문제 제기를 하지 않고 있다. 당연히 초등학교에 가면 그런 걸상과 의자를 이용해야 한다고 생각하고 있다. 하지만 이것은 아이들 신체 발달단계를 철저히 무시한 처사다.

그렇다면 왜 움직임 걸상과 책상을 쓰는 걸까? 움직임교육은 저학년에서 감각 활동을 하기 위한 필수 조건이다. 기존 걸상과 의자에 앉아서는 여러 가지 움직임을 할 수 없다. 체육관으로 옮기지 않고서는 대부분 수동적인 활동에 그칠 수밖에 없다. 그리고 교탁 앞에 나와서 잠시 해보는 것으로 모든 아이들의 감각 활동을 충족시킬 수는 없다.

근대적 신교육이 들어오면서 우리는 교실에서 책상과 의자에 앉아 수업을 하게 되었다. 그러나 우리 전통 서당식 방법대로라면 저학년 수업에서는 앉아서 공부를 했다. 불교에서도 스님들이 수행이나 명상을 할 때, 그리고 외국의 다른 종교 구도자들이 묵상을 할 때 책상을 앞에 두고 의자에 앉지는 않는다. 두 다리를 가운데로 모으고 앉아서 수행을 한다.

그렇다고 저학년 아이들에게 수행을 하라는 것은 아니다. 교실에서 자유롭게 움직이기 위해서는 의자에 걸터앉는 것보다는 온돌이나 카펫 바닥에 앉는 것이 훨씬 좋다. 물론 기존의 책상이 아닌 새로운 개념의 책상이 아이들 앞에 놓여야 한다. 이 책상은 공부 책상이 되기도 하고, 때로는 움직임 활동을 하기 위한 도구가 되기도 한다.

진정한 융합인재교육

융합인재교육이 학생들의 흥미와 이해력을 높이고 창의적 문제 해결력을 기를 수 있다고 주장하는데, 과연 그럴까? 이 말을 만들어낸 교수들의 생각이 아닐까? 소수의 아이들에게만 해당되지 결코 대다수 아이들에게 해당되지 않는다. 아이들 발달단계에 대한 정확한 이해도 없이 무조건 통합한다고 교육이 잘된다는 사탕발림 같은 말에 현혹되지 말아야 한다. 오히려 아이들을 더 피곤하게, 병들게 할 뿐이다.

교과 통합은 마구잡이로 하는 것이 아니다. 여기에 빌붙어서 융합교육을 해야 한다고 떠들어대는 교사들이 더 문제다. 아이들 삶과 동떨어진 교육은 결코 오래가지 못한다. 헌데 학교 현장은 온통 융합인재교육(STEAM)에 대해서 난리를 벌이고 있는 수준이다. 그러나 한동안 유행처럼 떠돌다가 우리 곁에서 멀어질 것이 뻔하다.

누구를 위한 스마트 교육이고 e-교과서란 말인가. 아이들 처지에서 고민해서 만들기보다는 순전히 어른들 처지에서 추진되고 있다는 점이 가장 문제다. 물론 장점이 있겠지만 장점보다는 단점이 더 많다. 따라서 앞으로 아이들의 감각과 영혼이 더 망가질 것이 불을 보듯 뻔하다. 더구나 시류에 편승해서 스마트 교육을 하는 것이 유능한 교사라는 환상 속에 빠져 있는 교사들이 더 큰 문제다.

가장 기본이 되는 글쓰기며 그림, 음악, 체육 활동도 제대로 하지 못하면서 오로지 기계로 보여주는 화면만이 대세라고 이야기하면서 수업을 한다면 분명 그 교실은 영혼이 없는 교실이다.

융합인재교육이란 특별한 것이 아니다. 우리 학교에서는 2013년 초등학교 단위에서는 드물게 전용 목공예실과 수공예실을 만들어 운영하고 있다. 그리고 융합인재교육의 측면에서도 아주 좋은 프로그램을 운영하고 있다. 목공 수업에서 치수와 각도를 생각하면 수학, 쓰임에 대해서 생각하면 실과, 아름다움과 관련한 것은 미술, 친환경 주제면 과학, 어떻게 만들 것인가 서로 이야기를 나누면 국어, 토론이 되는 것이다. 여기에 협력 수업, 진로 교육, 미래 사회가 요구하는 융합형 인간 육성이 다 들어 있다. 목공예 수업은 통합성 원리를 반영한 수업이기 때문이다(〈우리교육〉, 2013).

02

모두가 꿈꾸는 학교

교장이 없는 학교를 만들면 어떨까? 그 사회가 건강하다는 것은 다양성을 인정한다는 것임을 지금의 교육계만 보더라도 잘 알 수 있다. 학교장이 누가 되든 학교 교육이 제자리를 찾게 해주면 되지 않을까? 설사 학교장이 훌륭한 분이더라도, 교사가 제대로 따라주지 못하면 아무 소용이 없다. 차라리 학교장 없는 학교를 만들어보자. 모두가 자신이 가지고 있는 직위를 다 내던지고 오로지 아이들 교육을 위해서 모이자. 그래서 평교사들로 이루어진 학교를 만들자.

법이 문제면 초중등교육법을 개정하면 되고, 교사가 문제면 순수한 희망자들만 받아서 하면 되고, 전체 학교가 그렇게 하는 게 힘들면 시범학교를 운영해보자. 이미 평교사들로 이루어져 학교를 운영하고 있는 나라들이 많다. 그들도 하는데 우리라고 못할 것이 없다. 의지만 있으면 얼마든지 가능하다. 문제는 이에 대해서 전혀 생각하지 못하고 있다는 것이다. 교장, 교감이 없는 평교사들로 이루어진 학교, 이런 학교가 진정 평등 사회, 공정 교육을 지향하는 혁신 학교가 아닐까?

학교장이 학교를 변화시킬 수 있는 것은 아니다. 물론 부분적으로는 변화가 있겠지만, 근본적으로는 교사들이 학교를 변화시킨다. 대부분의 학부모는 학교장을 보고 아이를 학교에 보내지 않는다. 바로 선생님을 보고 아이를 보낸다. 그렇기 때문에 특정 교직 단체를 떠나 희망하는 교사들이 모여서 꾸려 나가는 학교가 진정 대한민국 학교 교육의 대안이라고 볼 수 있다. 교사 협의체를 민주적으로 운영하면 교장, 교감이 없어도 학교를 충분히 운영할 수 있다. 어떤 계파의 사람이 학교장이 되어야 한다는 구시대적 발상에 힘을 쏟을 필요도 없다.

교육 혁명을 꿈꾼다면 그런 학교를 만들어야 하지 않겠는가. 대학 총장이 되어도, 초중고를 막론하고 교장이 되어도 일정 시간 강의와 수업을 해야 한다. 풍부한 경륜을 몇 년 동안 그대로 놔두는 것이 너무 아깝지 않은가. 요즘 교장 공모제, 내부 공모제니 해서 힘들게 기 싸움을 하고 있는데 이런 학교가 있으면 그럴 필요도 없다.

'교육 자치 정책 시범학교'를 운영하면 된다. 교장, 교감이 없어도 교내 교사 협의체에서 학교 행정, 홍보, 연수, 인사 담당자들을 정해서 운영하면 된다. 업무 임기는 2년 정도로 하고, 다음해에 다시 협의해 담당자들을 정하면 된다. 꼭 학교 행정을 학교장만 하라는 법은 없다. 그동안 학교장 일인 체제에서 긍정보다는 부정적인 면을 더 많이 봐오지 않았는가?

바로 이런 학교가 진정한 공화정 중심의 민주적인 학교다. 전 세계 발도르프학교는 교장, 교감 없이 평교사 협의체에 의해 운영되고 있다.

진정한 창의성 교육이란

창의성 교육은 과연 무엇일까? 무엇인가 깊은 뜻이 숨어 있기에 수많은 사람들이 자의든 타의든 그것을 한 단계 끌어올리기 위해 무단히 노력하고 있는 것이 아닐까? 어떻게 보면 창의성은 곧 지적인 사고일 텐데, 지적인 사고는 머리가 똑똑한 아이들을 길러내는 것으로 볼 수 있지 않을까? 그 동안 수많은 사람들이 창의성 개발 프로그램에 뛰어들었지만 이것이야말로 진정한 창의성 개발이라고 장담하는 모습은 쉽게 찾아볼 수 없었다. 물론 학습지 회사에서 얄팍한 상술로 떠들고 있지만 그것은 어디까지나 본질을 벗어난 가치가 없는 것이다.

그러면 학교 현장에서는 어떻게 창의성 개발을 위해서 힘쓰고 있는가? 학교 현장마다 특성화 프로그램으로 나름대로 힘쓰고 있지만 어디까지나 수박 겉핥기에 지나지 않는다. 사실 이렇게 될 수밖에 없는 것은 바로 교과서가 버젓이 버티고 있기 때문이다. 따라서 지금 현재 아이들의 무한한 창의성을 계발하기 위한 가장 좋은 대안은 바로 교과서를 모두 내려놓는 것이다. 교과서를 내려놓는 순간부터 창의성 교육은 시작된다.

국가 교육과정은 있되, 교사들이 일정 수준에 맞는 교육과정을 토대로 교과서를 직접 만들어 가는 수업을 하게 된다면 창의성 교육은 저절로 이루어진다. 그렇게 되면 자연히 시험에 따른 부작용과 과다한 사교육비 지출 같은 문제는 자연스럽게 해결될 수 있다. 물론 학원 문제는 학원 관계자와 일부 학부모들의 이해관계 때문에 꾸준히 이어지겠지만 적어도 지금보다는 학원을 다니는 아이들 수가 줄어들지 않을까?

하지만 당장 교과서를 없애자고(?) 하면 교육부 관료들과 교육과정 관계자들은, 교과서는 단지 교육과정을 실행하기 위한 보조 지침서인데 학교 현장에서 마치 법전처럼 다루고 있다고 오히려 학교 현장의 책임을 말하면서 한편으로는 교육과정 진도표를 만들어서 수업 시수를 확보하라고 이야기할지도 모른다. 지금까지도 늘 이렇게 해왔기 때문에 쉽게 안심이 되지 않는다.

물론 지금 당장에 교과서를 없애기에는 여러 가지 혼란스러운 점이 있으리라 본다. 그러나 지금이라도 올바른 창의성 개발을 위해서는 교과목을 하나씩 줄여 나가거나 교과서 분량을 줄여야 한다. 하지만 안타깝게도 2014년에 새로 3, 4학년에게 적용될 2009 개정 교육과정은 분량이 더 늘어났다.

따라서 지금 현재 가장 좋은 방법은 교사들 스스로가 교과서 없이 나름대로 창의성 있는 수업을 진행해 나가는 것이다. 수많은 아이들의 무한한 창의성을 이끌어내기 위해서는 교사 자신의 신중한 판단이 필요한 것이다. 무엇이 진정으로 아이들의 참된 삶을 일깨울 수 있는지에 대해 우리 모두 신중한 판단을 내려야 한다.

루돌프 슈타이너 박사는 교육을 자신의 문제로 받아들이려 하는 사람들에게 이런 글귀를 남겼다.

상상력을 기르고
진리의 용기를 갖고
그리고 책임감을 강하게 가져라![1]

석공은 평범한 돌을 조각하여 예술적인 작품들을 만들어내는 이들을 말한다. 물론 이 세상에는 평범한 돌은 없다. 돌이나 식물, 동물들 역시 저마다 쓸모가 있게 이 세상에 태어난 것으로 본다. 그래서 아무리 귀한 광물이라고 할지라도 어떤 석공을 만나느냐에 따라서 평범한 돌덩이로 남느냐 아니면 귀한 예술품으로 남느냐 하는 것이다. 자칫 석공의 작은 실수로 꽃도 피워보지도 못하고 그대로 묻혀 버리는 경우도 있다. 돌의 본성을 제대로 알지 못하고 아무 데나 정을 대고 망치로 두드리면 어떻게 될까?

돌은 석공이 의도한 대로 되지 않고 그만 금이 생기고 갈라져서 깨지고 만다. 그렇게 되면 결국 돌은 아무 쓸데없는 것이 되어 버린다. 이와 반대로 혼이 담긴 예술 작업을 하는 석공을 만나면 어떨까? 그야말로 이 석공은 돌의 생김새며 땅속에서 어떤 진화와 결정 과정을 걸치고 여기까지 왔는지를 명확히 파악하고 나서 정과 망치로 조심스레 작업을 해나갈 것이다. 또 여기에는 작업을 하는 동안 석공의 영혼을 함께 불어넣기 때문에 나중에 훌륭한 예술품으로 남는다. 우리가 이야기하는 인류사의 뛰어난 돌 조각품을 보면 분명 다른 점이 있다. 그것은 영혼이 들어 있기 때문이다.

그렇다면 교사와 석공과는 무슨 관련이 있을까? 언뜻 보면 아무런 관련이 없다. 하지만 교사가 하는 일은 석공이 하는 일과 거의 같다. 아이들의 영혼을 어떻게 다듬느냐에 따라서 아이들의 운명이 좌우된다. 기질을 봐도 교사나 부모가 어떤 기질이냐에 따라서, 아이들의 미래 삶에 큰 영향을 주는 것처럼 교사의 몫이 중요하다.

교사가 그저 직업으로 아이들을 대한다면 그 아이는 그저 평범한 아이로 자랄 수밖에 없다. 물론 그 아이가 개인적으로 지능이 우수해서 좋은 대학과 좋은 직업을 얻을 수 있겠지만 아이들의 전체 인생의 삶을 되돌아보면 결코 행복한 삶을 살았다고 할 수 있을까?

이렇게 교사가 미래로부터 온 아이들에 대해서 이 아이들이 어떠한 과정을 걸쳐서 이 땅에 왔고 지금 이 순간 교실에서 나와 어떻게 만났을까 하는 것을 제대로 알게 된다면 아무렇게나 교육을 하지 않을 것이다. 마치 석공이 돌 조각에 온힘을 기울여서 작업을 하는 것처럼 교육을 할 것이다. 선생님들이 이런 정성과 생각으로 교육을 제대로 한다면 아이들의 영혼은 물론 미래의 삶이 아름답게 될 것이다.

슈타이너 박사가 1919년 슈투트가르트에서 처음 자유 발도르프학교를 세울 때 단순히 뜻 있는 사람들더러 그냥 오라고 하지는 않았다. 미래로부터 온 아이들의 영혼을 책임질 수 있는 교사들을 두 제자들이 직접 찾아 나섰다. 수천 킬로미터의 유럽 지역을 마다하지 않고 찾아 나서서 좋은 교사들을 얻을 수 있었다. 교사들 각자가 새로운 교육과 학교에 참여하고자 하는 의지도 있었지만, 중요한 것은 이러한 교사들을 직접 찾았다는 것이다. 마치 땅속에 흩어져 있는 보석들을 찾은 것이라 하겠다. 그래서 세계 교육사에 획기적인 일이라고 할 수 있는 자유 발도르프학교를 세울 수 있었다.

이들이 석공 같은 마음을 지닌 교사들을 만나는 것이 그리 쉽지 않았을 것이다. 하지만 요즘 여러 환경과 여건을 견주어 볼 때, 우리 부모들은 조금만 노력과 관심을 기울이면 이러한 열정을 지닌 선생님들을 만날 수 있는 일이 얼마든지 가능하다. 이미 2천 년 전에 맹자의 어머니는 이것을 실천에 옮기지 않았는가(맹모삼천지교[孟母三遷之敎]).

머리말

1 밥짓는 훈장 http://blog.naver.com/arolunch?Redirect=Log&logNo=80173801673

제1부 아이들의 참 삶을 되살리는 교육

01 아이들 감각을 되살려야 한다

1 발도르프학교에서 1학년부터 5학년까지 진행하는 의지력 발달에 많은 효과가 있는 교육 프로그램

02 교과서 없는 수업

1 이미지 출처: http://gawaineogilvie.tripod.com/Science/hypsography.html
2 이미지 출처: http://www.integral-health-guide.com/gaia-hypothesis
3 이미지 출처: http://cafe.naver.com/onggal/19724
4 이미지 출처: http://terms.naver.com/entry.nhn?docId=1524303&cid=3442&categoryId=3442
5 한교닷컴 http://www.hangyo.com/APP/news/article.asp?idx=42858

03 국어 – 교실에 이야기를 흐르게 하라

1 1998년 8월 국내에서 열린 제2차 발도르프 여름 아카데미에서 요하네스 볼프강 슈나이더 박사 강연 내용 가운데 일부를 다시 정리한 것이다.
2 이미지 출처: cornelia Fabricius(1996), Formen Zeichnen, Novalis

04 수학 – 셈부터 다르게 하라

1 교육과학기술부(2013), 수학(1-2학년군) 교사용 지도서
2 교육과학기술부(2013), 수학(1-2학년군) 교사용 지도서
3 교육과학기술부(2013), 수학(1-2학년군) 교사용 지도서
4 교육과학기술부(2013), 수학(1-2학년군) 교사용 지도서

05 과학 – 학년에 맞게 쉬워야 한다

1 베이컨(Francis Bacon, 1561~1626)은 영국 경험론 철학의 아버지로 평가되는 인물로 정치가, 법률가로서 낡은 영국 사회를 개혁하려고 일생 동안 노력했다. 17세기 서양은 여러 면에서 큰 변화가 일어났던 시기이다. 우선 자본주의가 자리 잡기 시작했으며, 왕권 정치가 확립되고, 시민사회가 형성되기 시작했다. 철학에서는 오랜 중세의 암흑시대가 지나가고 르네상스를

거치면서 인간을 중심으로 하는 사상이 발전을 이룬다. 이 시기 베이컨은 "아는 것이 힘이다"(knowledge is power)라고 주장함으로써 중세 신 중심의 철학을 인간 중심주의의 철학으로 바꾸어 놓았다. 자연을 알고 지배함으로써 더욱 윤택한 인간 사회의 삶을 이룩하고자 한 것이 베이컨의 목적이었다. 베이컨은 경험론적 전통의 창시자라기보다는 선구자라 불릴 수 있다.

2 세종 2년(1420년) 궁궐 안에 다시 지어 학문 연구와 인재 양성을 목적으로 설치되었다. 집현전은 세조 2년(1456년) 사육신 사건을 계기로 혁파될 때까지 40년 가까이 조선 초기 유교주의 국가 정립의 토대를 제공하였다. 세조 때 집현전은 홍문관으로 개칭되어 편입되었다.

3 코페르니쿠스는 태양과 행성들의 복잡하고 불규칙한 운동을 보고 천체의 운동에 대하여 연구를 시작하였다. 그 결과 그는 지구가 우주의 중심이 아니며 지구와 행성들이 태양 주위를 돈다고 세상에 발표하게 되었고, 실험과 관찰을 통하여 자연의 법칙을 탐구하던 갈릴레이는 망원경을 만들어 금성의 상을 관찰하고 목성 주위를 도는 위성을 발견하여 코페르니쿠스의 주장을 뒷받침하였으며 은하수가 셀 수 없이 많은 항성들로 이루어져 있다는 것을 발견하여 우주가 당시 생각보다 훨씬 더 넓다는 증거를 얻는다. 또한 코페르니쿠스의 지동설은 티코 브라헤의 관측과 케플러의 이론적 작업을 통해 더욱더 확고히 뒷받침을 받게 되었다. 케플러는 태양 주위를 도는 행성들의 규칙성을 정리하여 케플러의 법칙을 만들었는데 후에 뉴턴의 운동법칙과 만유인력법칙에 의해 훌륭하게 설명이 되었다. 그 당시에 코페르니쿠스가 레티쿠스의 도움을 받아 《천구의 회전에 관하여》라는 책이 세상에 나왔지만 코페르니쿠스가 너무 늙어 죽게 되면서 그 자신은 자기의 책 내용에 대해 세상의 평가를 직접 들을 기회를 얻지는 못했다. 하지만 책은 남아서 세상으로 널리 퍼져, 행성의 운동 법칙을 발견한 케플러, 그리고 최초로 망원경을 이용해 천체를 보았던 갈릴레이(1632년, 17세기) 등에게 전해졌다. 이들은 지동설이라는 새로운 우주론을 받아들인 것뿐만 아니라, 지동설을 자연과학의 일부로 완성해 오면서 현대 과학에 많은 영향을 끼쳤다.

06 도덕 – 차라리 교과서를 없애라

1 이미지 출처: 뉴시스(2013.12.03), http://www.newsis.com/

08 음악 – 산 소리를 깨우쳐주라

1 펜타토닉(Pentatonik)은 리코더와 비슷한 악기로 반음 없이 5음으로만 구성된 음계 형태이다.
2 이미지 출처: http://www.mercurius-international.com
3 한교닷컴 http://www.hangyo.com/APP/news/article.asp?idx=42858

10 체육 – 바른 움직임을 가르쳐라

1 권장희(놀이미디어교육센터소장), "스마트폰(손 안의 TV, 인터넷, 게임)에 눈을 빼앗긴 아이들. 교실에서 무기력한 아이들, 생각하기 싫어하고, 논리적으로 말을 할 수 없으며, 쓰기를 거부하는 아이들을 볼 때 그들은 단지 눈이 아니라 영혼을 빼앗기고 있는지도 모르겠다는 생각이 듭니다. 초겨울 마른 건초처럼 영혼이 시들어가는 아이들에게 생기를 불어넣고, 삶을 디자인을 하도록 키우기 위해 스마트폰에 빼앗긴 눈길을 찾아와야 합니다." -세상을 바꾸는 시간 347회

(2013.12.20.)에서

2 루돌프 슈타이너 박사의 이론으로 인간을 5감각이 아닌 12감각으로 하위 감각(균형 감각, 생명 감각, 고유운동 감각, 촉각), 중위 감각(시각, 미각, 후각, 열 감각), 상위 감각(청각, 언어 감각, 사고 감각, 자아 감각)으로 나누어서 아이들 발달단계를 관찰하는 데 이용하였다.

제3부 모두가 꿈꾸는 학교

02 모두가 꿈꾸는 학교

1 1919년 9월 5일 독일 슈투트가르트에서 했던 일반인간학 14강 '교사의 도덕성' 중에서

참고문헌

2009 개정교육과정연구위원회(2009), 2009 개정 교육과정 제1차 공청회 자료집
2009 개정교육과정연구위원회(2009), 2009 개정 교육과정 제2차 공청회 자료집
강원도교육연구원(2013), 강원도 창의공감 초등학교 교육과정
개똥이네 2013년 8월호
고야스 미지코(2002), 독일의 자존심 발도르프 학교, 밝은누리
공현진초등학교(2012), 2012학년 학교 교육계획서, 공현진초등학교
공현진초등학교(2013), 2013학년 학교 교육계획서, 공현진초등학교
공현진초등학교(2013), 행복한 학교를 위한 첫 열매, 공현진초등학교
괴테(2003), 장희창 옮김, 색채론, 민음사
교과서민원바로처리센터, 2009 개정 교육과정 초등 3-4학년군 교과용 도서 연수교재 활용 자료 http://www.textbook114.com
교육과학기술부(2009), 2009 개정 교육과정(2009. 12. 23 고시)
교육과학기술부(2009), 2009 개정 교육과정-초 · 중등학교 교육과정-발표
교육과학기술부(2009), 2009 개정 초 · 중등학교 교육과정(총론)
그림형제(1995), 김경연 옮김, 그림동화 1~10, 한길사
그림형제(1999), 김열규 옮김, 그림형제 동화전집, 현대지성사
김용근(1993-2005), 아이들만이 희망 1회-72호 http://www.waldorf.co.kr
김용근(1997), 감성과 표현력을 길러주는 교육, 우리교육
김용근(2001), 형태그리기의 이론과 실제 1-5학년
김용근(2003), 기질을 알면 교육이 보인다. 발도르프 관련 자료집
김재춘(2012), 교육과정, 교육과학사
김형철(2011), 교과서연구 제66호
노마 로어 굿리치(1998), 윤후남 옮김, 중세의 신화, 현대지성사
데이바 소벨(2012), 장석봉 옮김, 코페르니쿠스의 연구실, 웅진지식하우스
라히마 볼드윈 댄시(2004), 강도은 옮김, 당신은 당신 아이의 첫 번째 선생님입니다, 정인출판사
레나테 침머(2010), 김경숙 외 옮김, 움직임교육의 이해, 대한미디어
로버트 루브번스타인(2007), 박종성 옮김, 생각의 탄생, 에코의 서재
로버트 롤러(1997), 기하학의 신비, 안그라픽스
로버트 P. 크리스(2012), 노승영 옮김, 측정의 역사, 에이도스
루돌프 슈타이너(2000), 양억관 옮김, 색채의 본질, 물병자리
루이 라벨(1992), 최창성 옮김, 성인들의 세계, 가톨릭출판사
류청산(2001), 실과교육의 성격과 철학적 탐색, 한국실과교육학회지 제14권 제3호
류청산(2007), 실과 교과 교육학 및 내용학의 성격과 철학적 배경 고찰, 실과교육연구 제13권 제2호
리처드 왓슨(2011), 이진원 옮김, 퓨처 마인드, 청림출판사
릴리안 베르너 본즈(2008), 한창환 옮김, 몸과 마음을 치료하는 색채, 국제
마리오 리비오(2011), 권민 옮김, 황금 비율의 진실, 공존
마이클 슈나이더(2002), 이충호 옮김, 자연 예술 과학의 수학적 원형, 경문사
미하일 일리인(2008), 이종훈 옮김, 코페르니쿠스 인류의 눈을 밝히다, 서해문집
바버러 A. 서머빌(2006), 이충호 옮김, 코페니쿠스, 아이세움
박도순 외(2006), 교육과정과 교육평가, 문음사
박영수(2003), 색채의 상징, 색채의 심리, 살림.
박영숙(2010), 2020 미래 교육 보고서, 경향미디어
박창범(2002), 하늘에 새긴 우리역사, 김영사
박태호(2006), 좋은 수업의 일반 조건과 국어 수업 장학, 전주교대 초등교육연구원
베이컨(2011), 진석용 옮김, 신기관, 한길사
서정오(1995), 옛이야기 들려주기, 보리
서정오(1999), 우리 옛이야기 백 가지 2, 현암사
소피 카사뉴 브루케(2013), 최애리 옮김, 세상은 한 권의 책이었다, 마티

신동흔(2004), 살아 있는 우리신화, 한겨레신문사
신동흔(2012), 삶을 일깨우는 옛이야기의 힘, 우리교육
신선화(2004), 발도르프 학교 교육의 이념에 의한 초등미술교육의 방향모색 한국교원대학교 석사학위 논문
신현철 · 최은자(2009), 358가지 어린이를 위한 이솝 우화 전집 1-3, 문학세계사
아서 니호프(1999), 남경태 옮김, 사람의 역사, 푸른숲
안수영(2008), 발도르프 수공예 프로그램이 초등학교 저학년의 정서지능 및 충동성 조절에 미치는 효과, 성균관대학교 교육대학원 석사학위 논문
안수영(2011), 발도르프교육의 이론 배경과 방법론 적용 사례 연구
알베르트 수스만(2007), 서영숙 옮김, 영혼을 깨우는 12감각, 섬돌
앤 루니(2010), 문수인 옮김, 수학 오디세이, 돋을새김
앤드류 하지스(2010), 유세진 옮김, 1에서 9까지, 21세기북스
오리겐 드레버만(2013), 어른을 위한 그림동화 심리읽기1-2, 교양인
오정윤(2010), 교과서와 함께 있는 청소년 한국사 1-2, 창해
요아힘 바우어(2009), 이미옥 옮김, 학교를 칭찬하라, 궁리
요제프 H. 라이히홀프(2012), 박병화 옮김, 자연은 왜 이런 선택을 했을까, 이랑
〈우리교육〉, 2013년 겨울호
윤구병(2010), 꿈이 있는 공동체 학교, 휴머니스트
이경순(2011), 초등교사가 바라는 음악 교과서, 교과서연구 제63호
이경우 외(1995), 5개국 전래동요에 관한 연구, 창지사
이미숙 외(2011), 학교 현장의 교육과정 자율화 정착을 위한 지원 방안, 한국교육과정평가원
이재승(2005), 좋은 국어 수업 어떻게 할 것인가, 교학사.
임성화(2001), 독일 자유 발도르프학교의 음악교육에 관한 연구, 이화여자대학교 석사학위 논문
전국역사교사모임(2007), 우리 아이들에게 역사를 어떻게 가르칠 것인가, 휴머니스트
전일균(1996), 루돌프 슈타이너의 노작교육론, 교육학연구 제34권 제5호
정남용(2009a), 우리나라와 핀란드의 실과교육 비교, 실과교육연구 제15권 제3호
정남용(2009b), 교육 선진국에서의 실과 교육과정 분석을 통한 우리나라 실과 교육의 발전 방향, 실과교육연구 제15권 제4호
정윤성(2013), 내가 찾는 교과서 [미술], 교과서연구 제71호
제시카 호프만 데이비스(2013), 백경미 옮김, 왜 학교는 예술이 필요한가, 열린책들
제임스 러브록(2004), 홍욱희 옮김, 가이아, 갈라파고스
조경선(2000), 발도르프학교의 음악 교육: 한국 초등교육에의 적용가능성 탐색, 교원대학교 석사학위 논문
존 킹(2001), 김량국 옮김, 수와 신비주의, 열린책들
존파먼(2002), 이충호 외 옮김, 과학의 역사, 사계절
초등교육과정연구모임(2013), 초등 교육을 재구성하라, 에듀니티
최재천(2007), 최재천의 인간과 동물, 궁리
최지연 · 정성봉(2006). 초등학교 실과 '우리 생활과 목제품' 단원 수업의 조직 및 교사와 학생의 상호작용, 실과교육연구, 제12권 제4호
카를 메닝거(2005), 김량국 옮김, 수의 문화사, 열린책들
크리스토퍼 클라우더 · 마틴 로슨(2006), 박정화 옮김, 아이들이 꿈꾸는 학교, 양철북
크리스티안 리텔마이어(2010), 송순재, 권순주 옮김, 아이들이 위험하다, 이매진
프란스 칼그렌 · 아르네 클링보르그(2008), 자유를 향한 교육, 섬돌
한국교육과정평가원(2009, 2010) 개정 교육과정에 따른 교과 교육과정 개선 방향
후쿠타 세이지(2008), 나성은 옮김, 핀란드 교육의 성공, 북스힐

Anke-Usche Clausen und Martin Riedel(1995), Plastisches Gestalten, J. ch. Mellinger Verlag Gmbh
Childs, Gibert(1991), Steiner Education in theory & practic, Edinburgh Floris book
Ernst Schuberth(1993) Teaching Mathematics for First and Second Grades in Waldorf School, Rudolf Steiner College Press
Gilbert Childs(1991) , Steiner Education in theory & practic, Edinburgh Floris book
Helmut Eller(2007), Der Klassenlehrer an del Waldorfschule, Verlag Freies Geistesleben
Margrit JünemannFritz Weitmann(2007), Der künstlerische Unterricht in der Waldorfschule, Verlag Freies Geistesleben
Rebeccxa Schacht(1999), Lights along the path, Chelsey Press
Rudolf Steiner(1976), Practical Advice to Teacher, Rudolf Steiner Press
Rudolf Steiner(1992), Discussions with Teachers, Rudolf Steiner Press
Thekla Thome(2011), Waldorfschule? Waldorfschule, Books on Demand